زرايب العبيد

تصميم الغلاف: سومر كوكبي

نجوى بن شتوان

زرايب العبيد

دار الساقي

الطبعة الأولى 2016

ISBN 978-6-14425-921-4

دار الساقي
بناية النور، شارع العويني، فردان، ص.ب: 113/5342، بيروت، لبنان
الرمز البريدي: 2033—6114
هاتف: 442 866-1-961+، فاكس: 443 866-1-961+
email: info@daralsaqi.com

يمكنكم شراء كتبنا عبر موقعنا الإلكتروني
www.daralsaqi.com

تابعونا على
@DarAlSaqi
دار الساقي
Dar Al Saqi

أيها العابر، آثارك هي الطريق
لا شيء أكثر
أيها العابر، ليس ثمة طريق
تتشكّل الطريق لدى المسير
لدى المسير تتشكّل الطريق
وحين نلتفت إلى الوراء
نشاهد الدرب الذي
ليس لنا أن نعود فنطأه أبداً
أيها العابر، ليس ثمة طريق
إنما آثار نقشٍ في البحر.

الشاعر الإسباني ماتشادو

القدر يجمع ويفرّق

شارع ترابي طويل وضيق، تراصّت البيوت على طرفيه جنباً إلى جنب، جمع بينها الشكل والطلاء الأبيض الذي بهت وتساقطت أجزاء كبيرة منه، وكذلك ارتفاعها غير المتساوي، تتخلّلها بعض الدكاكين الصغيرة التي تعود ملكيتها في الغالب لساكني البيوت. وفي انعطافته مع شارع آخر ثمة صيدلية صغيرة بلا يافطة. إنها الوحيدة هناك، أطلقوا عليها اسم "دكان جوسيبي"، الاسم الذي لا يحبه صاحبها ويناديه به الناس في غيابه.

قال صبيٌّ لأمه في أحد هاتيك البيوت: "هناك رجل كبير يقف بالباب يريدك" فاستغربت الأم مجيء رجلٍ إلى بيتهم لا يعرفه ابنها. المرضى والغرباء يقابلهم زوجها دائماً في دكانه. كان صباح يوم أحد، وكانت مشغولةً بالطبخ، فيما زوجها جالس في باحة البيت يدخن غليونه ويقرأ كتاباً، وأحياناً يضع الكتاب جانباً ويلاعب طفلةً صغيرةً سمراء تبدو كحفيدته.

تجاوز الطفل والده وذهب إلى أمه ليخبرها عمّن يدقّ الباب، قال لها:

- الرجل يودّ مقابلتكِ لأنه سألني عنكِ وليس عن أبي.

مسحت يديها بخرقة الطبخ ومشت ناحية زوجها وأخبرته. استغربا أن يأتي رجل ويطلب ربة البيت وليس صاحب البيت. قال لها زوجها:

- اذهبي وانظري، ربما كان مرسلاً من المستوصف أو الإرسالية.

بدت مستغربةً أكثر ممّا هي مترددة، وتقدمت ناحية باب المنزل ومعها كمٌّ من التساؤلات. تبعها الطفلان. مدّت عنقها من وراء الستار الذي ينسدل على الباب حتى صارت في منتصفه ونظرت من يكون الرجل. كان واقفاً أمام البيت مديراً ظهره للباب باتجاه الشارع، يرتدي جرداً[1] نظيفاً ويشبك يديه وراء ظهره. كان طويلاً. قالت في نفسها لمّا رأت نظافة ثيابه من الخلف: "هذا الرجل أتٍ خصيصاً لمقابلتي. الجرد لا يكون ناصعاً إن استُعمل يومياً".

كلّمته ليلتفت إليها:

- أينعم، كلّمني يا أخي.

التفت الرجل سريعاً وأجابها:

- السلام عليكِ يا أختي.

ثم أشاح بنظره بعيداً عن وجهها.

بادلته السلام وبها لهفة لمعرفة من يكون وماذا جاء به! لم يكن يسيراً عليه التقاط نَفَس أو كلمات للحديث، فهو لا يستطيع أن ينظر إليها ملياً ويريد في اللحظة عينها أن ينظر بروية. في تلك اللحظات

---

١ الجرد عبارة عن لحاف (أشبه بالعباءة) يستعمله الرجال.

القصيرة الجامعة، ورغم وجود الباب بينهما، شعر بالحاجة لإعادة ترتيب كلماته مرةً أخرى، حتى تكون فاعلة ولا تغلق المرأة الباب في وجهه وتمتنع عن الحديث معه. لكن لماذا تغلق الباب في وجهه إذا كان صوتها الذي كلّمته به وديعاً لطيفاً؟ ربما يتحتّم عليه التوقّف عن التكهنات قبل أو دون خوض التجربة.

لن يكون لائقاً أن يقول لها: "جئت لأتحدث مع عتيقه بنت تعويضه خادمة الحاج امحمد بن عبد الكبير بن علي بن شتوان". كلا كلا، إن عليه عدم قول ذلك وتجنّب لفظ الخادم. من الأنسب ألاّ يفعل بالرغم من أنه لا يجد تعريفاً آخر لتعويضه؛ موضوع الزيارة والحديث، فلا أحد أعطى الخادمة اسماً أو وصفاً في الحياة غير ما جعلها عليه الرق. إنه لا يعرفها بشيء آخر ولا يعرف ما يقول في هذه اللحظات تحديداً لابنتها. يتوجّب عليه الحديث عن جارية أو أَمَة بصفتها إنساناً، دونما ذكر ما يشير إلى منزلتها الدونية، ليناقض بذلك ثقافةً دمغت مجتمعاً.

أنّى له ذلك؟

أجابها عندما سألته من يكون بأنه يودّ التكلم معها على انفراد، أي سيتكلم مع امرأة لا يعرفها ولم يرها من قبل، وهي كذلك ستستمع لمجهول جاء يروي شيئاً بصفته قريبها؛ شيء لا تعرفه عن نفسها وعن خادمتهم؛ أمها.

إنهما كمبعوثين للتو من حياة أخرى لم يكونا فيها تماماً كما هما الآن في حياتين مختلفتين. لكنّ ماذا لو لم تقبل السيدة أن تعود وفضّلت غلق بابها نهائياً والرجوع إلى مطبخها والاستمرار في

حياتها بدون هذه الحكاية؟ ماذا لو لم تشغفها معرفة شيء ممّا جرى؟

بعضٌ منه كان يفكّر في ذلك ويحسبه ويتضايق منه، أما بعضه الآخر، المتحرّر المتفائل، فيذهب أبعد من ذلك حتى يصل حدَّ الجلوس في مربوعة[1] البيت بمكانة الضيف الموقّر الجانب.

قبضة يدها على الباب، وصوتها في كلمات وجيزة، هذا كل ما أدركه منها.

ماذا يقول لها، بمَ يجيب عن سؤالها: "من أنت وماذا جئت تريد؟" هل ستعرفه من اسمه أم لا تكون سمعت به من قبل على الإطلاق؟

سوّى جرده على كتفه وثبّت عينيه على الباب. خرجت الكلمات متقطّعة من حلقه:

– أريد أن أتكلم مع عتيقه بنت تعويضه.

– ومن أنت؟

كما توقّع، سددت له سؤال الكينونة. تريّث قليلاً ثم أجاب:

– أنا علي بن شتوان.

– من؟

قالت المرأة بنبرة عالية تشوبها الدهشة والتفاجؤ.

– أينعم يا أختي، أنا علي بن شتوان.

– قل حاجتك.

– لا يجوز أن أتكلم واقفاً في الشارع. ما جئت لقوله لا يقال هكذا. هلا سمحتي لي بالدخول؟

– لا أستطيع أن أدخلك ولا أن أسمعك، أنت غريب عني وليست

---

١ مضافة الرجال.

بي حاجة لحديثك. يبدو أنك أنت من تحتاجني للحديث وليس أنا. دعني أعِشْ حياتي ولا تقلقني بشيء، لا أريد الاستماع لكل ما تودّ قوله، لم يعد ثمة جدوى.

– اسمعيني أرجوك.

– كلا.

وامتدت يدها وسحبت الطفل الواقف بينهما على العتبة ثم أوصدت الباب بعجلة.

ظل واقفاً مكانه لا يعرف للحظات ماذا يفعل، ثم تقدم خطوات إلى باب البيت وتكلم، وكأنها ما زالت وراء الباب تراه من بعض شقوقه:

"إذا كنتِ تسمعينني، أنا موجود بالفندق البلدي. إذا فكّرتِ في الكلام معي أرسلي خادماً إلى هناك وسيجدني حالاً. السوق كلها تعرفني. سأضع لك على العتبة كاغدك الشرعي[1] لتأخذيه حتى إن لم ترغبي في مقابلتي أو الحديث معي. هذا الكاغد ما كُتب إلا لك ومن أجلك وحدك، ليس لغاية أخرى أو هدف، والله شاهد على ما أقول. أرجو أن تعطيني فرصةً للكلام"، واستحلفها بحياة أولادها، "ورأس عيالك".

أخرج من فرملته[2] روزنامة ملفوفة رُبطت بخيط، وضعها في الشق ما بين الباب والعتبة المرتفعة وقال:

– سلام الله عليك يا عتيقه بنت محمد بن امحمد بن عبد الكبير

---

١ وثيقة النسب.

٢ الفرملة: الصدرية.

بن علي بن شتوان، هذا حقكِ رُدَّ إليك فخذيه ولا تردّيه.

ثم ابتعد عن الباب خطوات وعيناه معلقتان به.

القاع مليء بما تعجز عتيقه عن وصفه. عيناها اللوزيتان تختصران بصمت حكاية حب الأَمَة البائسة لسيدها، تنكفئ بهما على مساعدة طبيب الإرسالية. تُمرِّض الأطفال والنساء بالدرجة الأولى، ونادراً ما تتكلم مع أحد. يوازي ذلك الصمت حديثٌ طويل مع الروح عن قلق الهوية ما بين لونين: جلدٌ أسمر وعينان لوزيتان وحزنٌ ليس له انتماء إلى دم محدد.

لماذا تنكأ جراحي الآن يا حاج علي؟ لماذا تطلّ الحكايات بعد فوات مواسمها؟ هل لتصحيح ما ورد فيها، أم للاعتذار عمّا فيها من وجع؟ عتيقه لا تنبس بما يُري وجهتها للغريب، لأصلها الماثل اليوم في بيتها لحماً ودماً واعترافاً واستحقاقاً. توصد الباب بينهما وتكتفي بالابتعاد.

عتيقه الصبورة الصامتة كأمها، كصخرة تتحمّل لطم الأمواج المالحة لها منذ زمن دون أن يفتّها الملح، ذات العينين اللوزيتين الحزينتين، تستسلم لإلحاح علي صاحب الإطلالة البهية، المختلف عن عائلة تتنكّر لها شكلاً ومضموناً، تروي له ويسمع منها. على الطرف الآخر من الدم والأصل والشجن، يقرّ لها بالتوجّع في حضرته ما وسعها ذلك، يفتح الأبواب الموؤجلة لتنتقي عتيقه موضعها من المكان والزمان والأحاسيس، فتحبّها دروبه كيفما كانت حياتها شديدة التعقيد كثيرة المنعرجات، ويحب فيها رائحة محمد وعينيه وشيئاً من فلج أسنانه حين تبتسم.

سيحب حزنها المكابر ويحنو عليه، سيقترب منه دون أن يكشف سره أو يرفع الغطاء عنه، سيكون قريباً منها باحتواءٍ صامتٍ لها، واعياً ألّا جدوى من معاندة الأقدار والدنو أكثر مما تحتمل المسافةُ وملامسة روحها.

لا تغلق باباً فتحه الله

في مساءٍ ذي نسيم عليل، توسّدتْ ذراع يوسف العجوز مستلقيين تحت شجرة الليمون في بيتهما الوديع. تحدثا أول الأمر عن طلاء قضبان النوافذ التي تآكلت من رطوبة البحر. عتيقه تحب بيتها نظيفاً متجدداً وتهتم بأدقّ التفاصيل فيه. قال لها إنه سيكلّم الدهّان البسيوني ويتفق معه على الأجرة والتوقيت ليتم العمل. ألقمته تمرةً في قلبها لوزة وقالت له:

- أنت عجوز، تفهم مباشرةً كيف تُرضي زوجتك بلا جدلٍ طويل، لذلك هي ستظل تطعمك التمر باللوز كما تحبه.

ضحك بقهقهة خفيفة ثم سألها:

- هل نام الأولاد يا صاحبة بستان اللوز في عينيها؟

- نعم إلاّ كبيرهم الذي علّمهم الشغب.

- لأنه يحب النوم تحت ضوء القمر في بيته رفقة قمره.

نكزته بخفة:

- عجوز يبيعني الكلام العذب دائماً ويشاركني حبَّ بيتي العربي المتواضع والنومَ تحت سماء بنغازي المتلألئة بالنجوم.

- لكني لم أكُ عجوزاً عندما بعتكِ أول كلمة.

- بلى كنتَ كبيراً وكنتُ لا أزال صغيرة، لذا صدقتك.

ضحكا معاً وهما يتذكران أيامهما قبل أن تؤول الصداقة إلى حبّ ثم عائلة ومصير مشترك.

- لكم أحب بيتي وعملي! أظل أراقب عقارب الساعة خلال تقديم الأدوية لآخر الزبائن، لكي أقفل الصيدلية وأعود إلى البيت في اللحظة ذاتها دون تقديم أو تأخير، وبالدقة نفسها أراقب الساعة على معصمي إلى حين عودة ممرضتي من عملها في المساء.

- أنت دائماً دقيق كالساعة أيها العجوز.

- لا تقولي عجوز.

- حسناً أيها الزنجي الذي أحب.

- أها، هكذا أفضل... اقتربي مني أكثر واحكي لي كيف مضى يومكِ.

تنهدت ثم أخبرته عن المستوصف:

- استقبلنا اليوم مرضى من الضواحي. ساعدت الأخوات ماريا وفرانشيسكا. كانوا أطفالاً يحتاجون العزل. لم يكن الأمر يسيراً لأن أمهاتهم من خارج بنغازي ولا يوجد لهن مكان يمكثن به قريباً من أطفالهن، فاضطررنا لوضعهن في غرفةٍ أخرى من المستوصف.

- أحسنتِ يا حمامتي أحسنتِ.

أشاحت بيدها على وجهه ثم خلعت له نظارته.

- أنا لستُ حمامتك.

- آه... لستِ حمامتي؟ إذاً ما أنتِ؟

- أنا قمرك كما كنت تقول منذ قليل، أم أنك كسائر الرجال تغيّر كلامك سريعاً؟

- اووه اووو يا صغيرتي! آسف حقاً. أعطيني نظارتي حتى أتمكّن من الرؤية جيداً، هل أنتِ قمري أم حمامتي؟

وضحكا كما يضحكان في كل وقت يمضيانه معاً، ثم صمتا وظلاّ يحدّقان في النجوم ولا يتكلمان. بعد لأي قال لها:

- اذهبي إليه وتحدثي معه لعلكِ ترتاحين، لعلكِ تجدين لديه شيئاً. أي شيء قد يكون جميلاً.

- كيف عرفت أنّي أفكّر به؟

- عرفت لأني أعرفكِ جيداً. أنا لا أتنبأ.

- فعلاً أنا أفكّر به منذ مجيئه.

- اذهبي لعلكِ ترتاحين، لن تخسري شيئاً. أعطيه وأعطي نفسكِ الفرصة. لا تغلقي الباب من البداية.

- هل هذا ما تراه؟

- نعم، في رأيي يجب ألاّ تفوّتي الفرصة، فالرجل يبدو لي صادقاً وإلا لماذا حمل لك كتاباً شرعياً موثّقاً من المحكمة الشرعية وقطع به مسافاتٍ طويلةً باحثاً عنكِ حتى وجدكِ؟ لا يبدو لي سفيهاً أو طامعاً أو لديه هدف غير واضح.

- يحيّرني مجيئه في هذا الوقت.

- كان ليأتي في أي وقت وكنتِ لتقولي الشيء نفسه: لماذا جاء الآن؟ هذه مشيئة الله. الله هو من يختار التوقيت ولعل فيه خيراً لكِ.

- أنت ما رأيك به؟

- لا أريد أن أتكلّم نيابةً عنكِ، فهو جذورك وعروقكِ، والجذر لا يمكن قطعه بإغلاق باب. لو كنت مكانكِ لفكّرت في أولادي، أن يكون لهم امتداد يتطلعون إليه في الماضي أفضل بكثير من ألاّ يعلموا شيئاً. في النهاية الأمر راجع لكِ، لن أدفعكِ لشيء لا تريدين فعله.

أعقب ذلك صمتٌ قصير قطعه متسائلاً:

- هل تحدّثتِ إلى مفتاح؟

- نعم تحدثنا.

- وماذا قال؟

- تعرف أهمية العائلة والأصل بالنسبة لمفتاح. إنه لا يني يردّد أن العائلة، حتى لو كانت عبارة عن كلب أو قط، لا يجب على المرء أن يفرّط بها. (ضحكت) شجّعني على التحدث إليه واستقباله في بيتي وأبدى استعداده لمصاحبتي إلى السوق متى اقتنعت بالذهاب إليه. إنه سعيد من أجلي.

لم يعقّب بشيء. بعد لحظات خرق الصمت بسؤالها:

- هل نمتِ؟

- كلا، أسمعك وأفكّر في كلامك.

- نامي الآن ودعكِ ممّا يقوله الزنجي العجوز.

- الزنجي العجوز صديقي وحبيبي، مثل تلك النجمة البعيدة في السماء، هل تراها؟

- أيُّها؟

- تلك.

- آها. ما بها؟

- أستطيع أن أراها أكثر من ملايينِ الأنجم أمامي، تتلألأ في السماء وتضيء بيتي الحبيب الآن وفي كلِّ آن، تبقى مضيئة ولا ترحل حتى أنام.

- اوووو، أنتِ محتالة حقاً!

احكِ لي أنت الحكاية

سوق الجريد مزدحم كعادته، يعجّ بالرجال وبالعبيد من الجنسين، مكانٌ من العيب أن تدخله نساء الأحرار. تجرّأتْ كامرأة حرة وذهبت إليه رفقة مفتاح. أوصلها مفتاح إلى المكان ثم قال لها إنه سيكون قريباً متى انتهت كي يعود بها.

سيدة شابة في ثياب إفرنجية، غير التي ترتديها النساء المحليات، تبحث عن تاجر يدعى علي بن شتوان. أوصلت له العيون الخبر فترك بيعه وشراءه وجاء مهرولاً على عجل. أدرك أنها هي لا سواها. لم يكن هذه المرة في إزاره، بدا لها مختلفاً عن المرة السابقة، شعره المكسو شيباً أجمل ما فيه مع طوله ونحافته وبياضه، وجهه وسيم، وزيّه العربي نظيف. إنّ له حقاً هيئة تاجر.

سلّم دون مدّ اليد إليها عندما رآها. شعر بالحرج لمجيئها إلى السوق، ففي اعتقاده السوق مكان لا يليق بالنساء ذوات الشأن.

قال لها:

- لماذا أتيتِ بنفسكِ؟ لماذا لم ترسلي أحداً ورائي؟

تبسّمت في سخرية:

- لا تخشَ عليَّ من قالة الناس، فأنا لست من "الحرار" لكي يأبه الناس بسمعتي أو مسيرتي. لا أحد يعرف من أنا وبالكاد يعرفونني باسم عتيقه الممرضة.

- حاشاكِ حاشاكِ.

تقدّمها على حرج مفسحاً الطريق أمامها للمرور. إنه لا يودّ أن تبدأ العلاقة بينهما بهذا الفارق الذي يسعى لإخفائه ويريد التخلص من تبعاته. كان في الدكان عبيدٌ يعملون في ترتيب البضائع فقام بصرفهم، ووضع كرسياً في مدخل الدكان دلالةً على أنه مغلق.

جنّبها في جلوسها أن تكون مواجهة للباب، كيلا يراها العابرون من أمام الدكان.

كان سعيداً بحضورها وبرؤيتها، إنها متكاملة أمامه لأول مرة كما لم يتخيلها من قبل. حاول قدر المستطاع تلطيف الجلسة الأولى معها. طلب لها الشاي وسألها عن حياتها بشكل عام كيف تسير كمفتتح للحديث، ثم سكت عندما رآها تختصر الردود وتطيل الصمت وكأنها جاءت لتسكت. كانت تقلب نظراتها في الدكان وكأنها تكتشفه، وكانت فرصته ليحدق فيها، فيجدها شابة تميل للاسمرار، طويلة ونحيفة خالفت الصورة التي تخيلها لها، جميلة، وخلافاً لفكرته عن النساء فهي لا تلبس اللباس العربي، وتخرج للعمل في مؤسسة.

ليقطع الصمت بينهما قال:

- هذا دكان جدي الأصلي الذي انطلقت منه تجارتنا.

هزت رأسها صامتة، فأضاف:

- والدكِ كان يعمل هنا، ومكانه الذي يجلس فيه ليس وراء طاولة البيع.

وكأنها كانت تفكر بشيء آخر عندما سمعته، قالت:

- ماذا؟ أين؟

أشار إليها:

- حيث تجلسين الآن.

- هل لديك عمل أشغلك عنه؟

- كلا، كلا، تفضلي! أنا سعيد بمجيئك، قد لا تصدقين ذلك ولكني حقاً سعيد.

كانت لها ابتسامة شخص ساخر من عبث ما يحدث أمامه. فجأةً عادت الصرامة إلى ملامحها وقالت له:

- احكِ لي.

تردّد قليلاً قبل أن يسألها:

- ماذا تريدين أن أحكي لك؟

هاجمته نوبة سعال، احمرّ وجهه ودمعت عيناه. انتظرته ليلتقط نفساً وسألته:

- هل أنت مريض؟

- لا. لا تهتمي بي الآن، واحكي لي.

- أي حكاية؟ ليس عندي ما أرويه.

- ما تحبين معرفته أو أي شيء.

- لماذا بحثت عني؟

وكأن سؤالها فاجأه.

– لأنه يجب عليَّ أن أبحث عنك قبل أن أموت، أعني ما دمت حياً.

– وهل ستموت قريباً؟

– كلنا سنموت. الموت قريب جداً منا، في أي لحظة يأتي. بالله ساعديني كي أُصلِحِ ما يمكنني إصلاحه. نيتي صادقة في إسعادكِ، في التواصل معكِ، أنتِ عروقي.

آنئذ تغيرت نبرة صوته وصار كرجلٍ مريضٍ فعلاً. ثبتت عينيها عليه وهو يتكلم، وكأنه يضغط للمرة الأولى على موضع فيها يؤلمها.

– قد لا تصدقينني وتقولين أين كنت طوال هذه السنوات. ما لم أحكِ لك وتعرفي لن يمكنك تصوّر شيء. حتى إن رفضتِ اللقاء بي مجدداً وكانت هذه آخر زيارة تقومين بها سأكون سعيداً لأني التقيتك قبل أن أموت وأعدت لك ما استطعت من حقك وحق أمكِ، اسمكِ ونسبكِ. أما ميراثكِ الشرعي فما زلت أخوض صراعاً مع بقية الورثة لتحصيله بعد إثبات النسب. إنكِ لا تعلمين بما أفعله من أجلكِ هناك في الضفة البعيدة من الديار.

– ما بالك تتحدث عن الموت وكأني ما شبعت فقداً؟

– لأنني مريض حقاً.

شعر أنها تتعاطف معه في خفاء.

– ما جئت للتكلم عن ميراث، جئت لأطفئ ظمأ الحكاية، كيف حدثت وماذا حدث! حكايتي التي تخصّني في هذه الدنيا العجيبة، أنا عتيقه بنت تعويضه. حكايتي هي بعض نسبي والميراث الذي لا ينازعني في صحته أحد.

أضاف والمنديل على فمه:

- وبنت تعويضه ومحمد بن امحمد بن عبد الكبير بن شتوان، وابنة خالي أيضاً.

- هل تأتي إلى بيتي يوماً؟

قالتها ووقفت عن كرسيها بعجلة.

- يشرّفني أن أعرف عائلتكِ، فقد سمعت أن زوجكِ رجلٌ متعلم محترم ووقور، كما أنّ لكِ أطفالاً.

وابتسم حينما قال "أطفالاً".

- أريد أن أعرفهم وأن يعرفوني كخالٍ لهم. سأزوركِ حقاً وأزوركِ وأزوركِ حتى تنتهي حياتي.

في الإرسالية

حياة جديدة وأناس جدد يفتح المرء عينيه بينهم ذات مرة، ولا تفسير عنده سوى أنها إرادة الله والقدر، كلاهما سلطة لم يستطع الإنسان فهمها كاملةً أو معرفة لماذا تعمل بذلك الشكل الذي يجد فيه نفسه مضطراً للقبول دائماً، فليس في مقدوره فعل شيء آخر.

وجدت نفسي في الإرسالية اليوسفية في "الفويهات[١]"، تحت رعاية الأخوات الراهبات. كنّ يمنحنني اهتمامهن بشكل عظيم، حتى أتماثل للحياة. ذات مرة، بينما كنت في سريري، جاءت إحدى الراهبات الأمهات واقتعدت جانب السرير وتحدثت معي بلطف عن أشياء تتعلق بإقامتي في مستوصف الإرسالية وكيف أجده، ثم إذ بها تسألني ما إذا كنت أعرف القراءة والكتابة.

احتججتُ أن تشرح لي أكثر لكي أفهم، وبعد لأي قلت لها إنني لا أعرف حتى ماذا تعني المدرسة. حدثتني عمتي صبريه أنها تجمع المال كي ترسلني إلى مدرسة محو الأمية عند بنت فليفله، وأشرع عبر التعليم في تغيير شكل مستقبلي قبل أن أكبر ويكبر معي في زرايب العبيد.

---

١ الفويهات: حي من أحياء بنغازي.

كانت تتكلم معي في ذلك، لاسيما عندما نذهب لخدمة إحدى العائلات في الأعراس، وتخبرني أن خدمتي عند الناس مجرد وضع مؤقت، فهي تبحث عن عمل دائم لدى عائلة حتى تتمكن من إرسالي إلى مدرسة البنات ودفع نفقات تعليمي.

كان يوسف وراء استبقائي في عهدة الراهبات بعد مغادرتي المستوصف، كان ذلك يسيراً وسهلاً في ذلك الحين. أطفال كثر أيتام، سود وغيرهم، تعهّدتهم الإرسالية، علّمتهم القراءة والكتابة وقواعد السلوك وآدابها، مسحت منهم أشياء ووضعت أشياء أخرى أكثر رقيّاً وتمدناً، أحبها الأطفال والتزموا بها حتى أصبح الفرق واضحاً بين الإنسان الذي أشرفت على إعداده الراهبات والإرساليات وبين الآخر الذي نشأ في عائلة فقيرة، مع عددٍ كبيرٍ من الأخوة وفي بيئة يعوزها كل شيء، لم يتعلّم ما يواجه به المستقبلَ سوى العمل في الأسواق أو التسول أو خدمة المنازل أو انتظار أن تسعفهم قرابتهم بعميد البلدية فيشغّلهم كنّاسين، تمتلئ بهم الشوارع، ويصبح من يكنس منهم في الليل قريبَ من يكنس في النهار.

في الإرسالية تعلّمتُ الكتابة والقراءة بالإيطالية، وتعلّمت الحياكة واكتشفت أن العالم يحوي أشياء مهمة تسعد القلب وتجعل الوقت ممتعاً، يمكن للإنسان أن يحذق عملها ويخرج بها من حياة الفقر المدقع في الزرايب. ثم لمّا بلغت مبلغ الفتيات قُسِّمت الفتيات إلى خياطات وممرضات ومعلمات، والتحقتُ بفريق الممرضات لأني ملكت مهارات تخفيف الوجع عن الناس وأحببت عمل ذلك مع الأطفال بخاصة.

صارت لي أمهاتٌ جدد، أحببتهن وتعلّمت منهن وارتبطت بهن، بعد وفاة عمتي صبريه.

كانت أروع محبة قدّمها لي قلب يوسف جوسيبي، ومن ذلك الوقت أصبحت أبتعد عن عالم الزرايب وأدخل عالمي الجديد، عالم أوسع من الأول، مرتبط بالإنسانية ولا دخل له بتصنيف الإنسان إلى لون أو جنس، ولا قيمة فيه لرابطة الدم، هذا هو أهم ما تفتّحتُ عليه، إذ إنني لا أملك أية روابط في مجتمع تتحكم فيه القربى. أملك عقلاً وقلباً، وهو ما يتطلبه أن تكون فرداً في العائلة الإنسانية.

أصبح زوّاري - وهم بعض قرابتي في هذا العالم - كلٌّ من مفتاح ويوسف وعمتي عيده وجاب الله ودرمه، كلما لاحت لهم فرصة. تأتي عمتي عيدة لتتفقدني وتسدي لي النصائح كما كانت عمتي صبريه تفعل، وتأتي درمه لتخفّف عني عبء الحياة بوجهة نظر مغايرة، وتأتي ابتسامة مفتاح وعطفه واهتمامه لتكسر طوقاً من الحزن والوحدة يغشى روحي. أما يوسف فأعجز عن وصف حضوره الغامض، الذي تحوّل إلى شراكة تامة في الدم والروح فيما بعد.

نشأت الخصوصية بيني وبين يوسف، الذي يكبرني بسنوات كثيرة، عندما كنا نجلس في حديقة المستوصف ويسألني باهتمام عمّا تعلمت ويطلب مني القراءة والكتابة. كان مختلفاً عمّن في جيله، ففي حين يخجل الرجال من حضور المرأة ويعتبرونه عيباً، أصرّ يوسف أن أخرج وأتعلّم وأعمل، خلافاً لنساء جيلي إلا القلة منهن. صار يحمل إلي جريدةً معه أو كتاباً كلّما حضر لزيارتي، ويجلس بجانبي ويطلب مني في عطل السبت والأحد أن أقرأ له. شيئاً فشيئاً تفتّحتُ على

الرجل فيه واقترب من قلبي وبات طيفه يحيطني في النهار ويزورني في الليل. عندما تقفل الراهبات الأبواب ونبيت وحدنا في الجانب المخصص لنا من الإرسالية، لا أكون وحدي حقاً.

شيئاً فشيئاً صرت أفتقده كلّما غاب وأكتب إليه الرسائل وأنتظر ساعي البريد كي يأتي إلى الإرسالية ويجمعها أو يحملها، ثم عندما حانت لحظة وداعه بكيت كثيراً وحزنت، فهو سيسافر للدراسة في إيطاليا بتوصيةٍ كنسية وقد يبقى هناك بشكل دائم.

مضت سنوات. يأتيني مفتاح عندما لا يكون لديه عمل. مجيئه كان يزرع قلبي بالفرح، فأهبّ إليه بأحضان مشرعة عندما يخبرونني بمجيئه. كان قد استقر في عملٍ واحد لسنوات ويبدو أنه أحبه كأنما خُلق له. ساعدته أمه الجديدة في الحصول عليه عند قريب لها يدير محلاً لبيع السفنز[1]. صار مفتاح بصدقه ونظافة يده وحرصه عوناً له ومحبوباً عنده، فعهد إليه بالصنعة. عندما يزورني كان يحمل إلي السفنز ويعطي الراهبات ويوصيهنّ بي.

وكما كان يشاغبني ويناديني "السويده"، أصبحتُ أناديه "السنفاز" وأقوله له إنه من الحسن لك أنك تطورت في أعوام قليلة من الدقيق إلى السفنز وهذا يليق بك يا أخي العزيز.

كنت أعمل في المستوصف الإرسالي طيلة الوقت، وأقوم بنفس أنشطة الأخوات. حياتي حياة عامة ولا متّسع فيها لشيء خاص، سوى تبادل الرسائل المتباعدة مع جوسيبي أو الثرثرة مع مفتاح عن المستقبل.

---

١ نوع من الفطائر الشعبية.

ثم جاء اليوم الذي حمل فيه ساعي البريد رسالةً غير عادية قال فيها جوسيبي إنه سيعود إلى وطنه بنغازي، وذيّل تلك الرسالة بأن بنغازي تعني "عتيقه". انتظرته بالدقيقة والثانية وكنت أتحدث مع الأخوات عن عودته وإعداد حفل صغير له، وقد لاحظ مفتاح اهتمامي به فحضّر لي طبقاً من الحلوى، صنعه خصيصاً للمناسبة، أطلق عليه اسم "السويده ولعبيد" (السمراء والعبد) وكان عبارة عن "كيك" بالزبيب مزيّن بالمكسّرات المحمّصة والمعقودة في العسل.

جاء يوسف أكثر شباباً وتمدّناً وتعلماً. رأيته مختلفاً ورآني كذلك. لم أعد تلك الصبية ذات الثلاثة عشر عاماً بضفائرها المحكمة وأشرطة شعرها البيضاء. لقد أصبحتُ امرأة.

تكرّرت لقاءاتنا خارج الإرسالية. وكنا ذات مرة ندرس معاً عندما تغيّر سياق الحديث وقبّلني. مرّتْ ليلة حالمة مختلفة، وفي صبيحة الغد جاء باكراً إلى مقرّ إقامتي وأدركت أنه سيصارحني بحبه. لاحظت الأخوات التغيرات المتلاحقة في علاقتي به، فقالت الأخت ماريا: "لا بدّ أنه جاء بهذه السرعة في صباح يوم شتوي بارد ليطلب يدك". وبالفعل طلبني يوسف للزواج رغم فارق العمر.

قال لي في كلمات قليلة إنه يريد الزواج بي، يريد أن نتزوج ثم نتحدث عن كل شيء، فهو لا يملك تصوراً لحياتنا إلا أننا يمكننا معاً تصور كل شيء والعمل على تحقيقه.

لقد ضحكنا فيما بعد عندما تذكّرنا كيف طرح الأمر، وعندما ولد طفلنا الأول سريعاً.

قال لي إن هذا الطفل لم يكن ليولد لو ظلّ والده على تردّده، أو

كان ليأتي قبل أوانه لو أن والده لم يكن عاقلاً إلى حدٍّ كاف وأمه تسترسل في قبول ما يفعله والده ثم تختفي يوماً كاملاً خجلاً منه، لأنه رجل كبير وهي فتاة صغيرة.

كان ميلاد محمد حياةً أخرى لي، أضاف معنى لوجودي.

أنا التي أبدو في الصورة

أنا التي أبدو هناك، ولا أظهر في الصورة، بجانب عمتي عيده وابنها بركة. ذلك اليوم تركتني عمتي صبريه عندهم وذهبت إلى المدينة، كان يوماً مليئاً بالحرّ والذباب وغربلة الرمل.

جلست حول غربال الرمل من الصباح إلى المساء، أنا وأطفال من الزرايب. كنا نغربل رمل البحر لصالح البنّائين ونتحدث ونتشاجر حتى ترتفع أصواتنا ويأتي العجوز الزنجي المخصص للمراقبة فيشتمنا ببرطمته الغريبة ويضرب من تطاله عصاه منا حتى وإن لم يكن طرفاً في الشجار.

يتبادل الإشراف على عمال الغربال الصغار مجموعةٌ من السود، بينهم نساء، يمرون متفحّصين عملنا قبل أن يختفوا في أعشاشهم من الحر، ويأتوننا بين الحين والآخر ليحثّونا على العمل، ضاربين البعض بخوص النخيل الذي يستعملونه لهشّ الذباب، كي ترتفع الروح المنخفضة لدى الباقين.

لم أحب الأوقات التي تشرف فيها النساء على الغربال. إننا لا نستطيع التحايل عليهن، فهن يكتشفن ألاعيبنا فوراً ويعتبرن كلامنا

مجرد أكاذيب أطفال بلهاء جرّبوها كلها قبلنا.

كنت أختار مكاني عند الغربال بعيداً عنهم، لذا كنت دائماً في الزاوية البعيدة غير البيّنة من الأشياء، أنحشر بين فتيان وفتيات أشد عوداً مني كي لا يكتشف وجودي أحد ويؤذيني.

ذات مرة بعد الغربال صارحتُ صديقتي درمه بأنني أريد مرآةً، طلبت منها مساعدتي في العثور وإن على شقفة صغيرة. سألتني بالطبع لمَ أريدها، فأخبرتها بأني أريد رؤية وجهي فيها. سكتت درمه ولم تسألني بعدها شيئاً. قالت لي إنها تعرف بنتاً سودانية في الزرايب لديها واحدة، وقد نذهب إليها مرة.

مرّ على اتفاقنا ذاك وقت، حتى تأكدت من أن عمتي صبريه ستغيب خارج الزرايب ليوم أو يومين، فقد جاء ذلك العبد الغامض كالمعتاد على جمل وأردفها خلفه إلى جهة ما. آنذاك ذهبت مع درمه إلى البنت السودانية، فطلبت أجراً. لم يكن معنا شيء نعطيها إياه. قطعنا لها وعداً بإحضار شيء فيما بعد، لكنها رفضت ومسحت فمها من أثر الحلوى المعجونة بكمّ ثوبها، قائلةً لنا بكلمات محددة:

- تجيبن تأخذن.[١]

لم تكن لدي الشجاعة لمجادلتها. بدت لي بنتاً متنمّرة اعتادت خوض المعارك بالأيدي مع البنات والأولاد وتحسن استعمال أظافرها في وجوه أعدائها. إنها قوية وضخمة ووجهها مملوء بالخدوش، ربما إن زدت كلمة ستدفعني أرضاً وتقعد فوقي لتخنقني، أو ربما سددت لكمةً على أنفي أفقدتني الرؤية.

١ تأخذن إن أتيتن بمقابل.

أمسكتُ درمه من ثوبها وأشرت إليها بعيني لتجادلها مرةً أخرى وتستعطفها، لعلهاتوافق. كانت درمه تجيد المماكسة[1] والتفاوض مع الناس.

مكّنني موقعي على بعد خطوات منهما من الاستماع إليهما دون أن يطالني غضبها إن تفجّر "البوري[2]" في دماغها وقذفته علينا. قالت إنها لا تستطيع دون "بيوض[3]"، ثم همست لدرمه بكلمات لم أسمعها من قرب، فيما هزّت درمه رأسها صامتةً وعدنا أدراجنا بعد ذلك، قبل أن نعيد الكرّة اليوم.

تركتُ الغربال وذهبت مع درمه التي نظّفتني بعض الشيء من الغبار، نفخت وجهي ومسحتني بيديها حتى تظهر معالمي الأولى. كانت درمه هي مرآتي لمعرفة هيئتي إذا ما انزاح عني قناع الغبار الذي يخلّفه الغربال، بل إنها بحثت عن الماء، ولمّا لم تجده بصقت في كفّيها ومسحت لي وجهي. نظرت إليَّ وكأنها تراني للمرة الأولى وقالت:

- هكذا جيد، لقد اتضح وجهكِ الآن. دعينا نمشي.

طلبت منها أن نذهب إلى البحر أولاً لأغتسل، فواجهتني بقدميها الحافيتين المتّسختين:

- انظري إلى قدمَيّ، وجهكِ أنظف منهما.

مررنا في طريقنا بالعديد من العشاش، استلقى ساكنوها تحتها

---

١ المماكسة: المجادلة، أو المفاصلة، في الأسعار.

٢ التسمية المحلية لغضب الإنسان الأسود وهيجانه.

٣ البيوض: المقابل أو الأجرة.

هرباً من الحرّ والذباب. إنهم لا يعملون شيئاً في الغالب، فما من شيء سوى هشّ الذباب والحديث أو النوم حتى يمضي الوقت.

ذهبنا إلى العشة التي تقيم فيها البنت السودانية، كانت أكبر بعض الشيء من البراكة التي نسكنها أنا وعمتي صبريه ومفتاح، لكنها لم تكن نظيفة مثلها، في أطرافها بقايا قشر بطيخ يجتمع عليها ذباب أخضر كبير طنان، وتفوح منها رائحة حفرة البراز لقربها من التجويف الكبير، حيث تمضي بعض القنوات الصغيرة المعمولة بين الزرايب والعشاش للتصريف.

كانت البنت مستلقيةً على الأرض، واضعةً ذراعها تحت رأسها، حين أخبرها بقدومنا واحدٌ من عشرات الأطفال الذين يخرجون ويدخلون كالذباب. نهضت حين دخلنا وجلست تحكّ شعرها بكلتا يديها وتكلّم درمه عن شيء طلبته منها. قالت لها درمه:

– دعيه لموسم الدنقه[1] فهو قريب، لست بناسية.

فتمتمت في الحال بتسليم وامتنان:

– نعم نعم.

– جئنا نريد المرآة.

– أخذتها أمي معها صباح اليوم.

باستنكار قالت درمه:

– أين؟ ألم أقل لكِ إننا سنأتي؟

– والله العظيم لم أستطع. أمي ذهبت اليوم لتجهيز "صبايا

١ الدنقه: الرقص المصحوب بضرب الطبول، كان العبيد يقيمون كرنفالاً كبيراً يجوبون فيه المدينة يعرف بالدنقه.

كويسات[1]" وتحتاجها.

ومضت تحكّ شعرها بضيق مما فيه وتتحدث عن "الكويسات" وكأن شيئاً مما قالته لم يصدمني ويجعلني أضع كفي على فمي مستغربة. قرصتني درمه في فخذي لكي أتوقف فتوقفت في الحال تاركةً قيادي لدرمه التي لم تستهجن شيئاً من ألفاظ أخرى بذيئة قالتها البنت وهي تحكّ مؤخرتها بالإضافة إلى رأسها.

قالت لها درمه:

- أين الشقفة الأخرى التي تخبئينها دائماً؟

وكأن درمه فاجأتها بأنها تعلم بوجود مرآة أخرى احتياطية لا تخرج إلا في مناسبات خاصة، استحثتها لإخراجها:

- أخرجيها هيا لأُخرج ما معي أنا كذلك.

سكتت البنت ملياً ثم نهضت مسرعةً، مثيرةً بسرعتها الرمال من حولنا، وكلّمت الأولاد عن شيء بلغة لم أفهمها فإذا بهم ينصرفون، هم والذباب، مخلين لنا المكان. كانت البنت ذات الشوارب المنفرجة سمينةً ومتّسخةً وتفوح منها رائحةٌ عطنة اخترقت أنفي وهي تنحني على الأشولة المكدّسة تفتش بينها. استدارت نحونا فوجدتنا نثبّت أنظارنا عليها، فقالت موجهةً كلامها لدرمه وهي تخفي ما بيدها وراء ظهرها:

- ها... أين البيوض؟

أخرجت درمه على الفور صرةً من صدرها ومدتها لها:

- الدخان عني والعلبة عنها.

---

1 الكويسات: المومسات.

سلّمت البنت شقفة المرآة لدرمه، وتلقّفت منها الصرة فرحةً بما فيها. نظرت درمه في المرآة قبلي، فيما البنت مشغولة بتفحّص الهدية. اقتربتُ من درمه وحشرتُ رأسي لأنظر فلكزتني ثم نفخت سطح المرآة ومسحته بكفها، صار أنظف قليلاً مما سبق، ورأيت فيه وجه درمه مكرّراً لكنه معوجّ قليلاً. تناهبنا المرآة فيما بيننا قبل أن تتركها درمه لي، لأقابل فيها نفسي لأول مرة في عشة البنت السودانية العطنة. كدت أخرس عندما رأيت البنت التي هي أنا، لم يحدث أن رأيتها من قبل، بل إن اختراع المرآة أذهلني حتى أُخذتُ به أكثر من وجهي الذي جاء بي إلى زريبة السودانية.

بسرعة بحثت عن ذلك الشيء الذي يلفت نظر الناظرين فيَّ، فاستوقفني مثل جميع الذين استوقفهم وكان في عيني، لكني لمّا رأيته تركته بعجلة إلى شعري المحلزن قليلاً، عثرت فيه على ليونة وشيئاً من لونٍ خمري ما كانا أبداً يُعرَفان لشعور الزنوج وذوي البشرة السوداء، فصار ديدني مذ خرجت من زريبة البنت السودانية أن أعرف من أورثني هذه الأشياء ولماذا لم يفتّش عني؟

خرجت البنت السودانية من نشوتها بالتبغ والطعام واستدارت إلينا عجلى، فانتشلت المرآة مني حتى جرحتها وجرحتني معلنةً انتهاء الوقت:

- يكفي، سيرونها عندي. هيا اذهبا.

لم نطلب منها مهلة، فهي لم تنتظرنا حتى نفعل بل شرعت تخفي الشقفة بين تلك الأكداس المركونة في زاوية العشة، وتخبّئ التبغ كذلك في صدرها والعلبة في سروالها، وكأنها قدّرت الزمن الطبيعي

الذي يعود فيه سرب الأطفال المصروفين لشيء ما، فلما عادت يدها من صدرها فارغة سمعتهم يرجعون صارخين، فلما أدارتها خلفها لتحكّ مؤخرتها وشعرها صاروا سويةً داخل العشة كما كانوا من قبل، هم والذباب.

قرن الفلفل

لا سر يبقى في زرايب العبيد سراً ولا شيء يظل في الخفاء. كل ما يُفعل ويُقال ينتشر، حتى العطسة، حتى حركة القطط والكلاب، حتى رؤية وجهي في المرآة بعد يوم من الغربال.

لا أعلم كيف علمت عمتي صبريه بذهابي إلى البنت السودانية ومرافقتي لدرمه، لكني أعلم جيداً كيف طرحتني أرضاً وجلست فوقي عقاباً لي؛ هذا العقاب يظل محتملاً أكثر من حشو قرن فلفل أحمر في فمي أو عورتي.

سرعان ما اعترفت لها بفعلتي كي تتركني، كنت أخشى قرن فلفل من عقد الفلفل ذاك المعلق بأحد أعمدة الزريبة.

اعترفت أن درمه هي من أتت بعلبة الدخان وليس أنا. سألتني كيف؟ أقسمت لها بأنني لا أعرف. هل نهبتها أم تسولتها من الجندرمة أم سرقتها من أحد الأولاد؟ لا أدري. اعتقدت أن عمتي صدقتني فقد نهضت من فوقي وسمحت لروحي أن تعود تدريجياً إلى جسدي، لكنها، وروحي في منتصف عودتها، سحبتني من يدي وأجلستني أمام الموقد المؤلف من ثلاثة أحجار ووضعت قضيب

الموقِد الحديدي في النار، ثم طلبت إليَّ فتح أذنيَّ جيداً والاستماع لها. كانت قد أصبحت شريرةً فعلاً وأصابها "البوري" واحمرّت عيناها والتمعتا. وعدتها، وأنا أبكي وأرتجف خوفاً من القضيب الساخن، بأن أفعل كل ما تأمرني به، قلت لها:

– بتراب قبر أمي هذه آخر مرة. أقسم بالله وبالنبي لن أعيدها يا عمتي.

قالت لي وشرٌّ كامنٌ في عينيها:

– عدتِ لرفقة تلك الفتاة السيئة!

– بربي وبجاه سيدنا داوود، أعدك لن أرافقها مرة أخرى.

كانت معلومة صادمة لي عن درمه، لم تدعني عمتي أتشرّبها جيداً، نهرتني غاضبة:

– لا تحلفي، سيدي داوود وليّ صالح بركته لن تحيطنا طالما هذه المخلوقة معنا.

على الفور صححت مرتجفة:

– أي نعم أي نعم، السماح يا سيدي السماح يا أسيادي، بجاه سيدي مؤمن.

هددتني بقضيب الحديد الساخن مرةً أخرى:

– لا تحلفي بسيدي مؤمن.

– نعم نعم سأتوقف عن الحلف بأحد... هاه.

وأغلقت فمي بيدي الاثنتين فيما دموعي تتسارع من عينَي.

– ليس ثمة كلام آخر، درمه بنت غير سوية، لا تجتمعي بها ثانية.

ثم قرّبت القضيب الساخن مني حتى شعرت بحرّه، فصرخت

وصرخت معتقدةً أنها ستشويني به:

- يكفي بحياة عمتي، لن أكررها.

ملأت الدموع وجهي، بل إن بحر الصابري الذي كبت زرايب العبيد قربه سكب نفسه في عينَيّ وفاض. ورغم ذلك استطعت رؤية القضيب يتراجع إلى النار وعمتي صبريه تنهض عني وتتركني حطاماً أمام آلة تعذيبها، بعدما توسّلتُ إليها بتراب قبر أمي لتعفو عني. لم أكن أظن أن تراب قبور الموتى قادر على حلّ مشكلة ونجدتي، وإلا لكنت استعجلته مراراً وتكراراً قبل أن تدخلني قرون الفلفل ويعذّبني لهيبها الجحيمي حتى الموت. كنا نعرف أن البنات الصغيرات تعرضن للعقاب بحكّ الفلفل في العورة عندما نراهن يجرين بجنون صوب البحر، باكيات في هستيريا، ومع ذلك كان لدى الجميع نفس النية والعزم لقفل البنات[1] اللاتي فعل بهن الفلفل أفاعيله قبل أن تمسّهنّ قضبان الرجال.

خفت البكاء أمام القضيب المرتعد بيدي عمتي، وابتعدت عنهما لأبكي وحيدةً خلف الزريبة. كان الوقت ثقيلاً والبكاء متقطعاً. كنت أسكت وأتوقف عن النحيب كلما مرّ الأطفال من جانبي يجرون وراء القطط والكلاب، ثم يعاودني الإحساس بالألم فأبكي. مكثت خلف الزريبة حتى صار الوقت عشاءً وبردت الدنيا وانقلبت الحرارة التي شوت أجسادنا في النهار إلى رطوبة مميتة في الليل. كنت أخشى أن تتركني عمتي إلى الصبح كما حدث لي ذات مرة غضبت فيها مني، خفت حقاً أن تجمّدني برودة البحر، فغرست رجلي في الرمال

١ قفل البنات، أو ما يعرف بالتصفيح، طقس قديم لحفظ البنات من الاغتصاب.

الدافئة ليخفّ إحساسي بها، غير أن البرودة كانت فوقي وتحتي ومن جانبي. بكيت منكمشةً على نفسي حتى غشيني النعاس، حينها فقط سمعتني عمتي أتوقف عن البكاء فجاءتني وهزتني من كتفي بقضيب الحديد نفسه، بعد أن انكمش مثلي بالبرودة. قالت:

- ادخلي يا جيفة.

كان حقاً ثمناً قاسياً لرؤية وجهي في المرآة، رغم ذلك استطعت أن أنام بخير بعد أن رأيت وجهي وأدركت الشيء الذي أحمله مخالفاً لسمرتي، عرفت أنه كان في عينَي، وأنني بكيت به لمّا عاقبتني عمتي، وأنه لن يزيد ولن ينقص ولن يتبدل ما حييت، وسيثبت نظر الناس عليّ كلما رأوني لأول مرة.

هوية لا يمكن تزييفها بقول أو فعل، عطيّة منتقاة من رجل حرّ من مصراته الحمر البيض كالألمان "كما يقولون"؛ ذلك اللون الذي رأيته يشعّ في المرآة، لون لعينين لا يوجد مثلهما في زرايب العبيد، جعلني القدر له وجعله لي، كانت به عيناي نجمتين أسطوريتين في السماء الماكنة ما بين "وسط لبلاد" وزرايب العبيد.

أنا خيط وهو حيط

قريباً من أنفي طنّت ذبابة خضراء كبيرة من تلك التي يجلبها العفن، دفعتها بكفي وألصقت وجهي بكوة الجدار الطيني المجوّف كي لا يفوتني شيء. لم تكن نفس الذبابة التي طنّت منذ قليل وفتكتُ بها، فالذباب هنا كثير ويحوم لأي سبب، وفي وضعنا كنيف حوش "للاهم" سببٌ كافٍ، كان لا يفصلنا عنه سوى شوال أُسدل على مدخله، يتيح قصره وعدم دنوّه من الأرض رؤية رجلَيّ مستخدمه حين يقرفص إلى الحفرة الناتئة في الأرض لقضاء حاجته.

في باحة البيت العربي القديم اقتعدت مجموعة من النسوة الأرض وخضن في أحاديث شتى. ناسبني انشغالهن عن الفتيات الصغيرات اللاتي صحبنهن وانشغال عمتي صبريه كذلك، في انتظار دورنا للدخول على للاهم.

تزحزحت عن مكاني رويداً رويداً حتى قاربت الجدار الطيني لغرفة العجوز وأرسلت بصري عبر الكوة الصغيرة فيه. بزغ ضوءٌ طفيف من الكوة مصحوبٌ بهواءٍ بارد خفيف أنعش جفاف حلقي وخفّف عطشي. توجد مثل هذه الكوات في الجدران الطينية التي

يسهل حفرها في جدران "خمسين" الطينية ذات الحجم الكبير، كأن عين المجهول تجعل خصوصية الغرف مواربةً أمام حضورها المستطلع المباغت، ولا أحد يعير إغلاقها اهتماماً ما لم ينتبه لاختراقها الخصوصية.

كانت حواف الكوة ملساء، حفرت من خارج الغرفة بشكل ماهر أتاح رؤية الغرفة كلها، وإن كان حجم الكوة صغيراً عند موضع العين من الخارج ولا يكاد يبين. لا بدّ أن العجوز لم تنتبه لوجودها وإلا لسارعت لسدّها بطينٍ لازب أو حشوها بخرقة أو كاغد. ورغم أن رابحة كانت طويلةً قياساً لحجم الكوة، إلا أنني رأيتها كاملةً منها، وهي تنطّ من فوق صندوق "بوساعة" الخشبي الرصين وتبتلع التمرة الخامسة من التمرات السبع المخصصة لإقفالها، كانت تنتظرها تمرة واحدة في طبق الخوص القريب من العجوز لتنتهي عملية تقفيلها.

ارتبكت رابحة في ترديد التعويذة السحرية خلف العجوز مثل الطفلة التي سبقتها، لكن العجوز لم تنتبه لها وإلا لأعملت أصابعها في فخذيها حتى يتقلص حجمها من خلال الكوة.

قفل الصندوق الخشبي أسفل رابحة سبع مرات لسبع قفزات، رددت رابحة في كل قفزة عن ظهر الصندوق المقفل عبارة: "أنا حيط وهو خيط" وضُربت في كل مرة على قفاها بكفّ العجوز المجعدة، لأن حذاء والدها لم يكن موجوداً ليفعل ذلك، لا فردة منه ولا فردتان، فوالد رابحة لم تعرف قدماه عشرة النعل مذ ولد وإلى أن ولّى حافياً نحو البعيد الذي لا أوبة منه على الإطلاق.

انهالت رابحة بالقبل على يد المسنّة بعد انتهائها من وضع الحصانة في رحمها الصغير قبل أن تبلغ. كانت أمها تحثّها على شكر العجوز وطلب مرضاتها، وكانت تطيع كل ما تسمعه فرحةً بشيءٍ ما يجعل النسوة ينظرن إليها كامرأةٍ صغيرة، إذ إن إقفالها قد جرى فعلاً وعليه شهود، هنّ هؤلاء النسوة اللائي سيجرين لها دعاية زواج مناسبة. لقد تمّ التحول الكبير في حياتها، وهذا الفرح المسبق الذي تشعر به الآن يحلّل لها عملية البحث عن زوج منذ اللحظات التي قدّمت فيه قفاها للصفع.

منذ زمنٍ بعيد والعجوز النحيلة، مختلطة اللسان ما بين لهجة السكان المحليين في الشرق ولهجة المحليين في الغرب، تعمل في تقفيل أرحام الفتيات الصغيرات وفتح أرحام العرائس منهن لبعولهن الأحقّ بهن.

كانت للاهم قائمة على ذلك بموافقة الأعراف، في منح الحصانة للأرحام التي تنمو، ضد خطر يحمله الذكور مفاخرين، وتحمله النساء معيّراتٍ به مدى حياتهن متى وسوس الشيطان به خارج نطاق المشروع.

كان المقصود من عملية الإقفال التصدي لوسوسة الشيطان قبل الزواج. أما وسوسته بعد الزواج فلا يمكن اكتشافها، وهذا ما يجعل المتزوجات اللائي يستجبن للشيطان في مأمن من أن يُعرفن فيؤذين.

كانوا يحاربون كلام الشيطان أو نداء الغريزة بإفشاله حين تتهيأ الظروف للأقوال أن تتجسّد أفعالاً وللكلمات أن تتحول حقيقةً واقعة.

الجنس ممنوع على الإناث دون زواج، ويحق للرجال ممارسته بزواج وبدونه. هذه القاعدة تتيح لهم وتمنع عنهن، حيث لا ترى التقاليد أي غضاضة في وجود استثناء من اللقيطات للتسلية واللهو، فيما يُمنع ذلك على حرائر الناس.

ما يفعلونه في هذا الصدد، ويسمّى "التقفيل"، أشبه بتعويذة سحرية تُفشل انتصاب الزاني وتحرم الزانية الاستمتاع. شيء غير مرئي يزرعونه ما بين القضيب والمهبل في اللحظة نفسها ليفرّق جمعهما ويحبط أي محاولة للالتحام بالآخر والاستمتاع به لا يكون المأذون شاهداً عليها.

ماذا تراهم زرعوا بتلك التعاويذ في نقطه خفية من الأرحام الصغيرة التي تتربّص بها القضبان؟ إنها ليست سوى بضع كلمات غامضة وتجاوز لمفتاح يغلق قفلاً وسبع حباتٍ من التمر.

في سبيل ذلك تلقم للاهم تمر مكة والمدينة للفتيات اللائي لم يبلغن بعد، وتضرب مؤخراتهن أثناء النطّ من فوق صندوق "بوساعة" الذي يقفل ويفتح سبع مرات بيدها لكل بنت على حدة، وتستبقي اليتيمات وضعيفات الحسب ومجهولات النسب للأخير.

تُمنح الأولوية للبنات اللواتي يتمتع أهلوهنّ بمستوى اجتماعي ومادي رفيع، مقارنةً بسواهن، حيث تتدخل قوامة الرجال بعضهم على بعض في تصنيف بناتهم. فبنات الأعيان والتجار والجندرمة والضبطية ينتهي إقفالهن أولاً قبل ظهور أعراض التعب والملل على للاهم، وبنات الأقل درجةً يبقين في الانتظار حتى تتحول للاهم إلى امرأةٍ شرسة لا ترعوي عن شتم الأعراض وسبّ الأنساب

ولعن السامعين ولوم ظروف الحياة القاسية التي دفعتها لهذه المهنة البائسة العفنة على حدّ قولها.

من شعائر الإقفال الهامة ضرب مؤخرات بنات الأموات والغائبين بالكفّ استحضاراً للبركة واستكمالاً لما قد ينقصهن من تمامها، حين لا توجد لآبائهن نعال، إما لأنهم عاشوا حيواتهم حفاةً أو لم تكن لهم أرجل من الأساس. وقد شهدت أكثر من واحدة أن يد العجوز، المجعّدة كوجهها، كانت حارة جداً وبها يبوسة، وأن أحذية الآباء ونعالهم التي قطعت الفيافي القاحلة كانت باردة ومسالمة ولطيفة، أكثر من تلك اليد الهرمة، حيث لا يطال القفا الصغير الطري سوى جزء بسيط منها ولا تتمكّن منه يبوستها كما هو الحال مع يد للاهم الشهيرة بالضرب المؤلم.

أمسكت بي عمتي صبريه ونحن في آخر طابور المنتظرات خارج الغرفة. كنت أتململ عن موضعي وقد اقتربت شمس الظهيرة الحارقة من رؤوسنا، وهددتنا بالضرب إن لم نرحل نحن ومن ينتظرن مثلنا. إننا ننتظر دورنا وحسب. تململت كثيراً على طرف من الحصيرة وطرف من الأرض، وكانت عمتي تشعر بضيقي فتمنحني إشارةً للتوقف وعدم التمادي. قرصتني مرتين في فخذي لكي أتوقف عن الحركة المزعجة فوق الحصيرة، وكانت رحيمةً ومستجيبة حين وشوشتها وسط حلقة النساء المتكدسات على امتداد أرضية الحوش العربي بأنني أروم قضاء حاجتي خارج ذلك الكنيف الممتلئ بالحاجات والذباب. ظننت حاجتي التي ليس لها مكان تطرح فيه ستجعلنا نعود إلى زرايب العبيد في التو،

على أن نرجع لدار للاهم في موعد جديد يعلَن عنه في أجل تسمّيه العجوز وحدها. لكن حتى يحين ذلك الموعد ربما أكون قد بلغت الرشد أو مسّني أحدهم.

سألتني عمتي بعد برهة من الصمت، وكانت الأحاديث متداخلة لم أعرف مع أيٍّ منها كانت، عندما عرضت عليها قضاء حاجتي:

- حاجتكِ خفيفة أم ثقيلة؟

أجبتها وأنا أشدّ على موضع الحاجة الأمامية بباطن كفي:

- خفيفة فيما أظن.

أخذتني من يدي وسوّت ردَاءها على رأسها قائلةً لامرأةٍ سوداء نحيفة أن تحجز مكاننا لئلا يقتعده غيرنا. وافقت المرأة وغادرنا حوش للاهم إلى الوسعاية التي هو مركزها. قلّبت عمتي نظرها هنا وهناك باحثةً عن خلاء أقضي به حاجتي، لم نرَ أحداً يأتي صوبنا، فلا شيء في هذا الاتّساع يستدرج الناس إليه، عدا المصلحة التي تقدّمها للاهم في بيتها وتخصّ بها النساء والبنات فقط.

ابتعدنا قليلاً عن موضع الأرجل. أدارت عمتي لحافها لستري طالبةً مني الإسراع. سمعت كلامها وأسرعت في دلق البول حتى بلّلتْ عجالتي أطراف سروالي السفلى. نبّهتني عمتي وهي تطالعني من أعلى اللحاف الذي سوّرتني به:

- ارفعي قفطانك على ظهرك ووسّعي ما بين رجليكِ.

كنت أخشى ظهور مؤخرتي عاريةً على الطرف الآخر من الخلاء الذي تراقبه عمتي وتشدّ اللحاف جيداً على الجهة المقابلة له، المحتمل ظهور شخص ما منها، لذلك بلّلتُ قفطاني وسروالي.

اعتمدت على حرارة الطقس في محو الآثار مني، فنحن في أشد أشهر الصيف قيظاً ولا شيء مبلول يصمد أمام مراوح الحرارة المرتفعة.

لم يكن ثمة مخلوق حي في هذا المكان. التحوطات التي أخذناها كانت مجرد استدعاء لا داعي له في هذه الناحية المقطوعة من الأرجل أساساً. كلّمتني عمّتي وعرقٌ لزج ينزّ من أنفها إلى لحافها، رفعت رأسي عن الثرى الذي أتابع امتصاصه للبول نحوها:

- هيا اجعليها خفيفة، سيفوتنا الدور بعد أن اقترب منا.

قلت لها بصوت متحشرج مصدره جوفي: "حاضر"، ثم سألتها بصوت أكثر استقراراً:

- لماذا، يا عمتي، دخلت بعض النساء اللاتي أتين بعدنا قبلنا ونحن ننتظر منذ الصباح ويشوينا الحر؟

زفرت كما تفعل دائماً عند ضيقها من الحر ثم قلّبت نظرها هنا وهناك قائلةً:

- هؤلاءأحرار، لسنَ مثلنا أو نحن لسنا مثلهن.

لم يعِ عقلي سوى أن الأحرار هم ذوو البشرة البيضاء؛ أناس ليسو مثلنا في كل شيء، لا يشبهوننا حتى وهم يشبهوننا. إنني لا أحقد على تميزهم عنا في اللون والمأكل والملبس والمسكن والرزق وكل حظوظ الحياة، بل إن إعجابي بنظافة ثيابهم ودورهم وصدقاتهم التي يمنحوننا إياها يجعلني أفرغ نفسي للإعجاب والامتثال بهم واتّباع سننهم في العيش. لست أدري لمَ هم السادة ونحن الخدم، لمَ هم

الأرفع درجةً ونحن الأدنى بدرجات؟

لقد كان البياض بيننا وبينهم وليس السواد، هذا ما كنت أدركه دون تفسير. بشرتهم غير السوداء عاجزة عن الاقتراب منا لإلغاء المسافة، بل هي أول حجر في المسافة.

فيما كنت أطرح البول عني، أخرجت عمتي من تحت ثيابها صرةً صغيرة بها أربع بيضات وحزمة نعناع صغيرة وحبة سواك من سواك "بولوزه"، حملتها "بيوض" للعجوز نظير إقفال رحمي عن شهوات الرجال. عمتي، مثل كل الأمهات والكفيلات المربيات، تقرّر موقف رحمي من محاولات إغوائه مسبقاً، وإلا لَم ترانا جئنا في هذا النهار الجاف شديد القيظ وانتظرنا منذ الصباح إن لم ترد عمتي خلق شيء في رحمي من شأنه جعل الذكر الذي يغويني لا ينتصب في تلك اللحظة المجهولة من الغيب؟

اللحظة، لا أعلم لماذا لا تكون اللحظة المناسبة هي اللحظة التي يباركونها جميعاً؟

وضعت عمتي الصرة جانباً، فربما ضايقتها وربما خشيت عليها الانفلات بينما تشدّ الرداء حولي. حوت الصرة أربع بيضات جمعتها عمتي على مراحل متباعدة لتؤلّف منها حارة[1] تصلح "بيوضاً" لشيء، عدا أنها غير كافية لهذه المناسبة إن لم يصحبها نصف قرش، لربما خبأته في منديلها الخاص أسفل أحد ثدييها وستعلن عنه متى تطلّب الأمر. ليس سهلاً أن يعلن شخصٌ أسود عن وجود قرشٍ أبيض لديه. أعرف أن ذلك تسبّب مرات

١ الحارة: كل أربع بيضات مجتمعات.

كثيرة في فقدان السود حياتهم. ستكون هناك عدة أعمال قام بها العبد ليكون عنده نصف قرش: إما أن يكون غربل حنطة ليوم كامل في الفندق البلدي، أو غسل شوالات من صوف الغنم أو صرراً من الملابس، أو قطّع الكثير من الحطب، أو حفر طويلاً في جبال الملح، أو أوصل عدة تنكات من مياه الشرب إلى البيوت، أو نظّف حظائر الأبقار من الفضلات، أو باع الفول والحمّص المسلوقين في الأسواق، أو قضت العبدة يوماً تُعدّ العاهرات البلديات للزبائن.

نصف قرش بالنسبة لعمتي صبريه يعني أجرة نقل أربع جرار من الماء على رأسها من "الشيشمة[١]" العمومية إلى أحد البيوت البنغازية وقطع مسافة طويلة بها.

منها تعلّمت كيف أذهب نحو القرش الأبيض لكي يأتي إليَّ بعد جهدٍ جهيد. تطلّب ذلك مني في أول مرة أن أذهب أربع مرات إلى الشيشمة الحكومية في "الشابي" كي أزوّد بيتاً بالماء، وعشر مرات إلى البئر العذبة في الزريريعية على أطراف بنغازي لأملأ جرةً كبيرة تربض على كارو مجاور.

بعد ذلك شهد عليَّ بلل ثيابي الدائم، كما شهد تساقط شعري عند موضع احتكاك تنكة الماء برأسي، أن قروشي المعدودة مالٌ حلال وليست مالاً أبيض مُنح لي دون أن يبلّله عرق الكدّ الأسود.

على وقع تنهيدة عمتي رفعت سروالي بعد انتهائي. أخذت عمتي لحافها إلى رأسها وجعلته منسدلاً على ظهرها دون جمعه من أمام.

---

١ الشيشمة: صنبور المياه العمومي.

سحبتني من يدي وراءها إلى بيت للاهم من جديد. هناك وجدنا ضجةً كبيرة. وقفنا جانباً لنفهم ما يجري، ولم نستغرق وقتاً لكي نفهم ما حدث. اتضح أن بنتاً تدعى مغلية بنت اخويرة جلبت أمها لتقفيلها بلغة[1] رجل غريب ليس بأبيها الحقيقي، فقامت العجوز بطردها من حلقة التقفيل لأنها تغشّ، فذهبت بعارها هي وابنتها بعد التشهير بهما على ألسن الحاضرات.

لكم آلمتني مغلية ومستقبلها العاثر الذي سيلاحقه ما حصل هذا اليوم.

حصلت مغلية على أصل تجاذبه عدة رجال مروا بخدر أمها التي أنكرت ذلك وكذّبته، بنسب مغلية لآخر رجل تزوجت منه، وهو رجل يكبر اخويرة بسنوات أضعفته أمام جمالها الأخاذ وشبابها الفتي. غير أن مغلية كانت في أحشائها حين دخل بها الرجل الكبير ذو الاسم والحسب المعروفين، والذي طُردت بلغتُه اليوم من حوش للاهم شر طردة. لم يتم الأمر لمغلية رغم القروش الكثيرة التي وضعتها أمها في يد للاهم.

ما من كراهية بين يد للاهم والقروش، بيد أن للاهم تعرف الرجل صاحب البلغة من أعيان البلد جيداً، وتعرف أنه لن يحتمل حزن اخويرة التي أرجعتها إليه باكيةً هذا النهار.

كانت للاهم تقف بباب الغرفة وتلقي كلاماً أشبه بخطاب أخلاقي في مجمع النساء والصغيرات اللاتي تحلّقن حولها، وهي تقول إن الغش لا يفلح أصحابه لأنها تعرف العجوز يادم زوج

---

١ البلغة: النعل التقليدي.

اخويره منذ شبابه، هو زير نساء عقيم، فمن أين جاءته الطفلة في آخر سني عمره؟

مقابل هذه الخطبة تلقّت للاهم دعماً من النساء:

- صدقتِ، صدقتِ...

بينما أخريات أخذن في أحاديث جانبية عن المرأة والبنت.

أما عمتي صبريه فلم تنطق بكلمة في أي اتجاه. كانت غير مبالية بشيء وكأن ما يحدث لا يجري قريباً من حواسها ولا يهمها. أما أنا فأمكنني الاستماع لسيدتين تتكلمان على حدة عن علاقة للاهم بفضيحة الرجل، حيث قالت واحدة للأخرى:

- الله أعلم يا أختي، لكن يقال إنها كانت في صباها خليلته، وإلا كيف اكتشفت عقمه؟

فتوسّع الأخرى ياقة قفطانها المفتوحة وتبصق بصقاً خفيفاً على صدرها ثم تضرب مؤخرتها بكفها ضربات خفيفة أيضاً، قائلةً:

- سمعنا وسلمنا!

بعد قليل، وبضجة شبيهة بالضجة الأولى، حيّا جمع النساء امرأةً سمينة هي أم لبنتين يتيمتين من البنات المجلوبات للتقفيل، حفظت لهما بلغة والدهما المتوفى في صندوقها الخاص، حتى لا ينقصهما شيء إذا صار زمن بروز النهود وشيكاً. كانت مثار كلام وإعجاب، البلغة فيما اعتقدت لا المرأة. هل يمكنها أداء وظيفة سحرية وهي عاطلة عن المشي ومخبأة بين الثياب عن سبق إصرار طيلة ثماني سنوات على رحيل صاحبها؟ بل إن رائحة قدم صاحبها وحرارته غادرتاها منذ زمنٍ طويل، فعلامَ احتوت البلغة من سحر؟

امرأة ماكرة طرحت السؤال، وساندتها امرأة غلبتها مكراً، عن الحكمة أين تكمن: في البلغة كبلغة أم في رائحة قدمي الرجل كرجل؟

بيد أن ما تقبله للاهم وتعمل به وما لا تشك به وتنقضه لا يمكن التساؤل بشأنه، فهي وحدها من تقرر لشيء أكان فعّالاً أم لا.

أحاديث كثيرة تدور بين الأمهات الجالسات في يوم التقفيل عن ميزاته والقليل المتحفّظ عن خذلانه. وفي الغالب يكون الصوت الغالب لصالح قلقلة المفتاح في القفل، التي تعلن أن الرحم باب أوصد على شياطين الأنس والجن.

خرجت علينا رابحة، الفتاة البيضاء كثيرة الحركة، بحكاية، فحدثت الفتيات بفخر عمّا جرى لها في الغرفة وهي تمصّ ريقها محاولةً أن تطعم طعم التمر بمجمع فمها للنهاية. كانت تبتلع ريقها باستعذاب وفرح، وسرعان ما جمعت إليها في دائرة ضيقة عشر طفلات متلهفات للاستماع، راقبن حركة فمها بشغف. كنت السمراء الوحيدة بينهن مما دفع أكثر من بنت لدفعي عن مكاني من الحلقة حتى ألفيت نفسي في الخلف. كنت أتطلع لرؤية رابحة والاستماع لما ترويه عن الغرفة والعجوز وكل ما رأته هناك. حرّكتُ رأسي تارةً هنا وتارةً هناك لكي أراها، ولم أستطع دون الوقوف على أصابع قدمَي الملطختين بالبول والتراب. نعم، رأيت فم رابحة يبذر الحكاية بذراً، فقد كانت فتاةً طويلة وثرثارة.

أخطأت الطفلة المفأفئة في نطق عبارة "أنا حيط وهو خيط"، لأنها توقعت أن تصيب ضربات العجوز دمّلاً منتفخاً في مؤخرتها.

كظمت خوفها ودخلت الطابور بانتباه مشتت، اختلط وضع الخيط والحيط في عقلها وعلى لسانها، فحملت وهو خيط، بعد حين من السيطرة على الرغبة في صناديق خشب القماري موزونة الثقل. لم يجرؤ أن يصدّق الخيط عنّته، فشكّ في قدرته الضئيلة، وشكّ في قدرتها الوافرة، ومع ذلك كبر بينهما ولدٌ أبيض سمين تزايد شبهه يوماً بعد الآخر ببائع متجول يأتي إلى الضاحية بحماره، كي يبيع النساء ما يطلبنه.

لم يعلم أحد تفاصيل عبور حيوان المالطي الأبيض، وسرّ ما فيه من قوة اخترقت صلابة صندوق "بوساعة" في حرث الرجل الخيط، بيد أن الولوج كان ناجحاً وجارفاً ومجازفاً، حطّم أسطورة الطقّات السبع السحرية المحكمة لصندوق "بوساعة"، وأخرج لنجيب الدلاّل ما بين المدينة والريف ولداً أبيضَ جميلاً من وراء ظهر "بوساعة" في ألعن ساعة لظهر الزوج الخيط، كما أوجد آخرين مثله وقبله وبعده من ظهور أخرى، أخطأت أمهاتهم وهنّ صغيرات في تلاوة تعاويذ الحماية، أو لعل التمر الرديء وعيوب العلاقة الخلقية بين اللهاة واللسان والأسنان هي سبب ذلك الخطأ، وليس ما يجري مجرى الدم من الإنسان.

روت رابحة ما سمعته في غرفة التقفيل عن الحادثة، ثم زادت عليه ماسحةً الزبد عن فمها بكمّ قفطانها:

- الشوشانه[1] الطويلة التي تخدم للاهم، ذات الصدر الكبير

---

١ الشوشانه (والذكر شوشان): تسمية كانت تُطلق على العبد المولد من أبوين رقيق، وصارت اسماً فيما بعد.

والخدوش في الوجه...

- نعرفها، نعرفها يا رابحة. نعم، نعم.

- هي من فتحت عروس مرعي الشروي ليلة دخلته وليس مرعي. مرعي وجد عروسه مصفّحة ولم يستطع عمل شيء!

كر... كر... كر...

وضعت الصغيرات أيديهن على أفواههن لئلا تسمع النساء ضحكاتهن. كادت تحدث فضيحة لولا وجود هذه الشوشانه بين قارعات الدفّ اللواتي يحيين الحفل. تدخلت الشوشانه دون أن يعترضها في خضم البلبلة أحد، فحصت العروس واكتشفت أنها مصفحة. أجل مقفولة مثلي أنا الآن. قفلتها أمها مذ كانوا في بني وليد، ولم تخبر خالاتها حين هجّوا لبنغازي، ثم ماتت الأم فجأةً خلال ضربة مضجع من الأب السكّير، ولم يكترث أحد من أولياء البنت لسؤالها، إلى أن زُوِّجت وهي تلعب في الشارع. جيء بها من بين اللاعبات وأخضعوها لعملية شطف سريع، ثم ألبسوها قفطاناً أبيض يكبر جسدها وأسدلوا لها شعرها على جانبي وجهها وأمرتها نساء كبيرات بالصمت فصمتت منذ تلك اللحظة. لقد نست، لصغر سنها وللقطيعة العائلية بين أبيها وأخوالها، إخبار خالاتها عن التقفيل، فهي لم تعِ تماماً أنها تتزوج، كما أن خالاتها لم يحضرن عرسها بسبب طلبِ القصاص على أبيها. لطمت العروس وجهها طالبةً الرأفة من النساء الكبيرات، المتحلّقات حولها في دائرة ضيقة، ناهشاتٍ سمعتها، لائماتٍ لاعناتٍ ليلتها السوداء كوجهها. دافعت حينها عن نفسها باللطم والحشرجة:

- أنا مصفحة، صفحتني أمي رحمها الله في زليتن.

لكن العجائز الفضوليات الشرسات لم يرحمن أمها مثلها ومضين في اعتقادهن أن العروس تكذب لخداعهن، حالها حال الكثيرات ممن لم يوجد لديهن شيء يرينه للناس في ليلتهن الموعودة. الله لا يرحم أمك، السوداوات كذوبات وحارات في الفراش، ها... أليس كذلك؟ إنها الحقيقة الجلية للعبدات.

لم يصدقها أحد رغم التوسلات، فمن الغريب أن تُصفَّح السوداء!

لكن شوشانه للاهم، الحاضرة يومذاك كقارعة طبل ودفّ، صدّقتها وانتشلتها من حكم رجيم توقعه بها بندقية ستكون أقرب إليها من الباب متى فُتح. تَدخّلت الدرباكة دون طلب من أحد واخترقت النساء حتى دانت الباب شبه المغلق، كانت غاضبة وقد لحق بها بوري العبيد فعلاً. دفعت الباب ثم أوصدته سريعاً بعنف وجسارة على المتجمهرات، دفعت العروس إلى الناموسية، لم تعطها وقتاً لشيء ولا حتى للكلام، وسّعت ما بين فخذيها وأعملت نظرها هناك. خجلت البنت فوضعت يدها على عورتها وصرخت. ضربتها الشوشانه على يديها فأبعدتهما فيما تأخذها الصدمة ولا يكون لها من قرار. لا بدّ أن هذه الشوشانه كانت طيبة وإلا لَمَ تدخّلت وهشّمت مرآة الزيانة بقبضتها القوية، ونزعت ملابس العروس المرتجفة وكأن الأمر يعنيها هي. في صمتها المحتقن ثمة ثقة من البرهان المشكوك به في عذرية العروس. لم تضع عينها في عينها أبداً، حتى عندما صارت في تمام العري. قالت لها:

– قفي على شقفة المرآة وافتحي ساقيك جيداً وانظري إلى رأس القط في المرآة.

لم تفهم البنت فسألت الشوشانه بارتباك عمّا يكون رأس القط وأين تجده؟

حينها ارتفع معدّل "البوري" في عروق الشوشانه، فشدّتها من عورتها فأنّت البنت وعرفت القطّ كاملاً.

– ها هو، هل عرفتِه الآن؟

وقفت البنت في خوف وإحدى يديها تستر صدرها والأخرى تستر عورتها. قالت لها: "انظريه جيداً، انظري إليه في المرآة وارفعي يدك عنه"، فنظرت البنت الباكية بتردد. سألتها: "هل نظرتِ جيداً؟"، قالت: "أجل، أجل" وهي تلملم حزنها، "هل رأيتِه جيداً؟"، "نعم، نعم". طلبت منها إذّاك ارتداء السورية العربية دون السروال والجلوس في هدوء على طرف الناموسية دون تخيّل البندقية، ثم ذهبت وفتحت الباب أمام جمع المنتظرات والمنتظرين من الرجال، فدفعت حامل البندقية عن الطريق منادية العريس للدخول على عروسه وإثبات فحولته، فزوجته عذراء عفيفة. لا بدّ أنه كان ثمة أولاد حلال وإلاّ لما جاؤوا به ولضاعت المسكينة.

جاء العريس، يمسك طاقيته بيده وهو مصدوم. رافقه إخوة له وأقارب غاضبون. لم تنظر الشوشانه إلى وجوههم وكأنها لم تكن تراهم قط. سألته: "أأنت السلطان"، أجابها: "كنت". قالت له بنبرة واثقة: "مازلت سلطاناً. ادخل بعروسك فهي بنت". لم يصدّقها الرجال الآخرون واعتقدوا أنها ألاعيب النساء، لكن الشوشانه شدّته

من تلابيب بدلته العربية بقبضتها الأمتن من قبضته قائلةً له: "البس طاقيتك وخذ أمانتك. كن رجلاً كالرجال". لم تعطِه مجالاً للتفكير أو التصرف حتى وجد نفسه ينصت لكلامها ويدخلَ وجِلاً. لم يبطئ بالبشارة، سرعان ما خرج يحملها بيده في منديلٍ أبيض. خرج رجلاً أبيض الوجه، بسبابة حمراء من دم البكارة الصغيرة. ركّز الرجال والنساء نظراتهم على سبابته ليتيقنوا من لون الدم فيها وأنه لم يجرح يده لترقيع الموقف: نعم كانت ملوثة. أحد أبناء عمومته أمره بألاّ يغسلها حتى يوم الغد. عادت معالم الفرح إلى العريس الذي تقبّل تهاني المهنّئين بدم زوجته. كاد العرس ينقلب مأتماً لولا حكمة الدرباكة الثالثة، وهي تلك الشوشانه الواقفة الآن في الداخل إلى جانب للاهم.

هبط قلبي إلى ركبتي بانتهاء رابحة من سرد الحكاية كما سمعتْها تروى في الغرفة الطينية ذات الكوة. آلمتني أمشاط قدمي التي حملتني طيلة زمن الروي. نظرت باتجاه الغرفة لكأني أرى الشوشانه وأتخيّل فعلها الشجاع، أتمثل قوتها وصبرها رغم أنها مازالت تحمل آثار عبوديتها. من يدري، ربما تكون فقدت عذريتها كأي طفلة سوداء بشكل وحشي، ومع ذلك فهي تلقم العذراوات البيض التمر وتضاعف زمن العذرية لديهن وتعوّض طبق الخوص ما ينقصه من تمر، وتجلب للعجوز ما تريده من شاي وماء وسعوط، ولا تتذمّر أبداً من الوقوف الطويل وأخذ "بيوض" الأمهات الذي يقايضن به معروف التقفيل. تجمع الهبات في شوال كبير ولا تطمع في شيء لا تمنحها إياه سيدتها.

ثنيت ركبتي وجلست أتكلم مع بنت أحضرتها والدتها للتقفيل، كانتا تنتظران مثلنا على الحافة الفارغة من الحصيرة وسط حوش للاهم. طلبت النساء منا الذهاب للعب كيلا نسمع ما يقلنه، لذا تنقّلنا بين حلقات الصغيرات. لعبنا أحياناً وتكلمنا أحياناً وعلقنا بالأيدي أحياناً، فتلقينا الضرب من شوشانه تعمل في مطبخ للاهم. خرجت علينا بعصا التنور المسودة، وضربت من طالتهن بها، آنذاك حلّت سكينة مؤقتة بالمكان، صنعتها العصا لحلّ مجمل المختلف عليه في عالم الصغيرات.

بعد ذهاب رابحة وتناقص عدد الموجودات، واختفاء شوشانه المطبخ، وجدتني أقف في غرفة العجوز التي كانت تضوع فيها رائحة محلب غطّت قليلاً على رائحة البول الجاف التي تفوح مني. تقدّمتُ منها قليلاً. كلّمتْ للاهم عمتي صبريه بنبرةٍ غاضبة، بينما وقفت أنا في منتصف المسافة بينهما:

- من أخبركِ أن الخادم تُقفَل؟!

قطبت عمتي صبريه قليلاً ثم أفردت قائلةً:

- لكن والدها معروف.

قالت العجوز بسخط:

- سيدها من وعمتها من؟ ستسبّبين لي المشاكل إن علم الأسياد أنني أُصفِّح خدمهم.

قالت عمتي متخوفة:

- ليس لها سيد. إنها حرة.

استشاطت العجوز وشدّت قفطاني من جهة البول:

- غير معقول، خويدم صغيرة وحرة! منذ متى هذا!؟

نظرتُ إلى كليهما ولم أعرف من المحقّة فيهما! رفضت العجوز تقفيلي لأني عبدة، خادم، أي سوداء، ولست حرة، بينما قالت عمتي إن أبي رجلٌ حرّ من مصراته الحمر البيض كالألمان.

قالت العجوز بغضب:

- كلكنّ تقلن الشيء نفسه. لا بدّ من كفالة شخص معروف إذا كان والدها غير موجود أو متوفىً أو ناكراً لها.

توسّلتها عمتي:

- أرجوكِ، كاغدها موجود، أبوها مصراتي حرّ وأمها قريبتي.

صمتت العجوز مخمّنةً أمراً، ثم قالت وكأنها مكرهة:

- من هو سيدكِ؟

أجابت عمتي بارتباك:

- سيدي... سيدي... سيدي بن شتوان.

- منذ متى أنتِ عنده؟

- من صغري.

- والبنت من أبوها؟

- ولده سيدي محمد بن شتوان.

- إذاً قومي الساعة وائتيني بكاغد منه.

غادرنا السقف الخشبي لغرفة الطّين. طاردتني سمرتي المنبوذة من أهالي بنغازي غير السود. حتى الذين هم للسمرة أقرب من البياض حقّ لهم رفض سوادنا الغريب عن الساحل البحري الأبيض. أحسستُ أن ما قالته العجوز عن بشرتي زاد جسدي إعتاماً حتى أظلم

ظاهره وباطنه على السواء، وواصل السواد رحلته فعمّ قلبي الحليبي الصغير وحطّ فيه حزناً أسود على شيء لم أفعله بنفسي ولم أكن سبباً فيه على الإطلاق، على الإطلاق.

فرغت باحة البيت العربي الواسعة من النساء. أمست هادئة من الأصوات التي كانت تملأها إلى ما قبل صلاة الظهر بقليل. حتى صوت رابحة الطويلة المجلجل فرحاً توقّف عن سرد حكاية التقطتها في غرفةٍ ما قد لا تكون ذات الغرفة التي تجاوزنا عتبتها بخطى خائبة موجوعة، حكاية جاءت من جهة مغايرة لن ترويها أي رابحة.

التفتُّ إلى عمتي صبريه، فإذ بها تلملم أطراف جردها وهي تهم بالخروج، تعثّرت بعتبة الغرفة المرتفعة عن الأرض من الخارج. كنا واجمتين ولم نتبادل أي كلمات. تعثرت عمتي في خطواتها ووقعت. حاولتُ مساعدتها وكان جسدي ضعيفاً جداً. رأيتها تنكفئ على أرض حوش للاهم باكية. أرعبتني دموعها التي رأيتها تنزل سباقاً على وجهها الأسود؛ خلتني أعرف لأول مرة أنه كان أسودَ منذ مجيئه إلى الحياة ولم يتحول قط عن السواد. أخذت لصدمتي أبكي مثلها وأنا أحاول العثور على وجهها في عيني. مدّتْ إليّ يديها المتشققتين من العمل في جمع الملح وتقشير الكاكاوية[1] وغسل الثياب وتوليد النساء والحيوانات وكل شيء كل شيء، وأخذت برقبتي إليها باكية.

عمتي الحنون القوية، الموجدة لكل مشكلة في حياتنا حلاً، كثيرة

---

١ الكاكاوية: الفول السوداني.

الصمت حتى مع بنات جنسها الملونات مثلها، الكاظمة أحاسيسها دائماً، المنجدة لغيرها، تبكي كطفلة يتيمة في زرايب العبيد، تشهق من قلبها. لا بد أنه شيءٌ كبير لم تستطع دفعه، جرح أعماقها حتى الغور.

– تعالا.

نادت الشوشانه متجاوزةً عتبة الغرفة بقدمٍ واحدة، فيما قدمها الثانية باقية على أرضها. إنها سوداء مثلنا ووجهها المحمول على جسد أسود ضخم مرّ عليه الكثير من تصاريف الدهر، لكنه يعرفنا ويفهمنا وإن لم نتكلم. ولماذا نتكلم طالما جلدته تفهم جلدتنا وتحسّ بوقع ما نحسّه؟ ربما جاءت من أبوجا أو دارفور أو وادي الدوم، أو من مكانٍ آخر. فهي إما أُعطيت، ككل الأطفال، من جوعٍ وقلّة، لملك قبيلتهم، كي يبيعهم ويطعم أولاده وزوجاته، وإما سرقتها قوافل الليبيين وبيعت في الكفرة أو وداي أو فزّان، واغتُصبت كمُلكِ يمينٍ من مختطفيها الأوائل مكافأةً لهم، أو ربما هرب أهلها من المجاعات والحروب القبلية نحو بلادٍ لا يقاوم الناس فيها غازياً، وفيها يُسلِم الرقيق، ويُعامَل معاملةً إسلامية، وتتحول السوداوات إلى جَوارٍ ومُلكِ يمين، يعشن في الظل حتى الموت. ربما ولدت لسيدٍ ليبيٍّ أبيض اشترى أمها كخادمة نظير إطعامها ولم يعطها اسمه، كيلا ترثه مع أولاده الأحرار. ربما سُبيت في بلادها الأصلية من قبيلة معادية باعتها لقافلةٍ ليبية تسرق الأطفال السود وتضعهم في معسكرٍ للعبيد لتؤلّف منهم الخدم والخصيان والهدايا والمقاتلين، وتكوِّن منهم الثروة كلّما تزايدوا.

بيد أن القصة، بأيِّ شكلٍ وقعت به، مرّ عليها زمنٌ طويل، طويل للغاية حدّ النسيان، كما قصص جميع العبيد الذين نسوا حكاية استرقاقهم واندمجوا فرحين بحياة مُلك اليمين، وبحق الزواج من ذوي بشرتهم والعتق أحياناً، نجاةً من جوعٍ بجوع ومن فقرٍ بفقر. إننا مثلها وهي مثلنا وإن تنوعت التفاصيل.

التفتُّ أنا أولاً لندائها، بينما عمتي صبريه متكوّرة في جردها. كررت نداءها علينا: "تعالا"، وأشارت لي بكفّها الكبيرة بارزة المفاصل. اعتقدت أنني رأيت حلقةً فضيةً تلمع في منخرها الأفطس، وهي تحرك رأسها بيننا وبين صاحبة الغرفة في الداخل، كانت لا تزل عند العتبة.

أخذتني عمتي بيد وبالأخرى توكّأت على الأرض لتنهض. سقط جردها عن رأسها فقبضته مسرعةً وقفلنا عائدتين إلى الغرفة. لا بدّ أنّ رحمةً ما نزلت في قلب العجوز على عمتي أو عليّ، لكن لسببٍ ما كانت الشوشانه مهتمةً بنا، وأياً كان فقد عدنا إلى الغرفة وصرنا فيها أمراً واقعاً. كانت للاهم متكئةً على ذراعها الأيمن وتتثاءب ماسحةً آثار سعوط من أنفها. قالت لعمتي ولي دون أن تنظر إلى وجهينا:

- من أجل عيني اسقاوه سأُصفحها. طيلة حياتي لم أقفل خادم.

- أطال الله عمركِ وحفظكِ أنتِ واسقاوه. إنها بنت يتيمة ولكِ أجرها.

انكفأت عمتي على يد للاهم وعلى ضمادة رأسها بالتقبيل. لم تعقّب للاهم بشيء، تركت يدها تنساب في يسر إلى شفتَي عمتي

الكبيرتين، قائلةً لاسقاوه الضخمة:

– هاتي إن تبقّى لدينا تمر.

ثم وجّهت تهديداً طفيفاً إلي وعينها على عمتي:

– إياكِ أن يسمع أحد، سيعاقبني الأسياد إن سمعوا أنني أقفل الخدم.

وشوشت الشوشانه عمتي شيئاً وكأنه من وراء ظهر العجوز التقطتُ منه:

– إياكِ أن تخبري أحداً.

– لن يسمع بها مخلوق.

كانت عمتي تعاهد للاهم على صمتنا، وهي تُخرج الصرة من تحت ثيابها، وكانت للاهم تدّعي عدم رؤية الهدية، إلى أن وُضعت بجانبها، فتلمّستها حينذاك بيديها قائلةً كما لو أنها تحدّث غيرنا:

– يا اسقاوه، قولي لمبروكة تعدّ لنا الغداء شكشوكه[1].

كان وقع قدمي الشوشانه الغليظتين على الحصيرة مسموعاً، كلما تحركت هنا وهناك. طلبت مني للاهم الاقتراب فاقتربت ببطء. أدخلت عمتي يدها تحت ثديها وبدأت رحلة التفتيش عن نصف القرش الأبيض. أعرف حركة عمتي عندما تستدرج القروش. ناولتني للاهم تمرة وأصعدتني صندوقاً يجثم على حصيرة الغرفة شبه المظلمة، يسمّونه "بوساعة" ويسمّونه "بوطقّه". سمعت طقّة المفتاح الطويل في قفله الكبير مثل تكّات الساعة، ورأيت حركته المطواعة في كفّها الجافة المعروقة. طلبت مني الترديد وراءها:

---

١ الشكشوكة: الأومليت.

- أنا حيط وهو خيط.

فرددت:

- أنا حيط وهو خيط.

وإن لم أعرف من هو ذاك الذي ترفضه عمتي صبريه وتأتي بي هنا لتجعله خيطاً على يدي هذه العجوز نصف المبصرة؟ من هو الذي ترفضنا للاهم من أجله ويُبكيني وعمتي قبل أن تتوسّط لنا الشوشانه اسقاوه وتقبل سيدتها الوساطة في منتصف البكاء؟ من هو المتّهم ببكارتي والمتّهمة به دون مأذون؟

أما شرف ما بعد المأذون فلا أحد يكترث لحمايته أو إصلاحه.

أخرجت عمتي يدها من أسفل ثديها وأدخلتها تحت الثدي الآخر. كان العرق يتصبّب منها وشفتها العليا المشقوقة ترتجف. قرصتني للاهم أعلى فخذي. كتمتُ آهتي. لعل العجوز سمعتني أردّد تميمتها المليئة بالخيوط والجدران بالعكس أو أنها كانت تنبّهني لعدم قول العكس وتخوّفني منه. سبّتني بكلمة نابية وأمرتني بالتصحيح، فشهدت الشوشانه الطيبة الواقفة قربها بأني قلت الصواب ولم أخطئ، تمتمت قائلةً:

- هيا هيا يا خادم الخدم.

كانت عمتي فرحة، وقد نسيت وطوت ما حدث منذ قليل، أو قدّرته ثمناً بخساً لهدفها الذي تحقّق بمشقة. توالت التمرات بما فيها من دود إلى فمي، وتوالت الحيطان والخيطان في الارتفاع والتمدّد بيني وبين دنيا الغرائز حتى بلغت سبع فضاءاتٍ طباقاً. كنت أبتلع الدود وأتخيّل امجاور العبد بأسنانه البيض وسواده الماحق وبروز

شفتيه، يخاطر للدخول بيني وبين الحيطان المرتفعة، وكان عمره الذي يؤلّف ثلاثة أضعاف عمري يراهق من أجلي ومن أجل خيوطي. كنت أردّد ما تقوله العجوز وأجهز عليه بشفتي إجهازاً، فيما يتماوج امجاور أمامي كأمواج بحر الزرايب، وفي داخلي ينطبع سواده العارم الذي نسف طفولتي وصدم اعتقادي بأن الرجال الكبار لا يرغبون في الطفلات ممّن في أعمار بناتهم، إلا أن امجاور رغب فيّ وأنا في عمر صغرى بناته ولمس مؤخرتي.

أنا حيط وهو خيط
تمرة مدودة
طق طق لقفل صدي
طق طق
أنا حيط وهو خيط
تمرة مدودة
طق طق
طق طق.

صدأ ودود... حيطان... خيطان... طقطقات... تمرات... صفعات...

لسبع مرات طاردني وجه امجاور، وفي المرة الخامسة، والسادسة والسابعة، لاحقني بشدة حيوانه الأسود المنتفخ كما أرانيه عند بئر الماء ذات قيلولة حارّة في الزريريعيه. قفزتُ من فوق الصندوق خوفاً من وجهه مثلما قفزتُ من انتفاخه المتدلي تلك القيلولة. أرهقت

الصندوق والمفتاح والقفل وأفرغت أوعية التمر الممتلئ بالدود في حوش للاهم، وأوشك قفاي أن ينقلب طبلةً لشدة ما تلقّى من صفع. كانت ترضية مناسبة لشوشانتها ورفيقتها وخادمتها الأمينة وحافظة أسرارها على حساب قفاي، لكن بفضل هذه الترضية سينجو رأس قطّي من حيوان امجاور الأسود، ومن حيوانات سواه، كما نجا تلك القيلولة القائظة بظهور رجل أسود كان يتغوّط في القمامة، أفزع ظهوره امجاور ودفعه للعدو إلى البحر بعيداً عني.

حاصر العنصران الأسودان - الشوشانه ورجل القمامة المتغوط - وجه امجاور وسواده المتدلي في خيالي، فردّاه عني، وكما لهثت يومها في وسعاية زرايب العبيد، لهثت اليوم في حوش للاهم على صندوق "بوساعة".

عثرت عمتي على نصف القرش المختبئ تحت فرزدقة صدرها، مدّته مبللاً بعرقها إلى للاهم فالتقطته من فورها وأرسلته في أقل من برهة إلى داخل صدارتها، ليبدأ رحلةً جديدة مع ثديٍ جديد، بعيداً عن نصفه الآخر الذي سيُكوِّن معه قرشاً كاملاً.

كان وقع قدمي الشوشانه على الحصيرة قوياً، ذهبت وجرّت الشوال لكي تبحث للاهم في محتوياته. كانتا كمن نسى وجودنا. مكّنتني النظرة الأخيرة إلى العجوز المنشغلة بالشوال من رؤية وجه لن أنساه أبداً، ولن ينساه رأس قطي على الإطلاق: وجه نحيف مجعّد، تعمل فيه عين واحدة، أوكل إليها صون أرحامنا الصغيرة العوراء؛ عين ملهوفة لتقليب محتويات الشوال بخفة وشغف، أما الأخرى فساكنة هامدة في ماءٍ قديم، كأن نظرتها تحجّرت في صدمة.

غادرنا وتركنا للاهم تقرّب الهدايا من عينها غير الزجاجية لتراها بوضوح، وقد دأبت على فعل ذلك مع الأشياء كافةً، باستثناء البيض، لأنها تعرفه من ملمسه.

تمر الأصابع

على الطريق الترابية التي صنعها المشي، وتحت شمس ظهيرةٍ غير رحيمة، لحقت بنا مبروكة، خادمة مطبخ للاهم، تلك التي خرجت علينا بعصا الفرن وضربتنا بها. لهثت وراءنا كيلا يراها أحد. كانت تجري متلفتةً وراءها وقد شدت بيد عصابة رأسها ووضعت الأخرى على صدرها، حتى لا يرتطم ثدياها الكبيران أمامها.

عفر التراب قدميها الحافيتين من تحت القفطان. توقفنا عن السير لمّا رأيناها تقصدنا. تمتمت عمتي حالاً "يستر الله" وهي ترى البنت وغبار الطريق آتيين نحونا. كان ثمة صبار شوك الهندي سُيّجت به حدود المزارع التي مررنا بها، وقفنا ننتظرها قرب ظلال الهندي المتشابكة على أطراف الطريق. وصلت البنت قائلةً حالاً بنفسٍ مقطوع:

- خ خ خذذذذي.

مدّت يدها إلى كفّ عمتي صبريه، واضعةً فيها بيضة. سألتها عمتي في حيرة وهي ترى ما لهثت من أجله:

- ما هذا؟

- لا أدري، لكن اسقاوه هي من قالت لي أن أعطيها لك.

- ولماذا؟

- قالت غداء للبنيّة.

نظرت إليَّ حين قالت البنيّة. سألتها عمتي:

- وهل تعلم للاهم؟

بدت البنت خائفة وتحفّظت على الجواب:

- لقد تأخرت. ستحترق الشكشوكة وتنتبه العجوز لغيابي.

تداركت عمتي الأمر، وقد فهمت أن البنت ستتعرض للعقاب إن انتبهت العجوز لغيابها، ومدى الإحراج الذي ستوضع فيه اسقاوه، فقالت للخادمة:

- إذن عودي بسرعة.

أخذت عمتي البيضة. حدجتني الشوشانه بعينيها، ثم انطلقت عائدة. صاحت عمتي في إثرها:

- سلّمي على اسقاوه كثير السلام.

فالسلام يعني أيضاً في معانيه الشكر.

إذاً الأمر، كما فهمته، أن اسقاوه أعادت لنا بيضة من البيضات الأربع، من وراء ظهر العجوز صاحبة البيت، ربما لأن اسقاوه رأت فيها عطاءً كثيراً على للاهم التي لن تكتشف عينها الوحيدة غياب بيضة من صحن الشكشوكة المخفوقة ببعضها حين تتغذاها اليوم، أو سيتم تشكيكها بأنها أربع وليست ثلاثاً بعدما تستغرق في الأكل، ربما لأننا أحقّ بها حسب ما رأته اسقاوه من بؤس حالنا. أدركتُ بعد إرجاع البيضة لنا أن اسقاوه وشوشانه المطبخ اعتادتا خداع العجوز

وتفاهمتا فيما بينهما على ذلك، ضمن أمور أخرى جمعتهما، تماماً كما أن اسقاوه صارت امرأةً طيبةً في نظري آخر ذلك النهار.

قبضت عمتي بصمت على البيضة في يدها التي لا تمسكني بها. التفتُّ بعد برهة من مضينا إلى الخلف، لأرى شوشانه المطبخ، فلم أرَ إلا غباراً أحدثته قدماها الحافيتان. كانت قد اختفت كما ظهرت بسرعة، وخيّم صمتٌ شجيّ على عمتي صبريه مهما كلّمتُها. أصبحت الطريق من دكاكين حميد إلى الزرايب طويلة وشاقة بعد فترة من السير، وما عادت عمتي تمسك بيدي، فالعرق الكثيف زحلقها منها. كنا ننظر إلى أقدامنا في النصف الأخير من المسافة ونفتّش عن اللعاب في أفواهنا بصعوبة. إذّاك بدت أكواخ الزرايب تلوح من بعيد وكأنها الجنة، ونسيم البحر يغلب الحرّ ويلطّف الهواء.

حين لا يكون هناك ما يعملونه يضطر سكان الزرايب للبقاء فيها وعدم مغادرتها. لا يفعلون شيئاً، يمضون وقتهم في التحدث وهشّ الذباب الذي يكثر مع الحر. ينتظرون أن يأتي من يطلبهم لعملٍ ما. يطاردون القطط والكلاب التي تفوق عددهم. يرقّعون الأسمال البالية. يصنعون الحصر. يسلقون الفول والحمص. يُعدِّون الخمر الرديئة. بينما تجلب النساء والفتيات المياه من آبار قريبة ويكنسن الأكواخ بمقشّاتِ الخوص الجاف، وقد يلجأن للثرثرة في تجمعات حين لا يكون لديهن ما يغسلنه من ثياب أو ما يطهين من طعام. فيما الأطفال الجياع، وهم بكثرة الذباب، يتجمعون حول بعض العسكر ممن يتفقّدون الزرايب أحياناً، منتظرين الفضلات التي يتركونها لهم أو متسولينها.

تتراكم مرتفعات القمامة عند الطريق الرئيسة المؤدية للزرايب، الكثير من قناني الشراب وبقايا خشبية لأشياء لم تعد معروفة، مراكب محطّمة وعلب أطعمة فارغة وصفائح شحوم وزيوت غالباً ما يلتقطها أهل الزرايب لاستكمال أكواخهم بها أو استعمالها في بعض شؤون حياتهم البائسة. رأيت مثل تلك التنكات تتحول إلى أوعية للطبخ والأكل والغسيل ونقل المياه، رأيتها تصطفّ بعد تعبئتها بالرمل لتؤلّف جدراناً لكثيرٍ من المهاجع.

كنا متعبتين وجائعتين، نحثّ الخطى هرباً من الرمال الساخنة تحتنا. مررنا بأطفال يفتّشون عن شيءٍ يأكلونه في القمامة. كان فقراً يجعل ارتياد القمامة عادياً. عمتي صبريه لا تحبّذ اختلاطي بهم. تأخذني معها إلى البحر للاغتسال هناك عدة مرات في الأسبوع، تنظّفني من البرغوث وتقتل من شعري ما تستطيع الإمساك به من القمل والصئبان. أما مفتاح فتحلقه حتى كأن لم يَنْبتْ له شعر على رأسه. نحن نتّسخ بسرعة ولا نملك ما يردّ عنا القذارة ويبقينا على نظافة عدا تلك البقايا المستخدمة من الثياب والمستغنى عنها لعدم صلاحيتها أو الزائدة عن حاجة بعض الأهالي، نقوم بترقيعها لتصبح مناسبة لستر العورة ثم نرتديها ولا نفكّر في خلعها حتى تتلاشى على أجسادنا. ليس غريباً أن تلبس الفتيات في الزرايب سراويلَ مع قفاطينهن المتّسخة، منحها لهنّ جنود بوابة السور، أو ترتدي النساء بعض البزات العسكرية المتهرّئة على أرديتهن حين يجدنها في مخلّفات الجند عند الطريق المؤدية للزرايب، وينتعل الرجال الألبسة والأحذية العسكرية البالية التي قُتل أصحابها أو نُهبت منهم وهم

يحتضرون أو خُلعت عنهم وهم ثملون، ثم غُيِّرت هيأتها لتناسب رمال الزرايب الحارة وأجساد السود النحيلة الطويلة.

"تازاي" عجوز أسود يشتهر بالترقيع، كان في شبابه رقيقاً في بساتين غدامس، أعتقه في الستين رجلٌ من أعيان المنطقة ارتكب فاحشةً وأراد أن يتوب لله. التوبة لا تكلّف أكثر من شراء عبد أو خادم وإطلاق سراحه، وعادةً ما يقع الاختيار على عبد غير مهم. التكفير بعتق العبيد مكرمة أعطاها الإسلام لمعتنقيه، لكن الكثيرين يلتزمون بارتكاب الخطايا ولا يلتزمون بالتكفير عنها. الحرية تُعطى نظير الخطيئة – هذه إحدى القواعد الدينية، أي أن يوازي خطؤك حياة إنسان آخر كاملة!

عُرف تازاي بإجراء التعديلات على الأحذية كي تغدو غير معروفة لأصحابها الذين سُلبت منهم. فعل ذلك كثيراً حتى أجاده. ذات مرة أخذتني عمتي إليه لتعديل "بلغة" وهبتني إياها امرأةٌ صالحة خدمتُها في سوق الحشيش. كانت البلغة كبيرة على قدمي، لا أعرف ماذا فعل لها حتى غدت في النهاية هي نفسها لكن أصغر قليلاً.

في كوخه رأيت مخارزَ وإبراً صدئة، يضعها في الجلد ويفعل بها الأفاعيل. كان يرقّع الأسمال فيُخرج منها ألبسةً غريبة تقي سكان الزرايب شيئاً من العراء والبرد والشمس، لكنها في الوقت نفسه تزيدهم قبحاً. إنه جيد في عدم رمي شيء، وفي الاحتفاظ بلكنته الأفريقية المبهمة التي ركبتها كلمات من اللسان المحلي.

بدا لي عجوزاً بلا لون وهو يجلس أمام كوخه في بقايا سروالٍ قديم، تشقّق جلده من الجفاف وصعبت عليه الحركة، فقامت زوجته

النحيلة بمساعدته في جلب الأشياء التي يريدها كيلا يتقشّر حياً.

برع تازاي في أشياء أخرى، كبناء الأكواخ الشبيهة بقرى السود الأصليين في أفريقيا، أعانته كثرة وجود النخيل على تأسيس التشابه، فكان هو وآخرون معه يتسلقون النخيل ويسلخون ما يبس من خوصه ويقومون بنشره في الشمس ثم يعجنونه بالتبن والعشب الجاف وتفل البحر ويملأون به التنكات لصنع الأسقف والجدران.

من أصل مئة كوخ يسكنها حوالي ألف إنسان أسود هنا بنى تازاي خمسةً وستين كوخاً بهذا الشكل، سوّرتها حواجز إضافية بمثابة ملحقات للطبخ ولإيواء الدجاج والحيوانات أو مشردين سود بلا مأوى.

غير بعيدٍ من كوخ تازاي استوقفت عمتي امرأةً للحديث، توقفتا للكلام فيما تابعت بعيني زوجة تازاي النحيلة وهي تنظر إلى العجوز ذي الجلد المتكسّر وهو يحيك بصبر وصمت. كانت لا تتحرك حتى يطلب منها المساعدة، وكنت أنا مرهقة مثل جلد تازاي، أروم العودة السريعة لبراكتنا والاستراحة.

أنزلت عمتي بلغتها من تحت إبطيها وانتعلتها ثانيةً، وكذلك فعلت أنا، أما المرأة التي حشرت قدميها في حذاء جندي قديم فقد بدت، رغم الشمس الحارقة، عازمةً على المضيّ في حديثها. لم تمانع عمتي المرهقة مثلي أو تجعل للحديث نهاية، لربما مسّ الحديث شيئاً له أهميته لديها.

عبرت بعض الدجاجات الدروب الضيقة بين العشاش التي سدتها عمتي والمرأة، مرّ في إثرها أحد الشبان من ضاربي الطبول إلى حيث لا غاية ولا طلب، إلا إحياء عرس في المدينة أو تأهباً لموسم الدنقة

الكبيرة أو سهرة توصل الليل بالنهار.

سألت المرأة الشاب شيئاً لم أسمعه تحت وقع صوت الطبلة التي يضربها ضرباً خفيفاً وهو يمضي. كان لها إيقاع جميل رنّان وجلد أسود مشدود كجلودنا. لم يكفّ عن تحريك العصا بخفة وبراعة على سطح الطبلة، وهو يدمدم كلاماً مع المرأة. عمتي قالت للمرأة التي عادت تحدثها بأنها ستأتيها بعد العصر إلى الشاطئ لتغسلا معاً حصر "عيت[1] رضوان". إنهاغنيمة طيبة ينتهي بها يومٌ شاق.

قالت المرأة:

– تلك العائلة البنغازية تحب جلب الخدم في احتفالها بزواج نجلها من فتاة يهودية. كانوا ليرفضوا الزواج غير أن تهديد رضوان العاشق بالانتقال إلى دين حبيبته أخافهم ووضع الرعب في قلوبهم، تلك فجيعة كارثية لن تمحى من تاريخهم، وعار سيلحق بسلالتهم إلى الأبد. هذه السابقة في بنغازي تنبئ بأن عدد الحصر المستخدمة لإجلاس الناس ستكون كثيرة وستعبّئ كارو لا محالة. سنجمع منهم بعض القروش والطعام، فذاك زواج لا يحدث غالباً بين مسلم ويهودية، غير أنه حدث ما بين رضوان خليفة رضوان وخميسه بنت سيحون تاجر الخردوات، أو الكنّاس كما يسميه الأهالي هنا. سيغضب يهود المدينة من هذه الزيجة، كما سيغضب سكان بنغازي المسلمون من هذه المصاهرة غير المعقولة وغير المحسوبة. سوف يصرّ آل رضوان على إعلان خميسه إسلامها أمام حشد من الأعيان يتوسّطه شيخ دين، حتى يصحّ زواج ابنهم ويجد له مبرراً من لائمة

---

١ عيت: عائلة.

الناس، وسيخزي اليهود هذا الإعلان ويدسّون رؤوسهم متناوحين في معبدهم بشارع القزار. أم خميسه يهودية متدينة، لن يناسبها زواج ابنتها التي نذرتها لخدمة الرب من رجل مسلم، ستقيم لها مأتماً وليس عرساً، مع أختيها المتشددتين سيسي ومزالا.

كان التعب والأسى قد غادر عمتي التي كانت تنصت باهتمام كبير لحديث سدينه، وبنظرة إلى وجهها لم أجدها تلك المرأة التي صحبتني للتقفيل. أمسكتُ بطرف ردائها عدة مرات قائلةً لها:

- هيا هيا... أنا جائعة.

فردتني بهدوء قائلةً:

- نعم نعم، بعد قليل.

لم ترني كيف قاومتُ نزول البول مني وكيف قبضته بين فخذَيّ وتلوّيت كيلا ينزل أمام أحد، ثم بقدر ما شدّتْ الحكاية اليهودية عمتي بقدر ما تركتُ البول يندلق كالشيشمة الحكومية بين ساقَيّ، حاراً قابضاً غزيراً، حفر الرمل تحتي وبلّل قفطاني وسروالي للمرة الثانية، لكنه نبّه سدينه الثرثارة لوجودي، فخريره كان عالياً.

انتقلت سدينه فوراً من الحكاية الليبية اليهودية إلى حكايات البول، فقد اعتقدت هذه المرأة الخرقاء أنني لا أتحكّم بالبول، فأخذت تحثّ عمتي على علاجي بوضع نواة تمر محمّاة في النار بين إصبعَيّ قدمَيّ، تحديداً بين إصبعي الكبير والذي يليه. لا شك أن سدينه لا تشعر بالتعذيب كفايةً في الزرايب وإلا ما تصدّقت باقتراحها دون تردّد وهي ترانا نُشوى بالرمال الحارة.

طأطأت عمتي رأسها، فقد أدركت خطأها، وأمسكت بيدي دون

قول شيء، ثم قاطعت سرد سدينه وانصرفنا ويدي بيدها إلى براكتنا، جنتنا الخاصة. قالت لي:

– سوف نأكل ونرتاح ثم في المساء حين يعود مفتاح نتعشى معاً ونذهب لنغسل حصر آل رضوان ونغتسل بعد ذلك.

يا له من يوم؛ يوم تحصين عذريتي، رافقني فيه البول والإقصاء والجوع والقيظ والتعب والأسى؛ يوم في أوله تمر كله دود وفي نهايته نصيحة بنواة ساخنة ما بين الأصابع!

من صاغ لنا تلك الأسبار، لا بد أنه نال تعليمه على يد الشيطان الرجيم، قبل أن يخفّف الله قسوة الحياة ويقرّر خلق الملائكة.

أخي في كتاب الله

كان مفتاح فتىً أبيض أزرق العينين، وكنت سمراء لوزية العينين، وكانت عمتي صبريه زنجية سوداء. جمعتنا البراكة نفسها وألّف بيننا الشعور بأننا عائلة واحدة يتداعى فيها الواحد للآخر.

مذ فتحت عينَيّ في الزرايب وجدت مفتاح يلعب قربي، يحملني على ظهره عندما أتعب من المشي ويرافق عمتي صبريه في كل مكان تكون فيه، يساعدها ويتكلّم معها كثيراً كراشد. كان رفيعاً شديد البياض ووسيماً، له ضحكة عالية قلّما تفارقه وفي جبينه عرقٌ أزرق يبرز إذا غضب، وتميّزه حركته السريعة. كان شجاعاً، يدافع منذ صغره عن براكتنا وكأنها قصرٌ فخم. التحق باكراً بالعمل في حقول الملح. كانت أعوام مجاعة وقحط صادفت طفولته، ولم يكن بوسع المرء اختيار الحياة التي يريدها، فإما التشرد والسرقة والموت وإما أوضع الأعمال وأقساها من أجل البقاء حياً.

كان مفتاح يأتينا بشيء للأكل في طريق عودته من العمل في الملاحات، يشتري بطيخه أو طماطمتين وخبزاً، بما عمله ذاك النهار من شروق الشمس حتى مغيبها. يرتمي منهكاً عند مدخل البراكة،

تعبره الحشرات فلا يشعر بها لأنه سرعان ما يذهب في نوم عميق.

كنت أدوس ساقيه وهو نائم فلا يستشيط غضباً مني، يكتفي بالقول لي وهو ما بين النوم واليقظة: "اركحي[1] ياسويده خيرلك"، بينما عمتي إذا ما وجدت وقتاً تُدلّك له قدميه وتغنّي له أغنيةً قديمة وتمسح له رأسه.

كانت تحبه وتخاف عليه وكأنه ابنها من رجلٍ أبيض غدرها ورحل، تسحبه إلى الداخل على الفراش وتضع مخدةً أسفل رأسه طالبةً منه مساعدتها لترتيب نومة مريحة له.

كان عمل الأطفال شيئاً عادياً، لذا توجّب عليها البحث له عن عمل طالما لن يتمكن من الذهاب للمدرسة. عليه الاستعداد لحياته باكراً ومواجهة أحداثها بأن يتعلم عملاً يعيش منه.

الأولاد الذين يعملون في عمرٍ مبكر يتكوّن لديهم إحساس بالمسؤولية ويكبرون قبل أوانهم، ينمو عمرهم العقلي أسرع من عمرهم الزمني، ويصبح واحدهم إنساناً.

يعرف مفتاح مدى حبي للبطيخ. أيام الصيف، عندما يملك المال، يشتري بطيخة صغيرة يضعها أسفل ثيابه ويعود بها إلى الزرايب. يناديني من بعيد مهرولاً: "اشتريت لك بطيخة حمراء، تعالي لنغمرها معاً في الرمال عند الشاطئ كي تبرد"، كان ذلك ديدن من يبرّدون البطيخ بأمواج البحر كما ألفناهم. وكم تكون سعادتنا عظيمة، فنحن نملك دلاعة[2] لا يملك مثلها نصف سكان زرايب العبيد.

---

١ اركحي: توقّفي.

٢ كانوا يدفنون البطيخ على الشواطئ لكي تبرّدها الأمواج كما لو كانت في ثلاجة، وما زالت هذه الطريقة سارية لدى المصطافين في شواطئ مفتوحة.

علّمتني عمتي صبريه أن أشكره بتقبيل رأسه، حتى وإن كنت لا أحبّذ استفزاز الأخ لأخته بقوله لي "ياسويده".

- فتوحه، لا تقل لي سويده.

يضحك معلِّقاً:

- طيّب، سأناديكِ "فارينا"، وناديني "اعبيدي".[1]

صار هذا ديدننا مع الوقت، يناديني فارينا وأناديه اعبيدي. كان يتأملني وتُضحكه تصرفاتي معظم الوقت، لا سيما عندما ألعب مع نفسي لعبة الثياب، أرتدي هذا وأضع ذاك، أستعير أحزمة وفساتين عمتي وأنسّقها بشكل يناسبني. يضحك ويقول لعمتي:

- فارينا فقدت عقلها.

ولمزيدٍ من الاستهزاء يخرج باحثاً عن شيء يأتيني به لإضافة رونقٍ إلى مظهري كما يدّعي. محراك الفرن الأسود، "ضعيه في يدك مثل ملكة". أغصان من مقشة الجريد، "ضعيها في شعرك حتى يبدو شعرك أنعم منها".

أستشيط غضباً منه، طالبةً من عمتي صبريه أن تتدخل وتمنعه عني، فلا أجدها إلا مبتسمة تدافع عنه أو تتظاهر أنها تمنعه.

لم يشاغب عمتي صبريه مرة ولم أسمع أنه عصى لها أمراً. كان يحبها ويمرض إذا عاودتها ذات الرئة ولا يذهب إلى كسّارات الملح. لم تكن تطلب منه الكثير، فغاية ما تريده منه دائماً أن تظلّ عينه عليّ. كان لا يجيبها إلا بحاضر ويلتزم بكلمته حتى تعود، لينطلق

---

١ فارينا (إيطالية): من أسماء الدقيق، وتدلّ على البياض. و"اعبيدي" تصغير "عبدي".

بعدها للعب مع الأولاد كولد. كان يكبرني لكن ليس بسنوات كثيرة. في أماسي الصيف والحر، عندما نستلقي قريباً من البحر وننظر للسماء، يسأل عمتي صبريه بجدية تنمّ عن أنه يفكر في هويته، يطلب منها أن تحدثه عن أهله، كيف هم وكيف كانوا ومن يشبه هو وغير ذلك كثير. كانت تجيبه عن جميع أسئلته ولا تدع لديه سؤالاً يشغل ذهنه دون جواب، مهما كانت إجابتها اليوم تبدو ساذجة أو غير حقيقية.

قالت له عن نشأته إن أهله من بادية الشرق، هربوا كما هرب معظم الناس من الضرائب لأنهم لا يملكون شيئاً يدفعونه للوالي، فرّوا من قسوة العقاب وانتشار الأوبئة جراء الجوع والمرض في نجعهم. اختفوا في الزرايب كي تصعب ملاحقتهم على عسّاري الوالي، وكان اختباؤهم سهلاً لأن عائلتهم صغيرة، أختان وأب وأم وهو. ثم قضى الأهل جميعهم في اجتياح البحر للزرايب في أحد مواسم المدّ العظيم. غرقت الزرايب بأكملها ولم يغنم بالنجاة إلاّ من كتب الله لهم عمراً، فعادوا وعمّروا الزرايب من جديد وهو من بينهم. غرق كلبهم وعنزتهم الوحيدة التي تمنحهم الحليب. كان الوقت ليلاً وظلاماً عندما حدثت الكارثة ودخل البحر إلى الزرايب وأخذ أرواح معظم من فيها.

ومتى سأل عن حادثة غرق الزرايب وجد من يؤكّدها له، فقد كانت كارثة بشرية حقيقية أودت بأرواح كثيرة.

- وكيف نجوت أنا؟

- نجوت لأن أمك، والماء يغمرها، رفعتك على رأسها وهي

تستغيث. كنا جيراناً وكنت أعرف السباحة وسمعت صوتها، فحملتك منها على رأسي وسبحت بك حتى عثرت على لوح من الخشب وضعتك فوقه وسبحنا إلى أن ظهرت اليابسة.

- وعتيقه أين كانت؟

- عتيقه عام الفيضان لم تكن قد ولدت بعد.

- وهل أنا أكبر أم أختي؟

- كنت أنت الأصغر.

- وما كانت أسماءهم؟

- أمك فاطمة ووالدك محمد، وأختاك سالمه ومريومه.

- ولماذا كنيتنا دقيق؟

- مؤكد أنه لقب أحد أجدادك، ربما كان يعمل في تحميل الدقيق، أو ربما كان أبيض مثل الدقيق، مثلك يعني.

ثم تضيف لإقناعه:

- تعلم أن اسم "عيت السنفاز" جاء لأن جدهم كان يصنع السفنز أو يعشق السفنز، واسم "عيت الحوات" لأن جدهم كان يصطاد الحوت أو يبيع الحوت أو كثير الأكل للحوت، واسم "عيت العياط" لأن جدهم كان كثير العياط.

ونضحك بسذاجة أطفال أبرياء حتى تدمع أعيننا عندما نجرب عيت فارينا وعيت اعبيدي.

يصمتان ملياً وتتثاءب عمتي صبريه وتستغفر الله قائلةً لمفتاح:

- اطلب لهم الرحمة. عام الفيضان مات أناس كثر.

فيرفع كفّيه المتعبتين من تكسير الملح إلى السماء وهو مستلقٍ على

ظهره ويردّد بقلبٍ خاشع:

- يارب ارحمهم واجعل الجنة مكانهم.

ثم تأخذنا حكايات عمتي إلى عالم آخر يحبه الأطفال. يطلب منها مفتاح الذي شُفي إلحاح نفسه أن تروي لنا حكاية، فتسأله: أي حكاية تريد؟ فيقول لها: أي خرافة غير حقيقية.

وحين تشرع في سرد أحداث خرافة أم بسيسي يتسحّب بيده ناحيتي في خفاء ويمرّرها بخفة على ذراعي وكأنها حركة سلطعون بحر، فأقفز هلعةً صائحة، ثم تنكشف فعلته فتشدّه عمتي من أذنه وتقول له:

- إنك تخيفها وهذا حرام يغضب الله ويجعل النجوم حزينة في السماء. الرجل يدافع عن أخته ولا يسبّب لها الخوف.

كان مفتاح صديقاً لأولاد عمتي عيده وليوسف.عندما تتحدث الصديقتان عنه تقولان في وصفه "مفتاح مربّى من ربه". كان لا يفارقنا إلا للعمل في سباخ الملح، حتى جاء يوم حضرت فيه للزرايب سيدة من العوائل البنغازية ذات الوجاهة، بدا لي أنها كانت تبحث عن عمتي صبريه لتشتري مفتاح منها. كانت صدمتي كبيرة في ذلك اليوم الحزين جداً، لم أتوقع أن تبيع عمتي صبريه ابنها الذي ربّته وأحبّته. إنها تصرّ على القول إنها لم تبعه لأحد وللأبد بل تركته للخدمة عندها، فالعمل المنزلي أرحم له من العمل في كامبو الملح، لكني رأيتها تعطيها نقوداً وعندما سألتها قالت إنها أجّرته لها للعمل في بيتها كخادم.

كنت حزينة لفعلتها وكرهتها سراً.

لم يكن مفتاح راغباً في الذهاب مع السيدة، لكنه لم يتكلم ولم يعترض، كانت عيناه تنطقان فيما عمتي صبريه تقنعه، كأنه مثّل أمامها أنه اقتنع ارضاءً لها فقط، لكنه في حقيقته لم يحمل في قلبه لتلك الخطوة سوى الرفض.

لم يعجبني ما فعلته عمتي صبريه على الإطلاق، غضبت منها غضباً شديداً وقلت لها إنني لن أحبها كثيراً، حتى لا يأتي يوم وتبيعني فيه كما باعت مفتاح.

رغم ذلك أعتقد أنها تألمت مثلي في ليلة مفتاح الأولى خارج الزرايب. كنت أبكي وأفتقده بينما هي تطرق واجمةً ولا تردّ على معاتبتي إياها، ثم تطمئنني بأننا سنبقى عائلة واحدة نواجه قسوة الزمن ولن نفترق، وأن مفتاح سيعود للعيش معنا عندما يصبح لدينا القليل من المال، فنكتري بيتاً في مركز المدينة (وسط لبلاد) ونعيش فيه معاً، بل إنها، إن منحها الله العمر والقدرة، ستزوجه في إحدى غرف المنزل وتربّي أطفاله وتذهب معه إلى الحج.

وأشعر من صوتها أنها تريد أن تبكيه، لكن ليس أمامي.

تقنعني أحلامها الكبيرة، ببيت وعائلة وأطفال وحج، وتبلسم ألمي مؤقتاً، فأركن إلى تصديقها مستسلمةً لسحر رؤية ما سيأتي به الوقت، عندما يغدو مفتاح رجلاً.

هرب مفتاح مرات عديدة وجاءنا. قال إن السيدة لطيفة وتحبه وتعامله كابنها تماماً، غير أنه يحب حياته معنا في الزرايب أكثر، مع أصدقائه وناسه هنا. هناك لا يعرف أحداً ولا أحد يعرفه، الجميع ينظر إليه متفحصاً ولا يتورّع عن طرح الأسئلة الثقيلة:

- لمن هذا اليتيم؟ خسارة أن يتيتّم طفل مثله!

فيما أصرّت عجوز ذات عينين حادتي النظرات على التساؤل على مسمعٍ منه:

- هل هو يتيم الأبوين أم يتيم الزمان؟

وبعضهم سخر من اسمه:

- دقيق قمح أم شعير يا ترى؟

واسته عمتي صبريه متأوهةً بصبر، بأن ذلك يحدث في البداية، ثم عندما يعتادونه لن يوجد من ذلك الشيء أي شيء:

- الناس!! لا تهتم لهم ولما يقولون. المهم أنت. الحياة صعبة ويجب أن تتعلم حرفة تعيش منها. غداً يتغير كل شيء وتصبح صاحب صنعة يجلب لك عملك فيها الاحترام.

ولم تقل له نصف الحقيقة الآخر: يصبح المزعج مألوفاً عندما تعتاده أنت ولا يتوقف الآخرون عنه.

لم نكن نتوقع أن تلحق به السيدة التي أخذته، وأن تتعهّد لعمتي صبريه بأن لا شيء من الإزعاج سيتكرر له، وأنها كلّمت قريباً لها يعمل قهوجياً، سيستخدمه عنده صبياً في المساء. ذلك عمل مناسب ومريح له. كانت السيدة حريصة على استبقاء مفتاح عندها، وهذا ما لم أجد له جواباً كلّما سألت عمتي صبريه عن تصرفها الغريب، كانت تصرفني بقولها:

- مشقة الزمان تجعل المرء يقبل بما لا يمكنه القبول به من قبل.

لم يكن خطئي الكبير في فهم الأمر برمته، الذي بموجبه أضحى مفتاح تدريجياً يعتاد النشأة في بيت تلك العائلة ويكتسب عاداتها

وما لها من معارف وأقارب وأعمال، بل كان في الزاوية التي فهمته منها وقلة خبرتي في الحياة والناس.

ثمة حقائق لكي نفهمها لا بدّ أن يمر الوقت عليها وعلينا، ليس حتى تكبر مثلنا بل حتى نكبر نحن لمستواها.

مفتاح أخي وحبيب روحي أحدها.

كلٌّ له مفتاح ضائع يبحث عنه

هبّت عاصفة على الزرايب واقتلعت الكثير من أركانها. في مواسم جنون الريح، كلما أتت قوية ازدادت هشاشة ما يصمد أمامها. تلك هي خلاصة العيش في الزرايب، لا تثق بشيء عدا الأشياء السيئة، لعظم قدرتها على التحقق.

انشغل الناس بمعالجة عشاشهم، ترميم ما سقط منها ومحاولة تثبيت الموجود، ومؤازرة بعضهم بعضاً على مواجهة الأسوأ إذا فعلتها الريح كما فعلها الماء مرتين من قبل وتحولت الزرايب إلى سطح عائم من الأخشاب والديس والجثث والبقايا.

يلزم الناس أماكنهم متهيئين للمواجهة. تجاربهم مع عصف الطبيعة ليس فيها ما يُحمَد. ففي إحدى السنوات فاض البحر في فصل الشتاء والتهم الكثير. خلال يومين فقط كشط المكان ثم عاد إلى رشده بعد أن أفقدهم حيواتهم.

الريح، حارة أو باردة، عدوٌّ آخر للفقراء هنا، لذا عندما يستشعرون الخطر يحزمون ملابسهم وما يستطيعون حمله في صرر ويستعدون للرحيل أو لسكون العاصفة.

لا شيء محايد كالشمس تأتي ويأتي معها الظل. تُطهّر حرارتها المكان مما يتكوّن فيه من بؤر الداء، ويشاركها ملح البحر والهواء. لولاها لتعفّنت هذه القطعة المعتلّة من بنغازي.

في ذلك الطقس المسعور، انكمش ثلاثتهم منذ يوم وليلة داخل عشة واحدة: طفلة صغيرة في طور الرضاعة وطفل أبيض وامرأة سوداء. كان الطفل يساعد صبريه كراشد، يقول لها إنه لن ينام ويتركها وحيدة هي وأخته تسمعان صوت العاصفة وتخافانه، سيتحدث معها ويسمعها وتسمعه، كي ينتصرا على الخوف ويهزما الريح.

تبتسم صبريه رغم كل ما هي فيه، تضمّه إليها وتغنّي له شيئاً عن بطل العائلة الصغير:

ميت موت عليه غزالي
يهبل ياربي نجيه
غزالي لا ما نسلم فيه
عيوني لو يبي نعطيه

ثم تسأله لماذا لا يتحدث عن الطعام أبداً وهو لم يأكل منذ الأمس:

- هل أنت جائع يا مفتاح؟

فيجيبها برباطة جأش:

- كلا، كلا.

ترمقه بنصف عين، ذلك ليس صحيحاً، فهو جائع ويودّ أن يأكل

حتى "عبود زميتة"[1] لو وجده اللحظة، لكنه صبور ومتجلّد بطبيعته.

يتحامل الطفل على جوعه ويمدّ لها لسانه:

- كلا كلا، ها انظري، حتى فمي ليس جافاً.

أي ليس به أي أثر للجوع.

وتلهو معه بالحديث فتخبره أنها ستُطعم ولدها حبيبها ما إن تهدأ الريح وتذهب إلى المدينة وتعمل شيئاً هناك، بل حتى وإن لم تجد شيئاً تعمله ستذهب إلى صديقتها عيده وتقترض منها مما تجده عندها، قد يكون شيئاً من الزميتة والتمر أو دقيق الشعير.

فيقاطعها مستعجلاً:

- لا لا، دقيق شعير لا، لا أحبه، هاتِ لنا من عندها قليلاً من الكسكسو، وسأذهب مع عمي مصطفى الحوات وأساعده في الصيد، سنحصل على سمكة كبيرة طولها من أول البراكة إلى آخرها، سأجلبها لك تصنعين بها كسكسو، ونعطي الجيران.

للمزيد من التسلية تقول له:

- لكن الكسكسو يريد البصل والزيت والطماطم والخضروات!

فيقفز الطفل مدافعاً عن حلمه:

- سأجلبها لك أنا. لا تقلقي.

- من أين وكيف يا غزالي؟

يفكّر قليلاً.

- سأجلبها من عند الله. الله سيساعدني. ألم تقولي لي إن رزقنا

---

١ قبضة من الزميتة وهي مسحوق دقيق قمح وكمّون محمّص يُعجن بالماء والزيت ثم يُغمس في السكر.

دائماً عنده؟ هو سيساعدني، وقد أذهب إلى بوقا وأسالها كيف، هي ستجيبني. بوقا عجوز طيبة وتعرف كل شيء عن الله.

خلال أزيز الريح وطرقعة الزرايب، نادى أحد الجيران صبريه من خارج البراكة: "ثمة من يبحث عنكِ". استغربت صبريه أن يأتي أحد ما في هذا الجو العاصف ليبحث عنها، وتحسبت للأسوأ.

أزاحت الرواق الذي يسدّ مدخل البراكة ونظرت. كانت إحداهن، سيدة بيضاء في هيئة نظيفة مرتبة. قالت لها عندما رأتها:

- السلام عليكِ، أبحث عن تعويضه.

سكتت صبريه وتذكّرت تعويضه.

قالت المرأة بعد هنيهة من الصمت:

- لا يهم، المهم أنكِ تعرفين قصة هذا القماش والمنشف الوردي.

وأخرجت من تحت فراشيتها[1]، قطعة قماش مطابقة لتلك التي كانت في معصم الصغير ليلة ميلاده. ارتبكت تعويضه وردّت صبريه على لسانها دون تأثر بأن عليهما التكلم على انفراد في الداخل.

ولكي تصرف الطفل الذي يراقب الزائرة الغريبة وتراقبه قالت له تعويضه:

- اذهب إلى بوقا واسألها كيف نحصل على البصل والزيت لنصنع الكسكسو.

فشدّته المرأة من يده وهو يهمّ بالخروج قائلةً:

- هل تريد بصلاً وزيتاً، بل وحلوى أيضاً؟

---

١ الفراشية: عباءة تقليدية بيضاء للخروج تستعمله النساء في ليبيا، وعادةً يدل شكله على الوضع الاقتصادي للمرأة.

أجابها الطفل بثقة وصرامة:

– نحن لا نحتاج حلوى في الوقت الحالي يا عمتي، نريد أن نأكل أنا وأمي وأريد لأختي الصغيرة حليباً.

ابتسمت المرأة وقالت له:

– أبشِرْ، أحضرت لكم معي قفة فيها من الأشياء ما ذكرت.

– وكيف علمتِ أننا نحتاج الطعام؟

– أرسلني إليكم سيدي عبد السلام الأسمر. ألم تخبرك أمك عن زوّار يرسلهم المرابطون في أي وقت ويأتون غالباً مع هبوب الريح وهطول المطر؟

وشوش الطفل الذي سمع كل خرافات "ياحزاركم يا مزاركم" أمه:

– زارتنا الجنية؟

فابتسمت صبريه بقلق وردّت:

– نعم، ورغم ذلك يجب أن تذهب إلى بوقا وتسألها، قل لها أمي تسلّم عليكِ وتقول لك نريد أيضاً من "شد ما جاك"[1].

سألها الطفل بفضول:

– وما هو "شد ما جاك"؟

لم تترد صبريه في إيجاد إجابة فورية:

– دواء يعطونه للأطفال الصغار ليناموا ولا يعودوا يخافون الريح. قل لها نريده لعتيقه أختي.

انطلق الطفل من فوره.

---

١ احتفظ بالشخص الذي جاءك.

ابتسمت المرأة بحزن وسألت صبريه:

- هل هذا ابني حقاً؟ أحسنتِ تربيته.

قالت صبريه:

- مفتاح مربّى من ربه.

- وهل اسمه مفتاح؟

- نعم هو فتح وليس ضيق، هو مفتاح لنفسه ولغيره.

ثم أضافت:

- تأخرتِ. توقعت مجيئكِ عندما كان رضيعاً.

قالت المرأة: "الله غالب"، وبكت.

***

يقولون إن المرأة توحّمت على مفتاح فأنجبت طفلين يشبهانه. يقولون كذلك إن إدامة المرأة النظر إلى شيء ما كرهاً أو أعجاباً وهي حامل ينعكس على الجنين، فإن نظرت إلى شخص جاء الطفل يشبهه، وإن اشتهت فاكهة في غير موسمها طُبعت صورتها أو لونها في ناحية من جسده، وتوهّجت أكثر في موسمها، أما إن أحبت شخصاً ورمقته بكثرة وشربت الماء فوق رأسه وهو جالس دون أن يعلم بها، كان الشبه مطابقاً وجاء الطفل نسخة مماثلة منه.

كانت الخرافة ضرورية كالعقيدة، بل ملحّة، لتغطية ما لا يمكن الإفصاح عنه أو ما يضرّ الإفصاح عنه، لازمة لستر الكثير من الحقائق الموجعة. عندما ذهب مفتاح ليخدم في بيت تلك المرأة، ذهب

في الحقيقة ليكون قرب أمه الحقيقية، التي تخلّت عنه مجبرةً درأً لفضيحة. وعندما وافقت صبريه على إعطائه لها فهي إنما أعطته لأمه، فلذة كبد في صورة خادم. ليس لدى صبريه نزوع لحرمان الأم من ابنها أو معاقبتها على شهوة طارئة، فما الجدوى من حرمانها منه وفضحها، ما الجدوى؟ ليس لها ما يخوّلها لفعل ذلك أو حتى ما يدفعها للتفكير في فعله. ولأن ما يظهر على الآخرين من قصة مفتاح وصبريه هو ظاهرها فقط، فقد تحملت صبريه لوم اللائمين على تفريطها في ولد ذكي مطيع ومهذب جاءها هدية من السماء. كانت لا تستطيع القول إنها إنما تعيد الممتلكات لأصحابها الحقيقيين، فالحقيقة تفسد أشياء كثيرة لأناس يزعجهم وضوحها ويسوءهم معرفتها. الحقيقة ستكون لهم مثل ريح الزرايب مدمّرة، حتى وإن أبقت على بعض الممتلكات، لا أحد يحبها رغم ما فيها من خير خفي.

ثم ما الجدوى إن قالت للناس؟ لن يتوقف أحد عن اللوم، سيرفعونه عنها ويضعونه على المرأة، وفي الحالين ثمة لوم عسير، عدا أنه سيكون كارثياً على المرأة الأخرى وعلى مفتاح بشكل خاص، أكثر مما سيكون على صبريه.

لم تملك صبريه إلا القول بأنها دفعت بمفتاح للخدمة عند السيدة ولم تبعه كما يشاع، وأن النقود، والطعام الذي أعطته لها السيدة، ليس نظيراً لمفتاح على الإطلاق، فمفتاح لا يساويه شيء ولا يقدَّر بثمن.

وكيلا يضغط اتّهام الناس على قلبها فينفجر، طلبت من السيدة ألاّ

تبعث لها بشيء يراه الكارهون والحاقدون والحاسدون في الزرايب، فينمّون عليها بسببه. إنها تستطيع أن تضحّي من أجل مفتاح وحسب، لكنها لا تستطيع أن تحتمل قالة الآخرين عنها، بأنها باعت طفلاً بريئاً ربّته كابنها، فمتى تردّد القول وشاع سيتلقفه مفتاح آجلاً أو عاجلاً، وهي لا ترغب في الإساءة إليه. عوضاً عن ذلك تستطيع مساعدتها بإيجاد عمل لها، تواجه به أزمة الجوع والجفاف والفاقة التي تجتاحهم، وآخر تحفظ به مفتاح قريباً منها وغير بعيد عن الزرايب في الآن نفسه.

إنها وبوقا وعيده وجاب الله يعلمون حقيقة مفتاح دقيق ابن من يكون، ويمتنعون عن إعطاء أي تفسير خشيةً عليه، فهو يتفتح للحياة كالشجرة القوية التي تمدّ جذورها في أرض جرداء. لا تريد له جرحاً يفسد نموه ويمنع بهجته بالحياة.

الحياة لا ينقصها قسوة حتى نضيف إليها.

إن الجوع لم يكسر تفاؤله، ولا حياة الزرايب وما فيها من عناء سرقت ضحكته، ولا كونه أبيض يعيش في مجتمع أسود، ولا فقره ولا خدمته كعبد أبيض عند الناس، ولا عمله في تكسير جبال الملح. لم يكسرعزيمته شيء، ولم يغيّر إيمانه حادث، بأن كل شيء مقدّر من الله وأن الحياة تستحق الكفاح لأنها هبة ثمينة.

كان يحب صبريه التي ربّته كأمه ويصدّق ما روته له عن أهله وأصله. منها أحب أهله الذين ماتوا في الحياة، وحلم صادقاً بأن يحجّ إلى بيت الله في المستقبل حجتين، لأبيه وأمه وأختيه، وكأن المستقبل البعيد يحمل دائماً السعة والمسرّة، وهو الوقت الوحيد

في الزمان الذي تتحقق فيه الآمال.

قال لصبريه:

- في المستقبل، عندما أكبر سأتزوج وأنجب بناتاً وأسمّيهن على أمي وأختيَّ لتكون عندي عائلة كبيرة من جديد أستعيد بها ما أخذه البحر مني، وسأسمّي على أبي إن رزقني الله بولد، لكن أول بنت لا بدّ أن يكون اسمها صبريه، مثلكِ تماماً، لأني يجب أن أحبها مثلك وأميّزها بمحبتي، ستكونين ابنتي وأمي من جديد.

تأخذ صبريه ضحكةٌ كبيرة خجلاً من شفافيته، تحضنه بقوة قائلةً له ما بين قبلاتها:

- الله يعطيك الفرح يا وليدي.

كانت تؤمن بأحلامه ولا تسخر منها. تسايره حتى على المستحيل منها، وتقول له:

- حتى ذلك الحين ستجد من يقول لك إن اسم صبريه قديم، دعك منه. المهم أن يكون لك عقب. المهم أن يفتح ولدي بيتاً ويحيا سعيداً.

كانت تدافع عنه وتجنّبه كسر الخاطر، وتتمنّى الموت على أن يعلم يوماً أنه ابن غير شرعي عدا للمتعة، لتلك الفتاة التي أغراها عشيقها فسلّمته نفسها، وعندما حملت منه تخلّى عنها لتصارع الانكسار وحيدةً، ولولا دفع عائلتها بالتي هي أحسن لما تزوجت وعاشت حياةً سهلة، دون أن يتناهى لمخلوق أنها حملت سفاحاً وأنجبت لقيطاً رمته على باب الجامع.

كانت العائلة قد تداركت الأمر قبل زواج الابنة من رجل كبير،

قالوا له إنهم لن يخفوا عنه إصابتها التي أفقدتها عذريتها عندما كانت طفلة صغيرة تلهو فوق جذوع الأشجار، سقطت على عود وهُتك عرضها.

ليس بوسع عائلة الاعتراف لخاطب بعدم عذرية ابنتهم، ما لم يكن ذلك دليل الصدق والنزاهة فيهم، لذلك تزوجها المسنّ وأحسن عشرتها وأنجبت له بنتاً. وهاهي تعيش على نحوٍ جيد، حتى أنها عندما صارحته برغبتها في جلب خادم، وهي تعلم مدى غيرته من وجود رجل في بيته، رضخ لإرادتها آخر الأمر، حين أخبرته أن الخادم سيكون ولداً صغيراً لم يبلغ الحلم، فهي لا تقبل أن يشاركه رؤيتها أحد.

كان زوجها موظفاً في الضبطية كثير الأسفار للضواحي والقرى، يريد أن يطمئن عليهما في غيابه، بوجود ذكر يساندها عندما لا يكون هو موجوداً.

اختارت زوجته أن يكون ذلك الذي يعتمد عليه ويؤمن جانبه على أنفسهم وبيتهم مفتاح دقيق، وقالت له في تبرير اختياره إن صديقةً دلتها عليه، وكانت لها من الناصحين.

توفرت في مفتاح الشروط. ذهب مع السيدة للعمل مقتنعاً بالأسباب التي ساقتها له أمه صبريه: "يجب أن تعمل لنعيش. أنا وأختك نحتاج الطعام. المجاعة والجفاف تفتك بالبلاد وتدفع الناس للهجرة أو الموت. الله ساعدنا في العثور لك على عمل عند السيدة سيكون أقل قسوةً من العمل في تكسير الملح وجمعه. أنا مريضة بذات الرئة معظم الوقت ولا أستطيع العمل كثيراً. يجب

أن نصمد، ماذا نستطيع غير ذلك؟".

يقبل مفتاح بكل ما تقوله، ويتحمّل مسؤوليته كرجل صغير لعائلة مختلفة الأفراد، ويخلص في حبه لها وتفانيه من أجلها.

لا أحد استطاع ألاّ يحبه.

حصان من الريح

بسطت الحصير أمام الموجة القادمة وشدت طرفه الآخر بالرمل حتى لا ينسحب مع الأمواج. وقفت عمتي تنظر إليَّ وقدماها فقط في الماء، رداءها المقلّم بالأسود يحرّكه هواء البحر، فتأخذ ناصيته بفمها حتى يصبح مثل شراع تنفخه الريح ولا تُقلع به.

ألصق البلل ثيابي بجسدي، غير أنني استمتعت بملامسة الهواء والماء لهيكلي النحيل. بعض الصبية يلعبون على الحمار الذي جاء به صغير عمتي عيده لنقل الحصر. تقافزوا على ظهره فقام الصغير بإبعادهم بقدميه وهو يركب ظهره ويحوّله إلى جواد، قائلاً بصوته الأبحّ:

- هيا يا حصاني... هيا يا حصاني... هيا يا حصاني.

تركتُ الحصير وجعلت ألعب مع الأولاد على الحمار. أحسبني اشتقت إلى اللعب لطول الفترات التي تأخذني فيها عمتي للعمل معها في البيوت أو عند الغربال.

قالت عمتي عيده:

- كفاكم، لقد قتلتموه، اتركوه كفى.

ضحك الصغار على صغر سنّ الحمار قائلين لبعضهم بعضاً:

- لم يصبح بعد جحشاً مثلك يا ناني.

قال ناني:

- مثلك يا بركه.

قال بركه:

- كلا مثلك أنت يا مقاوي.

قال التيجاني:

- مثلكِ يا مسعوده.

قالت عربيه:

- لا مثلك يا برناوي.

طردت عمتي عيده الصغار عن حمار النقل القصير، ووضعنا على ظهره الحصر المغسولة. جرّه بركه من أمام ومشيت أنا بجانبه ويدي على ظهره كي لا تسقط حمولته، قصدنا الوسعاية التي كانت مكبّاً لكل شيء قديم، وهي أيضاً فضاء يقسّم الزرايب إلى مجموعتين. كانت فيها تنكات فارغة وأحجار وأعجاز نخل محترق وقمامة وأخشاب جيء بها من البحر وأشياء قديمة كثيرة لا تصلح لشيء، كثيرٌ منها جيء به من بيوت المدينة وألقى به عمال البلدية خارج سور المدينة فحمله أهالي الزرايب إلى قريتهم علّهم يحتاجونه لشيء. كنا كلما غسلنا حصر بيت ما نقوم بنشرها على أعجاز النخل هناك. تُستخدم الوسعاية كميدان جامع للجلوس والتسامر ولعب الباصة وشدّ الحبل واللقاءات، وفي الليل يقتعدها الرجال للشرب والسمر، تُعقد بها حلقات الرقص والدنقة، وتنام بها الحيوانات الضالة.

تهدأ الزرايب تدريجياً مع إيغال الليل. كان بعضهم قد ثمل وسقط أرضاً كقتلى الحروب، هكذا ينامون إلى الصباح إن لم يكن لهم أمهات أو زوجات يجرجرنهم لأكواخهم. وفي بعض الأحيان ينام حتى من لهم أمهات وزوجات، لأنهن لا يستطعن جرّهم حين يبيتون بثقل الحديد ويكون سحبهم على الرمال صعباً. مررنا من فوق أحدهم، كان يسدّ علينا الدرب الضيقة، كان مرمياً مثل كيس الفحم القديم، تتشمّمه الكلاب ويدخل أنفه النمل والحشرات الصغيرة. مررنا ببراكة درمه فأحببت التحدث معها بعيداً عن ناظري عمتي، قلت للصغير:

– اسبقني للوسعاية وسألحق بك، لكن لا تعد للشاطئ بدوني.

جرّ بركه الحمار بينما وقفت في الظلام أنظر وضع البراكة، كانت مقفلة عندما دفعت الباب الزينقو[1]، لكن شعوراً خامرني بأن درمه موجودة داخلها، أين ستذهب الساعة؟

غاصت قدماي الحافيتان في الرمال. تسحّبتُ ببطء وخفة على أطرافي، أبحث عن بقعة ضوء من أحد شقوق البراكة يقودني إلى ما يحدث داخلها. كانت درمه قد سدّت الكثير من الشقوق ببقايا الألبسة، بعضها لحداثته لم تغادره رائحة العرق. أفرغت أحد الشقوق بهدوء فجذبتني خشخشة بالداخل. اقتربت من الزينقو مراعيةً عدم المساس به لئلا يصدر صوتاً، وابتعدت عن أضلاع البراكة التي أحاطتها بسلك شائك لمنع الفضوليين من رؤيتها. تسمعّت بخفة وتأكدت من وجود الصوت فيها وأنني لم أتخيّله؛ كانت همهمة مختلطة بأنين بشري هادئ. شعرت بحرارة في جسدي تدفعني

١ الزينقو: الزنك أو التوتياء.

لمعرفة المزيد مما يحدث لدرمه، هل هي مريضة أو محمومة ولم يعلم أحد بمرضها؟ ذلك جائز فدرمه تعيش وحيدة ولا عائلة لها، كما أنها مصابة بالربو، أم تراها جرّبت ذلك السائل كريه الرائحة؟

لقد لمحته عندها في قدح من الخشب، حينما عدتها حاملةً لها لبن حمارة تعالج به الربو. ذلكَ اليوم أرسلتني عمتي صبريه به وحملته لها في صفيحة زيت مركبات. كانت مرتمية على الحصير في الداخل تسعل بحدة، حتى أنها وضعت وعاءً بجانبها تتقيأ فيه وكانت تكثر من الأنين وقول آه... آه... أه...

براكة درمه هذا المساء مصابة بالحمّى، حمّى شيء يحدث لأول مرة أمامي، كان مظلماً كالظلام، لذيذاً كالفضول، دافئاً كقاع هذا البحر في الصباح، لكنه غير مكتمل، لم أره كله. درمه هي التي خبرته وهي من تعرفه وجهاً لوجه أكثر مني بكثير. فالأنين كان بصوتها والهمهمة آتية من حنجرة أخرى صلبة منكسرة تحت ساقيها الأسودين، متوسلة بذل.

شدتني حمّى البراكة المظلمة، فيما خشيت التأخر على عمتي تعويضه. فبركه لم يعد وقد يكون رجع للشط وحده، ليخبرهما أين تركني. قفزت حالاً أهرب من أذني الملتصقة بالزينقو ومن كل الأفكار عن مرض درمه، تتبعني الهمهمة ويحاصرني الأنين الخفيف الذي سمعته. أطلقت ساقَيّ في الرمال باتجاه البحر، كان الهواء ينفخ ثيابي التي طفقت تستعيد جفافها، وكانت خشيتي من عمتي تكبر كلما اقتربت من الشط.

وجدتها وعمتي عيده تغسلان بعض الألبسة. أنهت عمتي صبريه

الصرة التي حملتها من أحد البيوت وكانت تساعد عمتي عيده في غسل أرديتها. كانتا جالستين تغسلان وتتكلمان وثمة نساء أخريات كبيرات على مسافة غير بعيدة جالسات لا يعملن شيئاً، وهناك بضعة شبان يسبحون غير ملتفتين لمجموعات الغسيل المسائي ما لم تكن به فتيات. قطيع صغير من الجراء الباحثة عن الطعام تجري وتنبح هنا وهناك، والقمر ينير للجميع مساءهم الحالي دون تمييز.

رأتني عمتي أتقدم نحوهما. نظرت في عينيها لقراءتهما، أما عمتي عيده فقد بدت لي لائمة معترضة من أول نظرة. أدركت أن الصغير عاد وأخبرهما أنه قام بطرح الحصر بمفرده، ما يعني أن زمن التصاقي بزينقو براكة درمه قد طال أكثر مما قدّرت، وأن عدوي في الرمال كان بلا طائل. لعنت صغير عيده وشعرها الناتئ الذي لم تمشطه مذ حبلت به. اختفى الصغير بحمار أبيه. توقّعت أن تضربني عمتي صبريه غير أنها كانت هادئة على غير عادتها ولم تبرح مكانها. استدرجتني إلى جانبها ثم أعملت أصابعها في لحمي، أدخلت يدها أسفل ثوبي وقرصت بقوة مكاناً قريباً من عورتي. صرخت من الألم، فما أحرّ القرص في هذه المنطقة المظلومة من جسدي التي تعرفها أصابع عمتي دون مساعدة من عينيها. لم يخفّف وجود السروال من حرّ القرصة ولم تتدخل المرأة الأخرى لنجدتي من هجوم أصابع عمتي على لحمي. كان قرصها إياي مؤلماً وهي تعضّ طرف لسانها قائلةً:

- ألم أنبهكِ لعدم الذهاب إلى درمه أو الحديث معها؟

لم أجد أفيد من الاعتراف والتوسّل وقطع الوعود لتخليص فخذي من القرص:

– آه، إنها آخر مرة يا عمتي والله، أقسم لكِ بتراب قبر أمي.

ربما ما أفلتني فعلاً من أصابعها هو تراب قبر أمي، التي سمعت أنها ماتت وحسب. سأجرّبه إن كان صالحاً في مرة قادمة لأن عمتي لن تتوقف عن تربيتي بالقرص مهما كبرت. لا شك أنني سأكون بحاجة إليه لينهي لي بعض الأزمات القادمة.

أنهيت تخبّطي بين يديها برمي نفسي في الماء، كي أطفئ حرارة المنطقة المشتعلة مني، دلكت فخذي وأنا أتأوه فيما المرأتان تنظرانني وتشتمان سيرة درمه، لكن رغم معاقبتي كنت أشعر أنني أطفىء نار البراكة التي تركتها فيَّ في الماء، وأستعيد ما ظننته حاصلاً فيها بيني وبين نفسي، فأشعر بتأييد خفي لدرمه التي ركبت جوادها الغريب، مصممةً على المضي في الطريق التي اختارتها، منذ فتحت لها السماء مزرابها الأحمر، وسقتها شفتا سيدها خمر الفاكهة، وأضحى سكان الزرايب يلوكون سيرتها بحسد، ليس لشيء سوى لتلك الأشياء التي بدأت تظهر عندها ولا يحلمون مجرد حلم بامتلاكها: طعام نظيف، لباس غير مستعمل، بلغة من جلد جيد مدبوغة خصيصاً لقدميها الطويلتين، دملج فضة بدلاً من أساور الخرز التي تلبسها الجواري، والأهم من ذلك نقود أسفل ثدييها الناتئين تواً.

شفتا من تقبض درمه الليلة في البراكة ومن يقبض شفتيها؟

رفعت رأسي إلى السماء، ومسحت الماء المالح عن عيني، بعدما لطفت سعير العقوبة بدلاً من درمه ومن صانع لذتها. جلست القرفصاء خانعةً بجوار عمتي، مضت تكبّ في أذني المزيد من النهي والتهديد. اختلست النظر إلى عمتي عيده التي حقنت عمتي بالكلمات الغاضبة.

وددت لو تأتيني جرأة درمه ووقاحة "الكويسات" اللواتي انضمّت إليهن، لأقول لها: "إنك تكرهين درمه اليتيمة لأنها تحولت إلى درباكة صنف أول، لكنك تنسين أن أحد أولادك سرق براكتها ذات حين، وها أنت تضعين عقودها في رقبتك وما فتئتِ تحرّضين الزرايب على بغضها وطردها، لأنها عرفت السارق من رقبتك وفضحته عند الجميع، قائلةً لكل من يسألها إنكِ في دفاعكِ عن ولدكِ كان لديكِ بوري عبيد حقيقي".

واصلتا الغسل وهما تتحدثان عن عرس رضوان. قالت عمتي صبريه متسائلةً:

- هل غنّت البارحة؟

- غنّت نعم، وقيل إن خليفة كان ثملاً وحلف بأغلظ الآيمان ألاّ يغادر مخلوق. استمر الحفل لطلوع الصبح. مؤكد أنها كانت ثملة هي الأخرى ولم يمكنها العودة. مؤكد أن أحدهم صحبها معه ونامت عنده.

لم تعقب عمتي صبريه بشيء على تأكيدات رفيقتها التي شرعت في غناء شيء مما غنته درمه في أفراح حديثة، سرعان ما انتشرت تلك الأغاني بين سكان المدينة، لحلاوة صوت المغنية الجديدة القادمة من زرايب العبيد على حصان من الريح. مغنية صغيرة في السن، طويلة رشيقة، لا تتعب من قيام الليلة كله، رقص وغناء ودق طبول، أخبر من جربها أن لها حرارة ما خبرها رجل في أنثى واستطاع أن يجرب أخرى غيرها، وقد يكون هذا بعض امتيازاتها.

من أغانيها التي برعت في أدائها، غنت عمتي عيده وهي تدعك

سروال جاب الله بكلتا يديها في إحدى قصاع طعامهم:

عديت نقنص في الغزال بجودي
طاح الزناد وخانّي بارودي

لست أدري لأجل من تمسّكت بغناء تلك الأغنية مدة قيامها بالغسيل، لنفسها أم لسروال جاب الله الذي لم يخرج من صفيحة الطعام، ومن هو الغزال؟ أما من يأتي بالبارود إلى بنغازي، فمالطيو بنغازي لديهم الخبر اليقين.

تضاحكتا ثم دندنت عمتي صبريه أغنيةً أخرى:

حجروه ريدي وهو قريب عليا
طريلي كما عطشان جنب أميه
والله مرايف يانا
ومانيش قادر ياعرب ندنا له
واللي ورد يورد بطول حباله
ونا الحبل جا عندي قصير شويه

تبعتها على الفور عمتي حليمه، وسرب آخر من النساء جذبهن الليل والبحر والغناء. استمر الغناء حتى آخر قطعة غسيل. كنت أجلب الماء، وفي جلستي القرفصاء قبالة أمواج البحر استقبلت أول أحلامي بركوب حصان من البرق والرعد والريح.

ومنذ ذلك الحين صرت أعرف شيئاً جديداً غامضاً، مع لا أحد.

أناس الأشياء المصنّفة كسوء

اشتقت لدرمه. لم أرها منذ مدة طويلة. بعد ما قطعت وعداً لعمتي بعدم مقابلتها والتحدث معها، باعت درمه براكتها في الزرايب وانتقلت للسكن في بيت عربي في وسط المدينة مع مجموعة من الدرباكات. جاشت في قلبي مشاعر الأسف لعدم وداعها في آخر يوم تركت فيه الزرايب لتذهب للعيش خلف السور العالي، ذاك الذي يفصلنا عن نصف البشر.

تعلمت درمه الغناء على يد جارية كبيرة السنّ من فزان، صارت لا تستغني عنها لإحياء الأفراح والمناسبات، وقد عثرت تلك المغنية على حنجرة ذهبية لدى درمه تُمكِّنها من أداء المرسكاوي. الغناء في كل حال عمل مريح وغير متعب كأعمال السخرة التي يؤديها العبيد. الجميع في الزرايب يستعينون به في حياتهم، مهما اختلفت درجة الإتقان. الجميع ينسجم في الليل حين تنتهي الأعمال ويؤوبون للزرايب، ما أن يغني أحدهم حتى ينضم له آخر وينضمّ آخر للآخر، فتتسع الدائرة ما بين موِدٍّ ومصفّق وراقص، إلى أن تختصر الزرايب نفسها في تجمّع بالكاد ينفضّ من حلقات الرقص

والغناء والصخب. الجميع يتداوى بالأغاني ويحتفي بالألحان. كثيراً ما غاب في نشوة المرسكاوي السكارى وترنّح في حلقاته المترنّحون. الغناء والسكر دواء للقلب المكلوم، للغربة والهوان والمجهول المخيف.

حين تزوجت ياقوته، بنت عبيد الله ومخزومه، شاباً من عبيد الزرايب، أهدتهم درمه مجيئها لإحياء الحفل. كان الاحتفاء بها عظيماً، فدرمه التي انتقلت للمدينة لم تنسَ قومها ولم تتوقف عن مساعدة المحتاج منهم بما تتحصّل عليه من نقود نظير غناء يمتد إلى الفجر ويتواصل أياماً، ولا غرابة في أن ينتهي ببعضهم يطلبها للفراش، فالحب الأسود من مغنية يجعل المرء يكتشف مجونه ويتحرّر من ذاته الأخرى غير المطابقة التي تتحكّم به داخل قطيع.

الإطراب لا ينفصل عن طلب الحب. ظمئت مغنياته وأظمأن، وروين وارتوين، فالدنيا ليست عادلة لتعطي الزنجية بيتاً ومعيلاً وأولاداً، إذ لا أحد يتزوج من مغنية وإن كان أسود مثلها. الغناء يحوّل المرأة إلى ساقطة تحت الطلب. ورغم تنافس العائلات البنغازية في إحضارهن، إلا أن الاحترام لا يتعدى اليد التي تدقّ الدربوكة، والحنجرة التي تصدح بالأغاني، والجسد الذي يتفنّن في الرقص ويتمرّغ بالبراعة نفسها في الفراش.

لم ينتهِ عرس ياقوته حتى كان هناك من يعرض ابنته على درمه للعمل معها.

كان ثمة من تختلف أسبابه ونظرته للأشياء المصنّفة كسوء، وذلك لحسن حظ الحياة هنا. كنت أحب درمه بجملتها، بكل ما فيها وما

هي عليه، ولذلك عندما أشتاق إليها لا أميّز بينها وبينها، لا أنتقي منها شيئاً أريده وأنفي آخر. فمن علامات المحبة أن تحب ما تحبه دون أن تحاول الإجابة على: لماذا أحببته؟

ساسي يأتي واسقاوه تذهب

الأيام التي جُمعت فيها التنكات الفارغة كانت أياماً حارة. رغم دنوّ الزرايب من البحر إلا أن القيظ كان لا يطاق، فهو من حديد وخشب ورمال وكل ما وجد ملقياً على الأرض. كذلك اليوم الذي عُبِّئت فيه تلك التنكات بالرمل والحصى لتشييد براكة لاسقاوه، كان حاراً منشِّفاً للعظم، تجلد حرارة شمسه كل شيء بل وتصهد الظل أيضاً، غير أن تشييد براكة لاسقاوه صار ملحّاً ولا بدّ أن يتم في أي ظرف.

تنافر إلى ذلك جميع من في الزرايب، فاسقاوه واحدة منهم وهي يتيمة ومقطوعة، ليس لها أهل أو أقارب. معظمهم كان مثلها، لهذا لا بدّ أن يتراصوا ليؤلفوا مجتمعاً لهم بعيداً من حيث الزمان والمكان عن أعراقهم التي تعود لجنوبٍ أسود متعدد الأعراق.

تجمعوا في منطقة بحرية خالية من العمران دون تخطيط، ليتّخذوها مسكناً لهم دون أن ينازعهم عليها أحد. لم يختاروا المكان بقدر ما وجّهتهم الظروف إليه. أن يكونوا بعيدين. كان لهم ذلك، ولم ينازعهم الآخر الذي ابتعدوا عنه في إقامتهم ووجد في اختيارهم إنصافاً للونهم ولونه. غدا لهم تجمّعهم وحدودهم الفاصلة، التي تتيح

قيام مسافة طائلة من التمييز بينهم وبينه، تصبّ دائماً في مصلحته ومصلحة صفاته المتفوقة، تلك التي يدّعيها لنفسه.

كانت اسقاوه قد كبرت ولم يعد يليق بها المكوث في براكة العجوز سدينه التي آوتها. للعجوز سدينه ولد من سيدها، سيأتي من ترهونه للعيش معها بعد وفاة والده - سيده - واستغناء الورثة البيض عن تحمّل إقامته ولقمته. سيأتي فيما يشبه خلاصاً منه، سهّل له إخوته طريق السفر إلى بنغازي، كيلا يعود أبداً.

قبل مجيء ساسي للعيش مع أمه، حاضت اسقاوه للمرة الأولى. وقد خافت خوفاً عظيماً من الزائر اللزج الذي فاجأها من أسفل. هبّت فزعة تسأل العجوز عمَّ ألَمَّ بجسدها ولوّث قفطانها. قالت العجوز بكدر: "هو الطمث إذاً" وعلّمتها كيف تتّقي وابله في الفترات الأولى التي يحدث فيها غزيراً. فتّشت العجوز في مقتنياتها عن ثوبٍ أسود، مزقته قطعاً وصنعت منه خرقاً تستضيف مطر اسقاوه الأحمر، وحذّرتها من التخلّي عن معاملة هذا العضو من جسدها بغير ما السواد مطلع كل شهر يزورها فيه الدم، وجلبت لها تنكة ماء من البحر لتغتسل، وخدمتها في فراشها فطبخت لها بعض الأعشاب المخففة للألم، ودهنت ظهرها وأسفل سرتها بزيت الزيتون المعتق، ثم ربطتها بحزام عند الخصر. حدثتها بأنه الدم، العدو لصاحبته، الذي يُضعف صحتها في الكبر. ستكتشف أنه هو الفاعل حين تكبر وتشتد بها أمراض النساء، حين لا تعود الطبابة العشبية تجدي شيئاً مع آلام الليل المتواصلة.

سألتها اسقاوه:

– ولمَ؟

تنهدت العجوز وسحقت بكفيها الخشنتين عروق القُميلة[1] والنعناع اليابسين، ثم ردّت بصوتٍ خافتٍ أجشّ:

– في الصغر لا يشعر المرء بقيمة الصحة، يظلّ مأخوذاً بقوته.

ثم مضت تضع ما سحقته بكفيها في إبريق ماء يغلي على الكانون. نظرت إليها اسقاوه متفحصةً متسائلة عن السبب في ما يوجع الآن وسيوجع غداً. كان وجه العجوز مهموماً مسحوقاً بنوائب الزمن، وكانت عيناها تنظران إلى جبين الفتاة الصغيرة الذي سيشرع بمجيء الطمث في تجهيز ما سيحدث معه، أحداث لابدّ أن تترك وقعها على القلب وترتدّ ظلالها على الوجه.

كانت اسقاوه فتاةً رفيعة القوام، طويلة، شديدة السواد، حتى أن من رآها في الزرايب أعجبه لمعان بشرتها الغريب. كانت لها عينان واسعتان وأنفٌ أفطس به خرص فضة، ترتدي ثياباً قشيبة لا تختلف عمّا ترتديه فتيات الزرايب الفقيرات. ذات مرة وبينما كانت تنقل الماء من أحد الآبار القريبة، لتحمله على كروسة[2] امجاور، تناثر الماء من السطل أعلى رأسها فبلّل أكمامها ونزل في خط متعرج من إبطيها إلى قدميها. كانت مجهدة هي والصغيرات اللاتي يملأنَ جرار الماء على الكروسه، وكان امجاور يتكئ بجانب كروسته في انتظار انتهائهن، متأملاً أجسادهن الصغيرة المتهادية بالجرار والتنكات

١ القُميلة: الكاموميلا أو الكوميلا، وهي نبات عشبي مسكّن ذو رائحو زكية يستعمل لتخفيف المغص.

٢ الكروسه: نوع من العربات.

خلال هذا العمل اليومي المتعب الذي تركه الأهل لهن، اكتساباً لحرفة تغني عن التسول.

عندما حان دور اسقاوه في الخضوع لعينَي امجاور، رأته يتحرّى إبطيها وينزل مع الماء السائل إلى ما بين قدميها. كانت ثيابها تلتصق بجسدها الغضّ، ما دفع امجاور لحسد ثوبها القشيب ببعض كلمات سمعته يقولها لها اختلاساً وهو يتظاهر بمساعدتها على سكب الماء في الجرة الكبيرة. شعرت أن شيئاً غريباً يحدثه هذا الرجل الكبير فيها، فأطرقت حياءً وجرت مبتعدة، وقد أنساها الغزل أخذ سطلها وهي تهرب، فتبعتها به إحدى الفتيات إلى البئر.

في انتظار الدور عند البئر، وشوشت اسقاوه إحدى رفيقاتها اللواتي يكبرنها عن لعاب امجاور الذي بلّلها من الداخل، فضحكت بتخابث وأذاعت الخبر بين سرب ناقلات الماء، فأحرجت اسقاوه حرجاً كبيراً بالتعليقات المخجلة، وندمت لأنها أخبرتها. انتشر الخبر في الزرايب، ذهب ظنّها إلى أن أمواج البحر باتت أيضاً تردّد كلمات امجاور الحارة حين ذهبت إليه في المساء وقدمت المساعدة في غسل الحصر... ثم جعلته يغمرها إلى الكتفين.

كان ضوء الفنار يعلو وينخفض في سقف الزريبة، وهي تعلو معه بأفكارها وتنخفض في كل الاتجاهات، وأصوات سكان الزرايب التي يحملها الليل تصل خفيفةً، لكنها تعلن عن أنهم مازالوا يتسامرون. بعضهم كان يُنضج شيئاً من الكاكاويه على نيران الفحم، قطعاً سيكون إلى جانبها شاي، ما لا يتيسر إلا للبعض من قاطني الزرايب أحياناً.

خرجت العجوز تسكب حثالة القُميلة أمام الزريبة. أدارت

عينيها لتصيّد مشهد ما، دارت نصف دورة برأسها دون أن تتحرك من مكانها وكأنها تبحث عن شيء وجدته باتجاه الشرق، دخلت لتأخذ ملحفتها وخرجت. سألتها اسقاوه عن وجهتها فقالت وهي تضع الملحفة على رأسها:

– لن أتأخر. لا تنامي قبل أن أعود.

ظلت اسقاوه في فراشها تستند لجدار الزريبة المعدني حيناً، وحيناً تسترق النظر من الفراغات التي تركها اصطفاف التنكات بجوار بعضها بعضاً، فترى شيئاً من الضوء الخفيف البعيد، وضوءاً آخر يمكن تمييزه لمنارة توجيه السفن، وقد تسمع وقعَ بعض أرجل الذاهبين تمرّ بالزريبة وضحكات متناثرة من هنا وهناك. كانت حياةً صلفةً يُلطفها اللهو والغناء وضرب الدفوف والطنابير، وكل شيء وأي شيء مع حلول الظلام.

استطاعت تمييز خطوات درمه من طريقة مشيها وترنّمها الخفيض الذي يقترب شيئاً فشيئاً من زريبتهم. قفز قلبها من الفرح ونسيت الألم الذي يطحن جوفها وظهرها، لاسيما أن العجوز التي لا تطيق درمه لم ترجع بعد من مشوارها. وقفت درمه بالخارج منادية. أجابتها اسقاوه:

– ادخلي ادخلي يا درمه، العجوز ليست موجودة.

دخلت درمه شبه المتخبطة في مشيها، وهي تنظف قدميها الطويلتين من الرمل قالت:

– أين ذهبت؟ إن شاء الله بلا عودة.

– دعكِ منها الآن. أحتاج المعاونة غداً منكِ ومن البنات، كل

واحدة تحضر معها تنكة وتأتي.

كانت تنوي بناء زريبة خاصة بها.

كانت درمه تتلاعب بالرباط الأسود الملفوف حول ساقها النحيلة، بينما تكلّم اسقاوه وتسألها عن مستوى الألم الذي تحسّه، فتخبرها اسقاوه بأن القُميلة التي سقتها إياها العجوز خففت عنها بعضه لكن الدم غالب، فتضحك الفتاة السوداء الضامرة وتغمزها ببعض بذاءات القول التي تجعل اسقاوه تتحرك من فراشها متلفتةً عبر شقوق الزريبة خشية أن تكون العجوز رابضة في مكانٍ ما وتتسمّع كلامهما، أو أن ينقل لها أحد ما تقولانه، حيث الجميع يتوقف لينصت إذا سمع حديثاً، وإذا لم ينقل للآخرين ما سمع ولم يشارك الجميع فيه فلن تكون الزرايب مكاناً ينعم فيه العبيد بحريتهم من البيض وتتضاعف فيه تبعيتهم لجنسهم.

- ليس ها هنا يا صديقتي. اذهبي الآن قبل أن تعود العجوز، ولا تنسي غداً الحضور باكراً قبل أن تشتد حرارة الشمس.

- غداً ليس لدى جلب ماء.

- وماذا تريدين أن تعملي، هل ستقضين النهار في النوم والليل في السهر؟

- أنا حرة، لا يهمني كلام أحد. من لا تعجبهم درمه ليذهبوا إلى البحر المالح ويشربوا منه، إنه قريب.

أطرقت والتفتت إلى صديقتها التي أسفت لأنها أخبرتها بالتحذير من مرافقتها في جنبات الزرايب.

قالت اسقاوه وهي تدنو من رفيقتها مقبّلةً رأسها:

- لا تغضبي مني!

- لا، لا. أنا لا أريد أن أمضي حياتي أرِدُ للناس ويسقط شعري من حمل تنكات الماء.

ردّت اسقاوه فزعة:

- ها! ومن أين ستأكلين والناس توشك على أكل بعضها بعضاً؟

ترددت درمه قليلاً في الكلام ثم، وهي تدير رباط ساقها بشيء من عصبية، قذفت شيئاً من فمها قذفاً كأنه البرجمة، تجاوزته بسؤالها:

- لا عليكِ مني. أخبريني كيف حال امجاور مع قفطانك؟

بهلع ردت الفتاة:

- وواااه...اسكتي عليكِ اللعنة، إنه رجل كبير جداً!

- ها... أو لا يستطيع ما يستطيعه الرجال؟

- لا...لا، سمعنا وسلمنا.

- آها... سمعنا وسلمنا!

قطع حديثهما مجيء العجوز التي فاجأها وجود درمه في براكتها.

بادرتها درمه مطأطأة:

- مساء الخير يا عمتي.

لم تبدِ العجوز رضىً عن وجود درمه مع اسقاوه. ردّت على مضض منشغلةً بشيء ما بين يديها وصوتها بالكاد يُسمع:

- خير!... خير!... وهل تعرفين الخير؟

نهضت درمه غير المرحَّب بوجودها وغادرت ملقيةً تحية المساء:

- تصبحون بخير.

ردت اسقاوه وحدها التحية، وهي تتأهّب لسماع ما لدى العجوز

من لاءات ناهية عن رفقة درمه، درمه التي تعمل في جميع المهن ويتنابز أهل الزرايب سيرتها برديء الكلام. ناولتها خرقةً صغيرة دافئة لُفَّ بها شيء قائلةً:

- ألم أحذّركِ من رفقتها؟ متى تسمعين كلامي يا ابنتي؟

تتظاهر اسقاوه بعدم سماع شيء وهي منكفئة على الصرة الصغيرة تفتحها. كانت فيها حبيبات كاكاويه ساخنة. فرحت بها وسألت العجوز كيف حصلت عليها.

- من بيت امجاور.

دقّ قلب اسقاوه وارتعشت يداها بما حملت من حبات الكاكاويه إلى فمها. توقفت عن المضغ وسألت:

- من بيت امجاور؟!

- نعم. علجيه زوجته امرأة صالحة، ما أن طلبت منها القليل لك حتى أعطتني.

وتنهدت مضيفةً:

- وهو لا يقلّ عنها طيبةً، إنه شهم.

ثم قطعت حديثها عن العائلة الطيبة وقالت للفتاة:

- ألم أقل لكِ اقطعي علاقتكِ بهذه الفتاة السيئة؟ إن رفقتها وصحبتها لا تؤدي إلاّ إلى الخراب.

أكلت اسقاوه كاكاوية آل مجاور على صدى كلمات العجوز المحذرة، فبات طعم الكاكاويه تلك الليلة في فمها وطعم امجاور في جسدها. وبعد سكون العجوز إلى النوم، أخذت تستمع إلى نفسها التي تكلّمها عن الفحولة في زرايب العبيد. تلك الليلة لم يجعلها

المغص الحاد تنام، ولا رائحة الرجل التي تشمّها في جسدها. استحضرت رجال الزرايب كلهم ممّن دخلوا مرحلة الفحولة حديثاً، استعرضتهم عيناها في ظلام البراكة الدامس واحداً واحداً وكأنهم عسكر في كتيبة تأتمر بأمرها. كانت تفتّش بينهم عن مثال، وقد قارب الصباح الظهور وهي تتردد ما بين هذا وذاك. لكن لا يروق لها إلا واحداً، هو الذي أنضجت يداه حبيبات الكاكاويه ووضع لها بكفّه شيئاً منها، ما يعني أن يد امجاور لامست هذه الحبيبات قبل أن تضعها في فمها وتختلط برضابها وأسنانها. أجل لمسها، وهو الذي يلمس الآن داخلها البكر. يا له من شعور ويا لها من مصادفة أكثر من حسنة، تلك التي جعلت العجوز تنهض وتدير أنفها إلى مصدر الرائحة حتى تتعرّفه، فتذهب وتأتيها بما يمنع عنها عواقب شهوة البنت.

بينما اسقاوه تفتح عينيها الحالمتين في ظلام الزريبة، يرد سمعها نباح كلاب بعيدة، فتتخيل كلاب امجاور بينها فتحبّ أصواتها، وتسمع طنين بعض حشرات الليل الطائرة وشخير العجوز النائمة بالقرب منها. تلتقط بوضوح أصواتاً غريبة مصدرها شيءٌ خفيّ بين أضلعها يسألها عن أمها وأبيها وإخوتها، يسألها إن كانت لها عائلة كتلك التي يكون امجاور ربها، يسألها عن طفولتها الأولى التي لا تتذكر ملامحها بوضوح، في أي مكان غير زرايب العبيد كانت، وكيف انتهت بها الحال هنا وبأختها في طرابلس، مرافقةً لزمزامة[1] شهيرة ذات حظوة عند الأعيان هناك.

قال لها خاطرٌ ما إنها، متى تدرّبت جيداً على دقّ الدربوكة مع

١ الزمزامة: المغنّية.

درمه، ربما تجد لها عملاً في فرقة أختها هناك، ويجتمع شملهما من ثم.

استمر الخاطر يجلب غيره من الخواطر حتى حملت من امجاور ذات يوم.

عبد وجمل وغياب

ليس سوى يوم من جملة أيام غامضة. تختفي عمتي صبريه من الزرايب دون أن أعرف أين تذهب. يأتي غيابها دائماً عقب ظهور عبد أسود غريب، لا يكلّم أحداً ولا يعرف عنه أحد شيئاً، لا من أين يأتي ولا لماذا يأتي قاصداً عمتي صبريه من بين الناس. ولا تواجه عمتي قدومه باستغراب أو ارتباك، بل بفرح لا يكاد يشرق في عينيها إلا عند مجيئه. فهل كان ذاك الرجل الغامض يأتي من تلقاء نفسه في كل مرة أم ثمة من يرسله إليها؟

يحدث الغياب مراراً وينتهي كما حدث دون وضوح، فيما أسئلتي تلتفّ حولي وتكبر، تغرب فوق رأسي كشمس الزرايب وتحطّ كليلها دون أجوبة.

كل ما أمكنني معرفته عن ذلك الرجل الغامض وبحسٍّ طفولي أنه ليس عبداً عادياً من العبيد البائسين، وليس هارباً من أربابه، من أي جهة باتجاه بنغازي. إنه يعرف بنغازي جيداً ويعرف أين يجدنا فيها، قريباً من آبار الماء في الزريريعية، حيث في الغالب نغسل الملابس هناك للأسر البنغازية التي استخدمتنا بالأجرة.

كانت عمتي منكفئة على الليان[١]، مستغرقةً في دعك الملابس، مبللةً بالعرق والماء حتى كتفيها. كنت أعينها في عملها، عندما لاح العبد مقبلاً على عربة يجرها حصان جميل. لم تعرف في البداية من يقصد، ثم شيئاً فشيئاً اقتربت العربة أكثر من تجمّعنا الصغير، فأدركت أنه جاء من أجلها. على الفور لملمت نفسها وأسرعت نحوه مبتعدةً عن صويحباتها اللائي تغسل الثياب رفقتهن. تكلم معها دون أن يترجل عن عربته، ثم تركته مكانه وعادت مسرعة، جمعت الثياب المغسولة وتلك التي لم تُغسل بعد ورحلنا من ثم عن جمع الغسيل، دون أن تقول شيئاً لمن كانت تتحدث معهن. رمقتها النسوة الجالسات حول أوعية الغسيل وتمتمن فيما بينهن بما لم أفهمه حين كانت تربط الملابس المبللة في صرة وحدها وتعيد المتّسخة إلى الشوال. نظرت إلى وجهها فلم أتبين فيه ما يبدو رفضاً أو استنكاراً، بل إنها لفرط عجلتها نست أو غفلت عن توديع جمع الغاسلات الصغير، فيما دبّ سرورٌ خفي في عبوسها المبلّل وسيطر على حركتها العجلى.

صعدنا ظهر العربة، وقد نزل العبد عن كرسيه وساعدنا في حمل صرر الغسيل دون أن يتفوه بشيء، وقد أملتُ أن يتكلم لعلّي أعثر في كلامه على ما يجيب عن أسئلتي المعلقة في رأسي.

عمتي أيضاً خيّم عليها صمتٌ واجم وقد وضعت ذراعاً على الأخرى وهي تتطلع إلى الطريق كأنها تروم رؤية ما تحمله نهايتها.

وصلنا الزرايب فاعتقدت أننا سنتجاوزها إلى مكانٍ آخر، غير أن

---

١ الليان: طست الغسيل.

عمتي طلبت من العبد التوقف عند البوابة وأن ينتظرها عندها. حرّك العبد رأسه الكبيرة الحليقة موافقاً وهمّ بمساعدتنا على النزول وأنزل الصرر. رآنا يوسف فقدم واستلمها من العبد. سألته عمتي إن كان قد شاهد عيده في مكانٍ ما، فقال إنه جاء للتو من كوخها، هي هناك تطبخ العصيدة لتغدّي أولادها. طلبت منه الإسراع إليها وإخبارها أن توافيها إلى براكتنا على عجل. رأيت عمتي تطلب منه إخبار عيده بذلك مع ضرورة الإمساك بإبهام يدها اليمنى مرتين.

اختفى يوسف عن أعيننا في الحال سالكاً أقصر التعرجات إلى كوخ عيده. قمنا بإدخال كل شيء، وحثّتني عمتي على العمل معها للانتهاء سريعاً. حين جاءت عمتي عيده مسرعة كانت صديقتها صبريه منكفئة على صرةٍ أخرى غير صرة الغسيل تفتّش فيها عن أشياء تخصّها. كنت واقفة عند مدخل البراكة أنظر ما تفعل الاثنتان وأتسمّع إلى ما تهمهمان به من كلام. فجأةً توقّفت عمتي صبريه عن التفتيش في كومة الأقمشة الملونة، وكأنها وجدت ما تبحث عنه، لكن لتأمرني بالخروج - كان صوتها حاداً وكأنما ضيّعت فجأةً ما عثرت عليه.

سمعت طرقعة الليان ومساندة عيده لها في الاغتسال السريع، ثم هرعت الاثنتان خارجتين. أغلقت عمتي صبريه البراكة والزريبة الجانبية، وجرّت العمة عيده صرة الملابس المغسولة وتلك التي لاتزال في الشوال؛ تلفتت باحثةً عن يوسف لمساعدتها في نقلها إلى كوخها. رفعتُ عينَيّ التائهتين في مدارات الأسئلة إلى وجه عمتي، فرأيته بعيداً كبلادٍ سوداء تعطي أجنّتها لبلادٍ بيضاء، وجهٌ يذهب نحو

مجهولٍ يطرب له ويغيب عن حاضره المليء بشقاء الرحلة ما بين حياتين.

قالت لي:

- لا تُشقي عمتكِ عيده في غيابي.

رفعت بصري إليها متسائلة:

- ومتى تعودين؟

بدا لي أن عمتي صبريه ليست حزينة لابتعادها عنا أنا ومفتاح مدة يومين، وأن سعادةً داخلية تعتمل في داخلها تكاد تطيح بطولها. كانت عمتي عيده تعرف دون ريب أين تذهب صديقتها، لأنها لا تطرح الأسئلة أبداً، بل إنها لا تقول شيئاً وكأنها سبق وأن سألت كل الأسئلة ونالت جميع الأجوبة.

حين سألت عمتي عيده عن المكان الذي ذهبت إليه عمتي صبريه، أجابتني:

- ذهبت تخدم وستعود.

ليس أكثر من ذلك ثم سكتت.

سألتها:

- لماذا لم تأخذني معها؟

أدارت ظهرها لي قائلة:

- العائلة التي طلبتها للعمل لا تريد أطفالاً، اشترطوا ذلك.

ثم زادت قائلة:

- هيا اذهبي مع بركه للسقاية.

الماء.. كثيراً ما يُنهى الحديث بالماء، حجة جاهزة وحقيقية.

يضطرني هذا الغياب للبقاء يومين أو أكثر في كوخ عمتي عيده، أرنو لمن حولي صامتة وأقضي معظم الوقت وحيدة لا أشارك البنات والأولاد اللعب. أذهب أحياناً مع النساء والفتيات الكبيرات لجلب الماء، غالباً ما تكلّفني عمتي عيده بذلك، وقلّما خدمتني في شيء آخر. أما حين لا يكون هناك جلب للماء، أجلس في ظل الكوخ أرقب الذين يمرون: أطفال يجرّون أشياءً من القمامة إلى أكواخهم؛ طيور الدجاج تسرح بحثاً عمّا تأكله؛ قطط تقتفي الظل لتنام؛ كلاب تهزّ ذيولها وتمدّ ألسنتها طلباً للهواء البارد؛ نساء فقيرات يذهبن هنا وهناك ويتحدثن ويتحدثن؛ ومفتاح الذي تتباعد فترات عودته إلى الزرايب مذ عمل في فرن السنفاز وبات مضطراً للنوم في بيت السيدة، لأن عمله ينتهي متأخراً ويتطلّب نهوضاً باكراً.

يلاحظ يوسف وجومي وانطوائي فيتقرّب إليَّ لحثّي على مشاركتهم اللهو. جاء مع أولاد عيده ليأخذني للعب عند الشاطئ. كان يوسف أكبرنا. قسّمنا مجموعتين ونظّم سباقاً بيننا في السباحة. لم أكن أرغب في اللعب حقاً لكني شاركت وحسب. شدّني أحد صبية المجموعة المنافسة حين أوشكت أن أغلبه. أوشكت على الغرق لولا أنّ يوسف كان طويلاً وكان يقف على صخرة يراقبنا، فرأى الصبي يعثرني فقفز في الماء وسبح سريعاً لنجدتي. قال لي بعد أن أخرجني:

– أوشكتِ على الغرق، لكننا كسبنا الجولة.

ثم لكم الصبي على أنفه أمامنا، حتى دمعت عيناه، وطرده لأنه يغش. كنت وسط حلقة الأولاد والبنات المهللين بعودتي حية مثل

دجاجةٍ سوداء مبلّلة بالماء. لم أفكر أنني كدت أموت، لأن حياتي هي أن أكون مع تلك المرأة البعيدة عني، وليس بدونها في أي مكان، فغياب وجهها الحزين الذي أحبه ويدها الحانية الممسكة بي دائماً يعني أنني خارج الحياة.

جاءت عمتي عيده ركضاً، بعدما انطلق إليها أحد صغارها ليخبرها بغرقي. عثرت عليّ وسط جمع الأولاد والبنات المهلل. أخذتني إليها بخوف وكانت شفتها السفلى ترتعش، تفحصتني وجلى:

- مااااذا جرى لك، مااااذا جرى؟

أخبرها يوسف بالأمر، فلامته بقسوة لأنه أخذنا والبحر في حالٍ من الهياج فكاد يقتلني. لم ينبس يوسف بكلمة. أخذت تحذّره من تكرار ذلك ثم التقطتني من بينهم وعادت بي إلى الزريبة. وضعتني في الشمس حتى تجفّ ثيابي لأنها لا تملك شيئاً تلبسني إياه. أحسست أنها ما زالت غاضبة من يوسف وهي تحذّرني من الذهاب معه دون إخبارها. سألتها:

- عادت عمتي أم لا؟

فأجابتني دون أن تنظر إليّ:

- اليوم، اليوم إن شاء الله.

شعرت بالشوق السريع إليها وإلى براكتنا التي تجمعنا معاً وإلى مفتاح الذي طالت غيبته هذه المرة. انتظرت عودتها من الظهيرة إلى المساء، وعندما لم تأتِ هذا اليوم أيضاً ظللت محتجزة في زريبة عيده. حضرت كل معاركها مع أولادها وصراع الأولاد على أماكن النوم والطعام. بكيت ورفضت تناول الطعام. كانت عمتي عيده

تعالج امتناعي ويوسف الجار يراقبنا. كان به حزن عليَّ. تكلّم مع عمتي عيده واعتذر لها، لكنها لم تسامحه ولم تتركه يقترب مني أو يتحدث معي.

في صباح ثالث أيام غيبة عمتي، خرجتُ من زريبة عمتي عيده باكراً دون أن تشعر بي، تجاوزت الأولاد النيام وذهبت إلى براكتنا. كان الجو بارداً والضوء بالكاد يشقّ الظلمة الفائتة ويطلع على الزرايب الخالية من أصوات الناس. فقط ثمة أصوات ديوك بعيدة تصيح وكلاب تنبح وشخير بعض النيام هنا وهناك. غالبت للوصول فربما عادت متأخرة ليلة أمس ولم تأتِ لتأخذني لأن الوقت متأخر، لكن خاب ظني عندما وصلت ووجدت البراكة على حالها. جلست أمامها وأخذت أبكي غيبتها عني وأحتّها في قلبي على عدم تركي وحيدة مع أحد.

اكتمل طلوع الصبح ونهض سكان الزرايب. لم تجدني عمتي عيده في مكاني. بحثت عني هي وأولادها ويوسف أيضاً، فلمّا سبقهم يوسف ووجدني سألني مربتاً عليَّ لماذا أبكي، ألأني جائعة أم خائفة؟ أخبرته بأني أريد عمتي ولا أعرف أين هي!

سألني:

- ألا تعرفين متى تعود؟

- لا.

- تعالى هيا، لا تبكي.

- دعني.

آنذاك جلس بجانبي وأجرى معي حديثاً ودياً:

- نحن هنا إخوتكِ، أنا وأولاد عمتي عيده وكل الأولاد، حتى

الأشقياء منهم. إذا ضربكِ أحدهم أخبريني عنه وسترين ماذا أفعل لك به. هل رأيتِ كيف لكمت الصبي الذي حاول إعاقتكِ؟

- لا لم يضربني أحد ولم يسلبني أحد شيء.

- هل تجوّلتِ في الزرايب كلها وعرفتِ عنها كل شي؟

- لا.

سألته خلال سيرنا في الدروب الضيقة المتعرجة بين العشاش والأكواخ:

- ألكَ أبوان؟

- كلا أنا مقطوع. ربّتني الشوارع والأماكن الفقيرة وكانت العجوز المسنّة بوقا أول من رعتني عندما جئت هنا. زرعت فيَّ روح الفخر والاعتزاز بلوني وعلّمتني حرفة المداواة بالأعشاب لأمتهنها بدل السرقة أو العبودية. لا أعرف عن أمي سوى أنها جارية ماتت بمرضٍ معدٍ.

توقّف يوسف عن حديثه فجأةً ليقول:

- سنعرج على عمتي عيده فأخبرها بأنكِ معي.

- هل تناديها أنت أيضاً بالعمة؟

- نعم، كل النساء اللواتي يكبرنني هنّ عماتي والرجال أعمامي. أنا أحب كل من في الزرايب وأعتبرهم أهلي. لا شك أنني عشت طويلاً معهم، حتى اللصوص والمرضى والسكارى والمجرمون أحبهم ولا أحقد عليهم.

وصلنا زريبة عمتي عيده. رفضت ذهابي إلى أي مكان مع يوسف وناولتني عوضاً عن ذلك صحن أرز سلقته في ماء وكُركُم مع ذلك

الدود الذي يلازمه عادةً إذا ما صار قديماً، فرضت عليَّ الأكل، بعد أن طردت يوسف وهددته بعصا التنّور إن اقترب مني. لم يقل يوسف شيئاً؛ ابتعد وحسب.

طفح دود الأرز الميت على السطح. قالت لي:

- حرّكيه بيدكِ ليختفي وكلي، إنه غير مضر.

كانت تعني ما تقول. أعملت يدها في الصحن أمامي قائلةً:

- حرّكيه هكذا، ليختفي الدود.

اختفى الدود مع التحريك مثلما اختفى يوسف. رأيت حركة الرمال التي أثارتها خطاه في الدرب الضيقة. وبالرغم من مضيّه مطروداً إلا إنه دندن صوتاً سمعته من قبل في أحد البيوت البنغازية التي خدمناها، بيت كان ومازال ذا جدران عالية، يقطنه أناسٌ بيض حمر كالألمان، يملكون الجواري ويتعلّم رجالهم القرآن ويتاجرون في العبيد ويتفننون في الخصي.

جلست القرفصاء خلف الزريبة ممسكةً بصحن الأرز، حرّكت يدي فيه على نحو دائري قبل ابتلاعي اللقمة الأولى، إلى أن توارى الدود عن السطح، ثم توالت اللقيمات. فكّرت في عمتي صبريه أين تراها تكون الآن وماذا تفعل؟

نأت عيناي عن الصحن وما فيه عندما نأت أفكاري عن الزرايب، مثلما نأى صوت يوسف بما فيه من ليل ودموع وشوق وشجن:

سكب سال دمع الميامي حذايف
عقلي مرايف
نا الليل ما نرقده من دمع الميامي

سليل الفجارات

ذهبت عمتي عيدة باكراً، لتطبخ في أحد أعراس المدينة. أخذت معها البنتين الكبيرتين لتساعداها، ستتعلمان حرفةً تعتاشان منها. انتهيت أنا وبركة من متح الماء وتعبئة جرار امجاور. تحيّن امجاور الفرصة لقرصي في عزلتنا حول البئر، ابتعدت عنه والتصقت فوراً بظهر بركه كلما همّ بذلك.

قابلنا يوسف ونحن عائدان إلى الزرايب. كنا نحثّ الخطى لتجنّب لذع الرمال الحارة لأقدامنا، ونحن نتّقي الشمس الحارة بتنكاتنا المحمّلة بالماء. كنت شعثاء متّسخة لم أستحمّ منذ يومين، بمجرد أن رآنا أخذ عني التنكة التي سكب معظم ما فيها على رأسي وثوبي، وسألني منذ متى لم أغتسل، فقلت له: "منذ أن غابت عمتي عن الزرايب"، فقال لي: "هيا لنغتسل جميعاً في البحر". قال بركه إنه يودّ اصطحاب كلبهم (خلافو) لغسله من القراد. أخذنا معنا تنكة وقطعة حبل من الحلفاء القديمة، ففكّكه يوسف وصنع منه ليفة. جاء يوسف بهذه الأشياء من عشّته. أخرج لي، ونحن في طريقنا إلى البحر، قطعةً صغيرة قبض عليها بيمينه كيلا يراها بركه. سألته ما هي فقال: "قطعة

صابون"، قطعة بيضاء صغيرة ذكية الرائحة، ملساء، مثلومة من أحد طرفيها. إذاً هذا هو الصابون الذي سمعت عنه. حلف لي بأنه لم يسرقها من أحد، لأن لا أحد في الزرايب يملك صابوناً وهم بالكاد يجدون شيئاً، وأن بحّاراً صقليّاً يدعى فرانسيسكو أهداه إياها مع طعام مجفف. كان البحار قد طلب من يوسف مرافقته داخل الزرايب لاستكشافها، فرافقه يوسف وحماه من السرقة ومن أولاد البدو الذين اندسّوا في الزرايب هرباً من المجاعة وحروب القبائل على الكلأ، ودأبوا على ملاحقة أي أجنبي ومطالبته بالنقود. كان يوسف مترجماً بارعاً لفرانسيسكو عن كل الأشياء التي تساءل بشأنها، لاسيما عن أحوال الفارين من مواقع الاشتعال في برقة إلى عراء الزرايب.

قال لي:

- خذيها، إنها لكِ، لكن لا تريها لأحد، اغتسلي بها مع ماء البئر فقط لأنها لا تعمل مع الماء المالح.

من المعتاد أن يذهب سكان الزرايب إلى البحر لقضاء الحاجة والاستحمام وغسل الأواني والملبوسات. تذهب معهم الكلاب كذلك، وكثيراً ما يروح الدجاج أيضاً ويجيء على طول الشاطئ في أي وقت ملتقطاً الفتات ومفتشاً عن شيء.

بعض نسوة الزرايب كن يغسلن ويغتسلن، سألنني عن عمتي لمَ ليست معي، فأخبرهن يوسف أنها تخدم أناساً لا يريدون أطفالاً سوداً مع الخادم. يوسف حاضر الذهن، سبقني إلى إطفاء فضولهن، ربما عرف كيف يفعل ذلك لأنه يكبرني بسنوات. إنه هادئ الطباع وفقير، لكنه غير قذر كالصبيان والبنات هنا. أخبرني أن له أصدقاءً من

خدم الكنيسة الإيطالية وأنه لا يذهب إليهم للتسول كأغلب الأطفال المشردين بل يبيعهم الفول والحمص وأحياناً السفنز من عند مفتاح، وفي المقابل يتعلم القراءة والكتابة. أخبرني أيضاً أنهم يحبونه لدرجة أن أصدقاءه منهم صاروا يقرأون عليه رسائل أهليهم وأصحابهم. ضحك متبسماً حين أخبرني أنه يودّ أن يصبح مترجماً، مثل بعض الرجال السود، أو عاملاً في الضبطية ليستطيع مساعدة المحتاجين من بني جلدته.

كان الماء دافئاً ككلمات يوسف وحضوره ذاك النهار. خلعت ثوبي المتّسخ وأبقيت السروال. دخلت الماء بليفة الحلفاء، وأقعى يوسف على الشطّ وفرك لي ثوبي المهلهل بالرمل والتفل ثم عصره وبسطه على صخرة وشدّه من هنا وهناك بأحجار صغيرة. كنت أغتسل بفرح وكان يرعاني وكأنه يرعى أخته الصغرى، فأنا حقاً صغيرة وضعيفة ولا أحسن التصرف مع الأولاد الأشقياء حين يضربونني أو يدفعونني عن البئر، فيسكبون ما في تنكتي من ماء بقصد السخرية مني. للظروف نفسها تعرفت إلى درمه وأصبحنا صديقتين. كنا نقف في طابور الماء ذات ضحى وإذا ببنتين تدفعانني من الخلف عندما أتممت ملء تنكتي، وقعت على التنكة فشجّت جبهتي، واندلق ما فيها من ماء. كانت درمه الطويلة ورائي بتنكتها وهي ابنة ثلاثة عشر ربيعاً. رأت كيف بدأ العراك من البداية ثم رأت غلبة البنتين عليّ، فتقدمت وضربتهما وسكبت عليهما تنكة الولد الذي عبّأ قبلنا، مالئةً فم التي لم تهرب منهما بالتراب، ومهددةً الثانية بالبول على رأسها متى أمسكت بها. كانت درمه مجنونة وإذا أصابها "بوري" العبيد

يصعب السيطرة عليها. منذ ذلك اليوم لم أعد أتعرض لمضايقات الأولاد والبنات عند البئر، ولم يجرؤ أحد على ضربي خوفاً من تراب درمه ومن بولها على رأسه. كانت درمه تكبرني بسنوات لكني أحبها كأختي الكبيرة. وهذا ما تكرّر مع يوسف الآن، وكأنني دائماً بحاجة لمن يكبرني ويرعاني، عدا أنه لا أخوة لي سوى أخوتي في الله، مفتاح ودرمه ويوسف وأولاد عيده وذرية الزرايب من الأطفال غير المتنمرين.

جلست على الأحجار التي يقعد عليها الأولاد والبنات عادةً حتى تجفّ أجسادهم وتنشف أسمالهم. كان هذا اعتيادياً في الزرايب، لكن ما هو غير اعتيادي أن يخلع أحدهم قميصه ويبقى هو عارياً لكي يمنحه لآخر.

ذاك ما فعله يوسف معي.

بينما نحن نتحدث، نظر يوسف إلى شعري وقال إنه لا يشبه شعور الفتيات السوداوات في الزرايب، رطب مسبول وبه أثر كستناء، وافد كعيني على المكان، على مواصفات السكان السود هنا، لكن يبقى فيه من قملهم الشيء الكثير. أجل، فتّشه وسحب قملة كبيرة أراني إياها. ذكرت له أن القمل يأتيني من أولاد عيده وأن عمتي دائماً تنظفني منه. وعدني أن يأتي بكاز ويغسله لي، قال إنه سيطلب القليل منه في قنينة من عند فرانسيسكو. الكاز يقضي على القمل دفعةً واحدة فلا يعود ثمة حاجة للجلوس والبحث عنه بالأصابع مثلما تفعل النساء هنا. هززت رأسي المحمّل بكذا قملة من رؤوس أبناء عيده موافقةً على سكب قنينة الكاز متى حضرت فوقه.

مضى يوسف يخبرني أشياء لم أسمعها من قبل. قال إن أجداده الذين استُعبدوا منذ مئة عام برعوا في اكتشاف أماكن وجود الماء في الصحراء، وموطنهم الذي استقروا به بعد السودان هو مملكة فزان. كانت الفجارات سبب احتفاظ أسيادهم بهم حتى تكاثروا من ثم في ملكيتهم.

سألته:

– وما الفجارات؟

التقط عوداً من الأرض وحفر به قليلاً ثم رسم شكل الفجارة وقال إنها قنوات تحت الأرض توجد في منحدرات أو مناطق في السفوح، تقود الماء إلى سطح الأرض عن طريق أنفاق قليلة الانحناء، يتطلب حفرها ما يزيد عن مئة عبد، كان أجداده من بينهم، وتتطلب صيانة قنوات الفجارة الواحدة إخراج مئات الآلاف من سلال الرمل ومواد أخرى يتوجب إخراجها سنوياً من داخل الفجارة، كانت عاملاً رئيساً في بقاء أفراد عائلته في نفس الموضع ولوقت طويل.

– وكيف كان أجدادك يعرفون أماكن وجود الماء في الصحراء؟

أجاب:

– بواسطة حجر معين من أحجار الجير اسمه ترافرتين، يدلّ وجوده في مكان ما على وجود الماء.

– ألهذا تحتفظ دائماً بحجرة جير معك؟

ثنى ساقه اليمنى بيده ثم قال وهو ينظر للبعيد:

– إنها تميمتي الخاصة.

– ألهذا أنت نظيف دائماً؟

ضحك وقال إنني بنت ذكية يجب أن تتعلم القراءة والكتابة والحياكة مثل سوريلات شارع سانتا بربارة وفياتورينو.

سألته بفضول:

- أخبرني ما تعرفه عن السوريلات المسيحيات؟

قال وهو يلبسني ثوبي:

- سآخذكِ يوماً، لكن لتتعرفي عليهن لا بدّ أن تعرفي بوقا أولاً.

جزءٌ آخر غامض لا أعرفه من زرايب العبيد حيث عشت. أيعقل أن يكون عالمي محصوراً في جلب الماء والتزام جوار عمتي طيلة الوقت والالتصاق بظهر بركه؟

مع يوسف أمكنني دائماً معرفة الجديد ورؤية العالم بشكل مختلف: مراقبة النجوم في الليل عند تهاويها في البحر ومحاولة السباحة لالتقاطها؛ لحظة اغتسال نصف القمر في الماء، والصيد في الظلام. أما أغربها على الإطلاق فهو زيارة الزنجي التقاز[1] للبحر في هزيع الليل مع عجوز حرة. كان يأتي بها على ظهره من مسافة بعيدة لاستعادة حفيدتها التي غرقت في البحر. كان يتلو تعاويذه على السماء عند اقتران القمر بغيره من الكواكب، ويجري حسبة غامضة في حضور الجدة المؤمنة بأن طفلة جميلة بريئة لم تخلق لتموت هكذا، أي للموت في سبيل الموت!

ما فتئت الجدة تعتقد أن حفيدتها حية وأنها تعيش في البحر مع غيرها من المخلوقات البريئة، وأنها لن تتمكن من العودة إلى عالم اليابسة دون مساعدة ما فوق عادية، لاختلاف باب ذلك العالم

١ المُنجّم.

والطريق المؤدية إليه. إنها موجودة هناك ولم تمت غرقاً، كما هو موجود يسوع المسيح في السماء التي رُفع إليها، ولم يمت صلباً، أُخذت هي إلى قاع البحر بالطريقة نفسها.

لم يوقفهما أو يمنعهما أحد من ممارسة طقوس جلب الصغيرة، تماماً كما حدث مع اعسيله التي اختطفها الروماني وأخذها إلى بلاده، فاستعادها منه سيدي عبد السلام الأسمر في الطريق وجلبها بطريقة خفية.

الناس يسمعونهما ويرونهما غير مكترثين، وكأنهما بذلك إما مانحين لأمل أو مدركين لنتيجة لن تغير تجربة مخالفتها شيئاً، فلربما إن ماتت الجدة يوماً وهي على أمل خيرٌ من أن يساعد قطع الأمل على تعجيل منيتها بالكمد.

تسللتُ إحدى الليالي مع يوسف واختفينا خلف تلة من الرمال نراقب مجريات استعادة الطفلة. رأينا طيوراً سوداء تحلّق في الظلام فيما العجوز راكعة في صلاة طويلة باتجاه البحر وكأنها ميتة، بينما الزنجي الضخم يحرق عيدان البخور ذات الرائحة الزكية ويضرب البندير بدقات منغومة، منادياً أسماءً غريبة وكائنات ومخلوقات لا يعلم بوجودها في العالم الآخر إلا هو.

تهتز سبحته الطويلة في يده وأحياناً يدقّ بها ظهر البندير فتتغيّر نغمته مع حركة تلك الطيور الليلية الغريبة من حوله. همست ليوسف ماذا يقول، فوشوشني: "إنه ينادي بعض أسماء ملوك الجان ويستحضرهم للمساعدة". سألته بفضول: "وهل سيأتون؟" فطلب مني الصمت لأنهم متى سمعوا وعرفوا بوجود بشر يراقبهم لن يتقدموا ويظهروا.

إنه يقوم بمراسم استجلابهم إلى عالمنا، لكنهم يتأخرون لسبب غير معلوم. نمت تلك الليلة على تلة الرمال وأنا أنتظر رؤية ما لا يُرى بالعين المجردة وقيامة الطفلة الغريقة من الماء.

لا أدري فيما بعد، عندما دخل أول شعاع من شمس اليوم التالي عيني وصحوت في عالمي الحقيقي، لماذا شدتني حكاية الطفلة حتى نمت أرقب عودتها كجدتها وأكثر. إنما نحن طفلتان أيها المكان، أيها البحر والسماء والزمان، واحدة تنام في الماء منذ سنوات وواحدة تنام على اليابسة، واحدة بيضاء وواحدة سوداء، واحدة غرقت ولم تؤمن جدتها بموتها على الإطلاق وواحدة تريد جدتها أن تدفنها حية للأبد!

آه ياعيني ياداي

قد يكون الجان مسلماً، وقد يكون من أيِّ دينٍ آخر، وقد يكون بلا دين وقد يكون خليطاً من الأديان أو خليطاً من دونها، وقد يكون ملوناً بأي لون، وقد يكون من نار أو من طين أو من ماء أو منها كلها أو من دونها.

لهذه الخصائص الغامضة لم يتأثر الجان المصاحب لبوقا طيلة سنوات قضاها تحت جلدها ماحق السواد، شديد الهشاشة، محتملاً جفافه وإذعانه للجَلد بالسياط. سبعون عاماً أو أكثر تحسب له مع بوقا المسنّة، متنقلاً كرقيق من غات إلى فزان ثم هون، ثم تاورغاء ثم بنغازي، عبر جغرافيا الروائح السوداء في بلاد البحر والصحراء، ومثلما كان مستمعاً للحكايات التي ترويها كان مشاركاً في صياغتها.

دأبت بوقا على رواية حكايات قديمة بتفاصيلها المرئية، عن قوافل الليبيين العنيدة التي توغلت في أفريقيا وجلبت العبيد، من حوض النيجر والسودان وتشاد ومالي، ومن كل حدب وجدوا فيه إنساناً أسود، جائعاً مدقعاً، ضحية لحروب القبائل وجشع السلاطين للثراء.

كلما كبرت بوقا طعنت الحكايات في عقلها وكبرت مثلها حتى استقرت معها في الزرايب، فكأنما ما قطعت تلك المسافات والسنوات إلا لكي تستقر على شاطئ بحر الصابري، المماثل لمرابع الماء في أفريقيا، الملعون بعشاش الجوعى المعوزين، الفارين من عيش الصحراء وقسوة الرقّ وكثرة الآلام والحب المخذول. هاربون سمعوا أن الرقيق في بنغازي يعامَل خيراً من سواها، فجلبهم صدى الحكاية تلو الحكاية، فازداد السواد الحزين على أطراف البحر الأبيض، وكوّن لنفسه حكاية.

لم تكن ثمة حياة كاملة، لكن ثمة انفكاك قبضة محكمة على الأقل.

ذات يوم كنت ضمن أطفال الزرايب الذين يسرحون بلا عمل، كحيوانات ضالة يملأها القراد، وكانت عمتي تغيب ليوم أو يومين عني، ذهبت معهم أينما ذهبوا، حتى أني عرفت ذلك النهار أن للزرايب نهاية، وعند حافتها من الجهة الأخرى يبدأ عالمٌ فسيح من تلال الرمل وأشعة الشمس وسلال الهواء. كنت حسبته ينتهي بها وما من شيء بعدها.

كانت بوقا تمسك بعصى طويلة وتسير الهوينى بلا غاية. كانت مثلنا تقضي وقتها وحسب عندما وقفت تكلّمنا. كان ديدنها جمع اليتامى ممن انحدر سوادهم من قبائل أفريقيا، تُعمِل فيهم قرينها الشاماني الموصوف باختراق الحجب، تعبر به الزمن والتاريخ والمسافات، فيصف لها أزمنتهم وقرى أهلهم الأولى قبل أن تطأها جمال القوافل وصائدو العبيد.

- هل كانوا يبيعونهم؟

- نعم ويسرقونهم ويصطادونهم.

- هل كانوا يستعبدونهم؟

- نعم.

ألّفت بوقا من الأطفال تكتلات تحمل أسماء المناطق التي استرقّ جذرهم منها، فهؤلاء البقرماوي، وهؤلاء الوداوي، وهؤلاء السلامي، الراشدي، السوداني، البرناوي، الديجاوي، السراوي، الفراوي، الحجراوي، البنداوي وغيرهم، تأسيساً لكيانات سوداء في بلاد لا تعترف بإنسان إلا ضمن عشيرة أو جمع. لعل بوقا استعانت في تحديد أصولهم بالجن الذي يتلبّسها أو بالعفاريت التي تخبرها عن كل شيء. يُحكى أنها تعاونت مع الجان المسلم لتثبيت هذه الحقيقة. كانت تمسك الفرد منهم وتنظر إليه بعينيها الغريبتين ثم تغمضهما وتمسك برأسه تاليةً تعاويذ الشامان المبهمة، وأحياناً يميل جزؤها العلوي وحده أو السفلي وحده، حتى يرعب من يراها، لكنها في النهاية تجيب بأنه انحدر من القبيلة الفلانية في السودان الغربي أو الفرنسي أو من تشاد أو النيجر، أو أن دماءه من عشيرة فلان إذا ما كانت أمة سوداء وأبوه لا.

عاشت هذه المسنّة كالمتسولة بعد أن رفض شراءها كل من علم بقصتها مع أبناء الجان وبلغه أنها مخاوية[1] ولها عائلة أخرى وأنها معشوقة من قبل جني أحبها فاحتجزها له، حتى أنها لم تعاشر رجلاً ولم تدع رجلاً يعاشرها.

١ لها علاقات مع الجان.

هكذا تُركت بوقا لحالها، وأخذ الناس من عرب وزنج يطلبون مساعدتها في المسائل التي تعضل لهم. ربما أراد أبناء جلدتها مساعدتها على العيش بلفت انتباه أسيادهم لقدراتها الخارقة، وقد كان شيئاً ناجعاً لها ولهم. جاءت بوقا إلى الزرايب مع أول كوخ وضع هنا، وقد قاومت راهبات الكنيسة التبشيرية عندما أتين لأخذ الأطفال اليتامى إلى مقر البعثة اليوسفية، لتعليمهم وحمايتهم من الموت والتشرد كما قيل.

كثيراً ما تكلمت عن قافلة استرقّت فيها طفلة صغيرة من برنو، ووصفت أشخاصاً لا أحد يعرفهم من حولها، أو ربما لم يعد لهم وجود. التاجر الزوي الأسود القبيح الذي وطأ الطفلة ذات الخمس سنوات في الصحراء، كان قائداً لقافلة رقيق وعاج وتوابل. رغم أنها كانت طفلة لا تعي شيئاً بعد، أخذها من يدها في توقف للاستراحة وكان ودوداً في صحراء غير ودودة. كانت عارية من أي شيء وجائعة تأكل أعشاب الطريق، كانت مريضة وقد أسهلت يوماً كاملاً. دهن لها بطنها بزيت الزيتون وطرحها على التراب وعاد إلى وحشيته القديمة. صرخت ودفعته عنها، فلم يسمع لرطانتها وغلبها حتى أحست بذلك الشيء الثقيل الذي يُخبئه أسفل عباءته. صرخت به لكنه قبض فمها بأسنانه، فمن سيسمعها غير الصحراء العظمى والحي الكبير الذي يرى ولا يُرى ويسمع ولا يُسمع؟

رأت السماء من وراء كتفي الرجل تميل للاختفاء بين تلال الرمال، ثم اختفى فيها شيئه المجهول كما اختفت النجوم والسماء. غابت عن الدنيا أياماً يهزها ظهر جمل وتعتني بها فتيات القافلة.

جاء حامل السوط في القافلة، مسح مرق البازين عن فمه وجلدهم كي ينهضوا ويسيروا. كان الشبان منهم مكبلين بالأصفاد والأطفال حفاة عراة يسيرون في جماعات، ضرب الكثير منهم وهم عطاش، أخذوا في الصراخ والبكاء، تُرك الذين لم يعودوا قادرين على السير لمصيرهم وابتعدت القافلة على أي حال كما في كل مرة.

كان آخر ما رأته السماء منهم لمعانَ عيونهم التائهة في أرواح تذوي وحيدة. فيا ليتها أمطرت وبللت ظمأهم قبل أن يرحلوا إلى ربّهم عطاشاً.

احتملوا المشي في الصحراء لأشهر طويلة، كان عليهم أن يقطعوها سيراً على الأقدام من بلادهم إلى بلاد التجار. ماتوا بسهولة لأنهم لم يقاوموا الجوع والعطش والعراء. التصقت أرواحهم بجلودهم وخرجت منهم مع تكرار الجلد لحثّهم على السير نحو طرابلس.

ياه... إن طرابلس ليست قريبة، الآخرة أقرب إليهم منها.

ظلت بوقا تبكي لأيام أطفالاً في القافلة تقول إنهم تُركوا يحتضرون في الصحراء وحدهم، بعد أن شاركوا في الحفر بحثاً عن بئر ردمتها العواصف. كانت الطفلة تبكي شقيقها الذي احتضر قبل وصولهم للماء بلحظات، شاركهم الحفر والبحث عن البئر بيديه الميتتين وكان رجاؤه أن يشرب، لكن القافلة مستعجلة وعليها ألاّ تتوقف، والغربان تحوم وتنعق في السماء وعليها أن تأكل. الغربان وجدت رزقها، الله يرزقها من حيث لا تحتسب هي الأخرى، وقد مشى الطفل من حوض نهر النيجر إلى تيبستي من أجل أن يكون طعاماً ورزقاً سائغاً لها، وإلا ما الهدف من وجوده القصير؟ لم تكن هناك قافلة منذ قرون

انتظرت أو غراب جاع. وهكذا لم تصبح الطيور في الصحراء سلالةً نادرة.

التفتت بوقا لأخيها، رأت الغربان تستدعي بعضها وتحطّ على رأسه وتنقبه حياً، بينما هم يتعدون. أغمضت لها عينيها فتاة سوداء من قبيلة أخرى، امتناعاً عن رؤية من يموت منهم حتى وهم يموتون مثله في جزء قادم من الطريق - كان ذلك أحد طقوسهم للعزاء.

صارت بوقا في كبرها تبكي كلّما سمعت المرسكاوي يشيد بقدرة الله على الرزق:

ياخالق للطير قسامي ... سخر خزرت عين الدامي
ياخالق للطير سبوله ... زول عزيز انشالله نطوله
ياخالق للطير جناحه ... سخر ريدي في مطراحة

تبكي متذكرةً طفلاً كان رزقاً للطيور في الصحراء الليبية، كآخرين سواه ولقرون مديدة. وبناءً على دموعها العجوز، لم تعد درمه من تلقاء نفسها تغنّي شيئاً من تلك المعاني في حفلاتها. كانت تنظر إلى عيني بوقا أثناء الغناء، وهي تأتي آخر الناس وتقرفص بعيدة، كأنها جاءت تأخذ قسمتها من التداوي بالموسيقى.

يامن صبري ديمه ديمه
صبراً صبرته نين فات القيمه
آه ياعيني ياداي

ذاك هو العزاء الذي منحته درمه بصوتها الشجي لروحها.

المهاريسيتي

- أعط المرأة ماءً... إنها تستغيث.

قال "سِينا"، حامل سوط القافلة، للمهاريستي[1]، لكن المهاريستي تجبّر ولم يبالِ بالنداء. تزايد أنين المرأة، سمعها حامل السوط، خشي أن تموت وقد أوشكوا على بلوغ مرزق. قال للمهاريستي:

- ستموت عطشاً... أعطِها رشفة.

ردّ المهاريستي:

- لن أعطي قطرتي الأخيرة لأحد، عليها أن تتحامل. الماء في الصحراء ثمين، واللعاب أثمن من الذهب. قد أعطيها لعابي إن شئت.

- لا مجال، إن ماتت خسرنا رأساً صرفنا عليه. السادة لن يدفعوا الخسارة من حصتهم، ستُخصم منا. لا تنسَ الاتفاق ولا تنسَ أن الفتيات اللواتي معنا لم يعدن أبكاراً، سنتحمّل نحن غرامتهن التي إن زدنا عليها موت هذه العبدة ستصبح كبيرة جداً ولن نستطيع بعدها الخروج في رحلة جديدة، هل تفهمني؟

التفت المهاريستي الذي يستطلع الأفق غاضباً:

---

١ راكب جمال المهاري من فرسان الطوارق.

- ماذا تقول؟ ألم تعد في القافلة جارية واحدة عذراء؟

- لا.

- عليكم اللعنة، ألم أنبهكم؟ من غات لمرزق لم تعد بين الجواري جارية واحدة عذراء!

قال خائفاً من يد المهاريستي الذي يخنقه:

- نسألك كل ليلة، تقول لنا نعم.

- ألا تعرف بأني تحت تأثير الحشيشة.

- لكنك مذ أخذت تلك البنيّة لم تستبدلها بأخرى وتعطيها لنا.

- إن لم أعطِكم تأخذون بأنفسكم! سنصل مرزق وتنالون عقابكم.

- ما كنا لنصطبر في هذه الصحراء القاسية ومعنا فتيات.

- أخذتم حق غيركم ولا بدّ من عقاب. من سيأتيهن بعدكم من أسيادكم، ها؟ قل يا عديم الرجولة، هل سأكون أنا أم أسيادي؟ تعرفون أن هذا مستحيل. السادة وشيوخ الزوايا لا يطأون مُلكَ يمين ما لم تكن بكراً.

نزع السوط منه وجلده به. كان يكلّمه ويجلده. يركض وراءه وذاك يتوارى بتلال الرمل طالباً الرأفة:

- مكتوب في كاغد الشراء أنهم يريدونهن أبكاراً يا معتوه!

- حسناً، سأعطيك المال أنا والحراس بعد أن نصل، فقط تدارك أنت الأمر واكتب في رقع الرق أننا عثرنا عليهن هكذا.

- لن يصدقوني وسوف لا يصدقني منهم أحد. لن أرأس قافلة مرةً أخرى أيها الجاهل. هل نهدي شيوخ الزاوية إماء حوامل؟

- سنعطيك ما تريد فيهن ونستبدلهن بأخريات صغيرات مُخلقات في فزان، لن يعلم أحد.

- أريد مئة ذهبية عصملية.

- لكن هذا كثير، هذا لم يدفع حتى للحرائر وهؤلاء عبيد.

- أنتم اعتديتم على مال أسيادي، وأسيادي سوف يقتلونكم أو يجرّدونكم حتى يحوّلوكم إلى عبيد.

نظر إلى ما يبين من صدره عند فتحة الرقبة وقال له:

- جلدتك المنصهرة، التي لم تعد بيضاء، سوف يسلخونها عنك ويصبح لك ما لعبد من هؤلاء.

خشي حامل السوط من تهديد المهاريستي، وتذكّر ما حلّ برجلٍ من حراس قافلة رقيق طال بها الأمد ذات مرة في الصحراء، وعندما وصلت كانت كل السبايا فيها حوامل. حينها حبس القائمقام رئيس القافلة بناءً على شكوى التاجر الأوروبي الذي سيّر القافلة بماله، ثم رشا الحراس فدخل عليه في سجنه واغتصبه، قيل مرتين عن كل جارية سوداء وعلى مدى أيام، ثم سعى لدى القائمقام ليخرجه من السجن، بعدها لم يرهما الناس إلا متصاحبين كصديقين ودودين.

لم تتعلموا أنّ من لا يستطيع الامتثال لقسوة العمل في تجارة الرقيق عليه الابتعاد، لأن ثمنها حياة الرجل أو شرفه!

شارع تفاحه

من التأدّب أن ننادي من يكبرنا عمراً عمي أو عمتي، أما الإنسان الأسود فيجب عليه مهما بلغ من العمر تقديم خطابه بهما لأي شخص أبيض، سواء يملكه أو يعمل عنده بالأجرة. لذا ما أكثر الأعمام والعمات الذين سيعرفهم لساني وتكتظّ بهم حياتي.

عمتي سدينه، من سكان الزرايب، تشتهر بطبخها لكبرى العائلات البنغازية في المناسبات، تميّز طعامها بمذاق لا يضاهيه طعام في الدنيا. صار ذلك مزية لها جعلت تلك العائلات تطلبها لإعداد الولائم في الأفراح ومناسبات الحج والطهور وغير ذلك. دائماً تجلس أمام كوخها وفي يدها صفيحة تنقّي عليها بعض الأعشاب العطرية ثم تقوم بسحقها وتجهيزها خصيصاً لمن تعدّ لهم الولائم. بات ذلك هو شغلها في الحياة.

كانت ضحى ذلك اليوم تحضر التوابل وتعكف على دقّ السكنجبين والكسبر في هاون حديدي طويل. أخبرت عمتي صبريه أن الناس الذين ستطبخ لديهم الأسابيع المقبلة طلبوا منها توفير خادمة تهتم بخدمة العروس طيلة أسبوع الزواج. وافقت عمتي على الفور

وهي التي عادت قبل يومين إلى الزرايب.

بعد الظهر أخذنا امجاور إلى المدينة لمقابلة ربة ذلك العرس والاستماع إلى شروطها وما يلزمنا القيام به لراحة العروس. اهتزت بنا كروسة امجاور حتى كدنا نسقط عنها مراراً، فيما امجاور، الذي اعتاد ضرب الحمار ليوهم الراكبين بحسن قيادته، حاول اختراق حديث العمتين المتحفظتين عن تفاصيل المشوار. كان يروق له التدخل وكانتا تتجنبانه لذلك السبب.

تشبثتُ برداء عمتي عند نزولنا، كيلا يكون أمام امجاور فرصة لقرصي في أي جزء يطاله مني. كنت حريصة على منعه والهروب سريعاً بجسدي. كانت عيناي تركّزان على حركة يديه عندما وصلنا. التفتُّ إليه ونحن نبتعد عنه ويدي تقبض على رداء عمتي من الخلف. وضع طرف جلابيته في فمه ليستطيع ركوب الكروسة دون تعثر، وكأنه تعوّد فعل ذلك بمهارة وخفة لمن يقود بهن، وإذا به يكشف لي بإصرار عن ذلك الشيء الضخم المسودّ بين رجليه. التصقتُ بعمتي، فعضّ امجاور شفتيه ودلّني إليه بيده الأخرى. أجل كان يفعل ذلك لي عندما تأكد أن ليس ثمة سوى المرأتين اللتين تذهب إحداهما بالأخرى ولا تريانه. ولم يكن هو الوحيد الذي يفعل ذلك إذ يبدو أنها سنّة مؤكدة في الخفاء لدى الرجال هنا، الكل يفعلها في صورته الحقيقية ويشتم فاعلها في العلن!

دخلنا بيت العائلة، كان في شارع ضيق نظيف يرصفه تراب صلب بللته المزاريب، وتتلاصق بيوته حتى كأنها تحتمي ببعضها من التداعي. يقع البيت في زقاق يخشى الجندرمة والضبطية دخوله

فرادى لئلا يتمكن منهم اللصوص والأعراب، هناك حيث يترددون زمراً على بيت هوى شهير، بعدهم لا تستضيف صاحبته التي اختلفت بشأنها الروايات زبائنَ أو داخلين، اللهم إلا عجوزاً عارفة بطب الأعشاب.

إنها فتاة جميلة من إحدى البوادي، قضى أهلها بالطاعون في إحدى هجماته حتى كاد نجعهم يفنى لولا قلة ممن أخذوا إلى الكرانتينة بقوا أحياءً. لم تجد تفاحة بعد الإفراج عنهم من الحَجْر الصحي مكاناً تذهب إليه. كان الجوع والفقر يعصفان بالبلاد والكل يريد أن ينفذ بجلده، فاستغلها من بني جلدتها رجالٌ حدّثوها عن بنغازي حتى وصلتها معهم، فصاروا يأتونها فامتهنت بمرور الوقت تسلية الرجال حفظاً للبقاء، ثم صارت تلك مهنتها. مع ذلك كانت تفاحه قلباً لإنسانة أكثر منها رحماً لمومس، طيبة وودودة مع أهل ضاحيتها، تقاسمهم ما تجنيه وتحتفظ لنفسها بالقليل، حتى أنها ذات مرة غررت بضابط تركي كبير ليقبض عليه بعض أفراد قبيلتها عندها ويسرقوا ماله وسلاحه.

ليست هذه التفاحة فقط. كثيرٌ من التفاحات سواها أكلن الحصرم من أجل غيرهن!

في طرف الشارع الشهير بها كانت تسكن أحذق خياطة يهودية خاطت للأعراب ملابسهم في الأعياد ولجند الحامية ما يلزمهم. صحبتني عمتي إليها ذلك اليوم لتخيط لي ثوباً عندها - كان ذلك من الفخامة حقاً لطفلة سوداء من زرايب العبيد.

أطال امجاور الطريق ما وسعه للاحتفاظ بي على كروسته، كنت

على شيءٍ من فرح خفيف يعشب بين كل دقة لقلبي وأخرى. كانت عمتي تعويضه تتأمل الشوارع كأنما لم ترها مرة من قبل، أو أنها تسترجع ما حفظته منها. ارتدت لحافاً ثقيلاً لفته بإحكام حول رأسها ونصفها العلوي، بينما ارتديت ثوباً أنام وأصحو فيه، وألبستني عمتي المحرمة الصغيرة على رأسي لإخفاء شعري أو كأنها لتخفيني، إيذاناً بالذهاب في مشوار. سألتني صديقاتي في الزرايب لمّا رأينها على رأسي:

– إلى أين تذهبين يا عتيقه، يبدو أنكِ مسافرة؟

كنّ يسألنني ويجبن، فنحن لا نذهب إلى مكان ولا جهة لنا نسافر إليها، سوى النزول إلى قلب المدينة، خدمةً في البيوت وجنياً للقوت.

في الطريق إلى الخياطة نفش شعري المحرمة التي جُعلت لمنع انطلاقه وبرز ما يشبه الذيل من رأسي من الخلف. كانت شفتي الغليظة تزداد تهدلاً بما رأيته في قلب المدينة، إذ اعتقدت أن الناس كلهم يرتدون ما نرتديه، ويعانون فاقة كالتي نعيش، ويسيرون معظم حياتهم حفاة، ينقلون الماء ويؤدّون الأعمال الوضيعة القاسية. غير أنه، حتى في أسوأ الأحوال، لم يكن كل الناس مثلنا.

قريباً من شارع تفاحه رأيت امرأةً ترتدي ملابس الأعراس في غير ما وجود لعرس، تقف بعتبة باب من أبواب "بوخوخه"[1] تمضغ اللبان وتتبرّج أمام المارة، وكانت طفلة بيضاء بمدخل الشارع تتفحّصها في خوف وحذر، بينما تحثّها المرأة على المجيء إليها ملوّحةً لها بقطعة

---

١ باب بوخوخه: نوع من الأبواب التقليدية.

من حلوى "البامبيلاء"[1]. نهبت الصغيرة يدٌ مشعرة لرجلٍ غاضب وطفقت في ضربها ببلغة رجالية ضرباً مبرحاً. علا صراخ الصغيرة المتألمة ولم يتدخّل أحد لنجدتها من شقيقها رغم كثرة المارة. كان صياحه صاخباً: يا بنت الكلب!

تلوّتْ الصغيرة ألماً وتوسّلت ضاربها التوقف، معلنةً التوبة بشهادة النبي وأولياء الله الصالحين ودراويش المحلة. لم أعرف الذنب الذي ارتكبته، كانت واقفة تراقب وحسب! ومع ذلك ارتفعت فردة البلغة وهبطت على جسدها الصغير بنفس القوة والمثابرة، دون أن يهتز للصالحين شعرة.

ارتعدتُ خوفاً ممّا رأيت والتصقت بعمتي صبريه التي لم يعترِها استغراب، لا هي ولا أناس الشارع ولا حتى حمار امجاور حين لطمته البلغة وهي تطير خلف الصغيرة الهاربة منها. كان مشهداً عادياً للغاية لكن ليس بالنسبة لي؛ فالرجل الصغير يربّي شقيقته وحسب، وهذا مثار إعجاب الناس برجولته وحرصه على عرضه. كل من كان في مكانه سيفعل فعله، ببلغة أو من دونها.

دخلت المرأة بيتها وصفقت باب "بوخوخه" وراءها، كأنّ شيئاً لم يحدث. واصلنا دربنا إلى بيت منيطة اليهودية، وجدناها منبطحة على بطنها في وسط البيت العربي، تتوسّد ذراعها، بينما امرأة أخرى سمينة مثلها تفلي لها شعرها وتتبادل معها الكلام. لم تكترث لدخولنا. حيّتها عمتي صبريه التي بسملت عند دخولنا

---

١ البامبيلاء: حلوى كانت توزَّع في التكايا الدينية، وتُعرف أيضاً بـ"حلوى الزاوية".

بصوتٍ خفيض واستحضرت النبي وسيدي داوود:

- يا رسول الله، يا سيدي داوود، البركة لنا والسخط لليهود.

اعتدلت اليهودية على جنبها وسألتنا ماذا نريد. ردّت عمتي:

- جئنا نخيط ثوباً للصغيرة.

تفحّصتني الخياطة بنظرات حادة، وارتسمت على وجهها علامات الازدراء للوني وهيئتي. سألت عمتي من نكون وعن علاقتها بي، ثم طلبت من المرأة الثانية إحضار المتر والمقص، وسألت عمتي عن نوع القماش الذي أحضرته، فقالت لها:

- شولاك الوردي.

هزّت اليهودية رأسها في هزء، مرددةً مطلع أغنية شهيرة:

- شولاك الوردي، خوذ وردك وأعطيني وردي، يااااالابس!!

أخرجت عمتي قطعة القماش. طلبت مني منيطة الاقتراب لأخذ قياس الصدر والرقبة والذراعين. تلك كانت هي الثياب، لا توجد تفاصيل أخرى. كنت أتوجّس من نظراتها التى تثقبني، ربما تستكثر على صبية سوداء ارتداء أقمشة تختص بها بنات الأحرار. هذا ما دار في خلدي، رغم أن تلك الفكرة قد لا تكون حقاً هي فكرة الخيّاطة بل فكرتي أنا عمّا تعتقده الخيّاطة.

فيما انشغلت منيطة بأخذ قياساتي البسيطة جداً، حدثت جلبة في الخارج، وإذ بالمرأة التي كانت تجالسها وتفليها تتكلم بصوت مرتفع مع آخرين ثم تعود باكية. توقفت منيطة عن أخذ القياس وخرجت إلى سقيفة البيت. أخبرتها المرأة بلسانٍ آخر عن شيءٍ يحدث في الشارع. ظننتُ الرجل عاد لضرب أخته وعادت الطفلة للصراخ، أو أن المرأة

المتبرجة خرجت إلى عتبتها، ليُضرب بسببها شخصٌ آخر في هذه الحياة. غير أن حال المرأتين تبدل، صارتا تضربان على كتفيهما الأيسرين مرددتين بلوعة وحرقة:

– وووووه... وووووه... حاميّو جيرانو رأس بلا طاقية... صدر بلا سورية...[1]

استمرت الوصلة بضعَ ثوانٍ، كنت خلالها مضطربة جداً، من المكان وممّا يجري فيه، ومن رائحة حامضة تنبعث من جسد منيطة ومن هيئة شعر ساقيها شديد الغزارة، وشنب خفيف يعلو شفتها العليا. اعتقدت أن ذلك يحدث لليهوديات فقط، فالبيض الحرائر والزنجيات المسلمات لا توجد لحى على وجوههن ولا شعر على أطرافهن.

اختلطت أحاسيسي وشعرت أن أمراً كارثياً يحدث. التصقت بعمتي صبريه وتمسّكت بها، أخبرتها بخوفي فقالت لي برباطة جأش:

– لا تخافي أنا معكِ.

رغم ما بدا في عيني من تساؤلات عمّا يحدث ويُخرج الناس من بيوتهم إلى شارع تفاحة، طمأنتني عمتي التي لم يخفها شيء وكأنها تعلم مسبقاً ما الذي يجري في هذا العالم.

حين غادرنا الشارع، كنت أجري من شكل القفطان الجديد إلى كروسة امجاور. عنت لي حقاً زرايب العبيد عندما لمحتها وليس امجاور أو ما يتدلى من أجزائه.

---

١ من نديب اليهود في بنغازي.

كانت بقايا الهرج موجودة في الشارع، فهمت أن الأمر ارتبط بمرور جنازة رجل يهودي، رماه أطفال الشارع ببعر ماشية، بإيعاز من بعض الكبار. أغضب ذلك اليهود، لأن عليهم إعادة غسل ميتهم بدلاً من دفنه. كان ذلك يحدث بقصد كلما مرت جنازة ليهودي ببعض الأشقياء ممّن يسليهم الأمر.

ذهبنا بعد ذلك إلى العائلة، وكان اتفاق خدمة العروس طويلاً في سقيفة المنزل، لم أفهم منه إلا أنه يجب أن أجلس وأنام وأقف قريباً من المكان الذي تتواجد به العروس حتى يمكنني تلبية طلباتها والسهرعلى راحتها.

كان أحد الشروط أن ألبس فستاناً لائقاً بعرس، أحضر للعروس طست الماء وأغسل لها قدميها، وأرفع سفرة الطعام من أمامها عندما تنتهي من الأكل، وأقدّم لها عدة غسل الأيدي، وأتولّى سكب مياه جنابتها في الشارع كلما اغتسلت.

كل ذلك لا بدّ أن يحدث في فستاني الجديد، طيلة أسبوعين من انطلاق الاحتفال بامرأة تلتقي رجلاً للمرة الأولى!

دكاكين حميد

أوكل لصبية سوداء – هي أنا – نقل البمبة من مكان إلى آخر.

يستخدم وعاء قنبلة هاون كهاون لسحق الحبوب، تجويفه الطويل لا يسمح لغبار الشيء المدقوق بالتطاير. خصصت البمبة لدقّ القرنفل المستعمل في تمشيط شعور العرائس، وكان هاون البمبة الأسود لا يزال يحمل اسمه المشتق من فعله، لكنه أثبت بالتجربة قدرة غير حربية على تحضير المستحضرات التجميلية لنساء هذا البلد، المنتهك بالكثير من القنابل والبمبمات، مثبتاً سمعةً طيبة لنفسه، ستمحو تدريجياً وزر ضاربيه على رأس البلد وأهله.

كان الهاون موضوعاً أمام غرفة سيجري فيها تمشيط فطومه بعد اكتمال نصاب الماشطات، وكان بجانبه قضيب طويل من الحديد مسند إلى الجدار الطيني، في انتظار مجيء خالة العروس الموكل إليها جلب الزيت المقطّر ودق القرنفل وإعداد الخمرة[1] لتعلن من ثم بدء

١ الخُمْرة هي التسمية المحلية لكافة أنواع أقنعة تجميل للوجه. والزيت المقطر، أو المحوج، زيت زيتون طبيعي محمى به أنواع من أعشاب عطرية ذكية الرائحة، يستعمل لدهن الشعر.

مراسم إعداد العروس.

كانت الخالة عجوزاً صعبة المراس، قادرة على ردع العروس متى اعترضت على تنظيفها من القمل وتلطيخها بالقرنفل ونتفها من الشعر ودهنها بالزيت المقطر في أول لقاء لها برجل، يوثّقه عددٌ من الشهود وثلاثة خراف تُكتب بجانب حماد وفطومه في العقد. واقعياً سيحيي المناسبة خروف واحد منها، فيما سيعمل والد العروس جاهداً على رعاية الآخرين وبيعهما في سوق الخراف على مشارف عيد الأضحى.

لم يبلغ عمر طمث فطومه في بيت أبيها حولين كاملين، حين خطبها جيرانهم لابنهم البكر حماد. كان حماد دون العشرين عاماً، علم بالصدفة أنه صار بعلاً لبنت جيرانهم. كان قد أنهى مأموريته في الملاحات وعاد لقضاء عطلة العيد مع أمه وأبيه. زغردت والدته في وجهه حين رأته وعانقه والده مكفكفاً دموعه بطرف جرده. ظن حماد أن أحد أعمامه أو أخواله صار إلى ذمة الله أثناء غيبته الطويلة، فشرع في حضن والدته والبكاء معها. تدفق الجيران إلى بيتهم بمجرد سماع النواح، تدخّلوا ملطّفين حرارة اللقاء المؤثر بين الابن وأهله، مستدركين الابن المفجوع، الخارج سؤاله من نشيجه العالي:

- في من يا أمي؟ في من يا أمي؟

قال الجيران الذين مازال مذاق كسكسو عقد القران في حلوقهم:

- لم يمت أحد يا حمّاد لا تخف، إنما زوّجك أهلك وهم سعداء بك!

فجأةً توقف حمّاد عن البكاء وانتابه خجلٌ مفرط، لأن والديه

كانا فرحين بعودته وبحصوله على زوجة مناسبة بسعرٍ غير مكلف. سكت ولم ينطق بشيء عن العروس المختارة، من هي وكيف تمّ العثور عليها، لكي يكون صمته علامةً متعارفاً عليها، على حاجته إلى أن تقوم أمه بدورها التاريخي في الحديث عن العروس من كافة الجوانب التي تدركها المرأة في المرأة، فلا يغدو مضطراً لخرق خباء الحياء وطرح سؤال لربما يكون مخجلاً أو ليس في موضعه أو ليس له جواب عند أمه.

وضعت والدته عدالة الشاي، وناولته مخدة إضافية كي يتكيء بجانبها، قبل أن تدخل تدريجياً في أمر العروس. سألته عن الملاحات وعمّا يجنيه من عمله فيها، ولمّا طمأنها إلى حسن دخله قالت له إن ذلك يسهّل مهمة تزويجه من فطومه بنت الحاج عبد الله عبد ربه. الآن عرف حماد من هم أخوال أولاده الذين سيشكّلون لحمه في المستقبل ومن هم الذين وقع عليهم اختيار العائلة للتزاوج.

كانت أمه تصنع رغوة الشاي ببطء، مسترسلةً في إطراء أخلاق الجيران وحسن معشرهم وقدرتهم الفائقة على تدجين المخلوقات الصعبة، وقد رددت كثيراً أن الحاجة (الساكتة) والدة البنات امرأة سميعة مطيعة مثل نعجتهم السوداء، وأنها لصرامتها في تربية بناتها يعيّرها وصفها بالرجل!

تنحنح حماد قليلاً لكي تستطرد أمه في الحديث عن العروس. عرفت الأم ما يريده ولدها فسحبت رداءها على رأسها وغطت وجهها عنه، ذاكرةً فطومه بصفات تستحسنها المرأة في المرأة، تنمّ عن جودتها للنسل وخدمة الدار واستقبال الضيوف وتسمين الماشية

والاهتمام بالجدة العمياء الكسيحة، إضافةً إلى الحياكة مما يعني أنها ستكون مصدر رزقٍ وفير للعائلة.

قبل حماد باختيار والديه، وقد توقّع وجود ماكينة خياطة في جهاز فطومه الذي سيعدّه لها أهلها. وطالما أن كل شيء يمكن الحصول عليه، من الماكينة إلى فطومه، فهو أمام اختبار فحولة حقيقي عليه عدم التعثر فيه.

لم يكن قد رأى وجه فطومه سوى بضع مرات، قبل أن تُحجب في البيت وتُمنع من دخول السوق وراء أبيها. لم يتذكّر منها سوى شعرها المنفوش كأسلاك معدنية جامدة، ثم تجاوز خياله تلك الأسلاك الصعبة بحثاً عن جوهر غامض يرومه الذكر في الأنثى، كان جازماً في ليلة ما قبل العيد أنه وجده بوفرة غير متوقعة لدى فطومته، وقد بدا كاظماً لسعادته بالتحول الجذري الذي سيصيب حياته بوجود أنثى فيها. فهو متى أجاد الحرث في فطومه سيغدو أباً دون العشرين، سيقدم شهادة ملموسة لفحولته أمام رفاقه وذكور الزنقة.

تلك الليلة، وقبل أن تستدرجه أحلامه إلى الفراش، ناداه والده وطلب منه - ونظر كليهما للأرض - أن ينتقي خير الكباش في الزريبة ويحمله هدية عيد معبِّرة عن المودة إلى أهل عروسه، فلقد كانوا كراماً معهم في عقد القران وسامحوهم في أحد الخراف التي طلبها وكيل العروس ضمن شروط عقد النكاح.

دخل حماد الزريبة قبل صلاة المغرب ونظر إلى الكباش أيها يلائم فطومه، أيها يشبهه في قوة الخصوبة والعز ويوفّر لفطومه معرفةً بما لا تعرف عن بعلها. وقع نظره على كبش أحمر ملتوي القرون يطارد

نعجتين ويحاصرهما في الزاوية، فطارده على الفور وقبض عليه بعد عدة قفزات فاشلة فوق تراب الزريبة. تسببت المطاردة في تلاحق أنفاسه وتوسّع مساماته وإصابته برضوض في ركبته، ثم لما جاء والده للمعاينة قال له:

- الكبش الأحمر لا.

- لماذا يا حاج؟

- كلّمتُ عنه الجزار.

- أعطه غيره.

قال الشيخ محاولاً إقناع ولده:

- الكبش الأحمر كثير كعيدية لعروس. أعلم أنها أول وآخر عيدية نتكلّفها، لكن لا تغفل عمّا مازال ينتظرنا من مصاريف في العرس.

فهم حماد بُعد نظر أبيه في المسألة، وعاد إلى الزريبة قانعاً، لكي يعيد الكبش الأحمر إلى نعاجه، ويلاحق أحلام حبه لفطومه في سواه.

حمل خروفاً أبيضَ على ظهره وطرق باب الجيران بقدميه. ردّ صوتٌ من بيت الأنساب يسأل من يكون الطارق، وكان لأنثى، جعلت دقات قلب حماد المرتفعة من المطاردة ومن الشعور بدنو فطومه منه تعلو وتعلو، حتى تضايق الخروف من لهاثه فثغا فعلا صوته صوت حماد المرتبك.

كان باب بيت الجيران من صفيح متعدد الفتحات. لمح حماد عيناً تقترب من إحدى الفتحات وترمقه، فادّعى عدم رؤيتها. أصابته العين الفاحصة بحياء ذكور البادية في البداية فقال للفتاة إن والده ذكر بيت الحاج عبد الله عبد ربه بالخروف. ردت الفتاة بأن الحاج عبد

الله عبد ربه في الجامع ولا يوجد رجل في البيت يستلم منه الهدية، فبادر حماد إلى القول:

- أفسحوا لي الطريق كي أدخله.

فُتح الباب قليلاً بما يكفي ليحني حماد رأسه ويحشر الخروف إلى الداخل. رأى قدمي الفتاة الواقفة وراء باب الصفيح وطرفاً من فستانها، فخامره خاطر أن تكون تلك هي فطومه، لأن شكل ساقها الأسطوانية ناسب هواه وخفّف عنه التأثر السلكي الشائك لشعر الخطيبة. رفع رأسه بعد نزول الخروف عن عنقه وعدوه للداخل، ليصطدم بالعين عيناً لعين، ارتبك وارتعد وشعر بحرارة مباغتة تكتسحه، ثم كأن جردلاً من ماءٍ بارد سُكب عليه فجأةً، انتفض وترك مكانه هارباً.

ركن كل شيء في الزنقة إلى الخمود، إلاّ حماد الحالم بالساق الأسطوانية الملتحمة والعين المتفحصة والأنفاس المحتبسة، شامّاً رائحة بول الخروف على عنقه. قام ليغتسل فلم يجد ماءً في الكنيف. ذهب إلى البئر وملأ الدلو ودخل إلى المطبخ يسخّن الماء، فالليلة رطبة جداً ولزجة. وجد خرقةً في مطبخهم تشبه فستان فطومه الذي رآه، كمشها إليه بقوة قائلاً في نفسه: "لا بدّ أنها زادت من فستانها عند حياكته فأعطتها لأمه تنتفع بها في المطبخ". هذا الخاطر جعله يشمّ الخرقة وينتشي برائحتها، حتى وإن حملته إلى أجواء سوق الخضار أكثر ممّا حملته إلى بيت الحاج عبد الله عبد ربه وقرّبته من فطومه.

حمل السطل إلى الكنيف، وأسدل الشوال الطويل الذي جُعل بديلاً للباب، وطفق يغتسل من الرائحة. كانت والدته قد تفطنت

إلى حركته في السكون وتأكدت من ظله على الجدار الطيني لوسط البيت. منعت أباه من الخروج حين أراد التأكد من أن شخص الليل هو ولدهم وليس لصاً من لصوص الماشية يتربّص بغنماتهم القابعة في ركن البيت. كانت كلمة من والدته كافية لردع الشيخ في فراشه:

- أصبح ابنك رجلاً.

لم يتكلم الشيخ. بعد هنيهة قصيرة قفز بتصابٍ على كومة الملابس التي تكلّمه وتنام بجواره، مذكّراً إياها بأنه لم يكبر وأن الفتيلة بها زيت، حتى وإن تقدم به العمر وصار شيخاً وابنه رجلاً.

في هسيس تلك الليلة الرطبة كان حماد يسترجع جملة ما عرفه عن النساء لتدبّر الأمر مع فطومه. عندما بلغ خياله شعرها أحسّ بشيءٍ من الوخز والنفور، فذكرياته عنه ليست لطيفة: فطومه لها أسوأ شعر بين بنات الزنقة ولن ينسدل على كتفيها كشعر أمه، ولن تنسدل منه غرّة على الجبين، ولن يرتوي بمعاصر زيت الزيتون في زليتن كلها، بل سيكلّفه ميزانية خاصة من الكدّ في الملاحات لجلب مزيدٍ من الزيت.

ما العمل؟ هل سيتمكّن من صرف النظر عن النصفٍ العلوي من فطومته، نظير ما تقدّمه أجزاء أخرى فيها لصباه؟ سأل نفسه إن كان يستطيع الاكتفاء بالتعويض، وبات مضطراً للقبول، إذ من غير اللائق إفساد كلمة والده أمام شيوخ الزنقة وخسارة مصاهرة الحاج عبد الله عبد ربه من أجل شعر ورثته الابنة عن شاربي والدها.

تذكّر حماد خروف المودة، وما فعله بركبته التي يؤلمه ثنيها، فتأوّه قبل أن يأتيه النوم، منهوباً ما بين ثمن الخروف وكلفة تلك الساق الأسطوانية الملتحمة التي تمنحه أحلام هذه الليلة وما بعدها.

وضع خرقة المطبخ بين يديه وأنفه ونام لأول مرة منذ سمع بخطبته.

في الصباح، حاول استدراج والدته للحديث عن زوجته. أخذ الخرقة وسألها إن كان هذا القماش يعجبها كما أعجبه، حتى يذهب للسوق ويشتري منه ما يصنع فستاناً لفطومه.

أخرجت أمه يدها من قصعة العجين ومسحتها بقطعة القماش التي أمسكها بين يديه ليلة كاملة، قائلةً له:

- كلا يا بني، لا يليق أن ترتدي الأم وابنتها نفس النوع من القماش!

بنت قرنفل

عندما وضع حمّاد قدمه اليمنى داخل الحجرة المعتمة إلا قليلاً، كانت قدمه الثانية ترتعد خارج الغرفة وتتّكل على يدي ابن عمته الذي دفعه دفعاً للدخول، بعد أن زوّده بنصائح حماسية تكفي للدخول بمئة فطومه. كان حماد نحيلاً ذا قامة طويلة، أبيض البشرة وبه حنف، شدّ العمل الطويل في الملاحاتٍ عضلاته وأكسبه بنيةً قوية لشابٍّ وسيم الطلعة.

انتظرت فطومه على الناموسية دخول القدم الثانية، وقد نجا شعرها من التمشيط بالقرنفل والزيت المقطر، بعد ما أعلنت تمرداً شرساً على البمبة ومحتوياتها، ونجح تمردها الذي أصاب أمها ونساءها بالحزن والتشاؤم، ممّا دعا والدها للقيام بتدخلٍ طفيف هامساً في سمع أمها:

– قولي لها أن تمتشط بالقرنفل، أفضل من أن أتدخل وأضربها. قلة حياء من ابنتكِ أن تنسى أنها بنت قرنفل!

لعل فطومه أرادت أن تنسى ما يفعله القرنفل بالناس، وأن الأمر ما كان ليستقيم بين أبيها وأمها دون تأثيره على عواطفهما، حتى أدّت بهما إليها في نهاية التحايل. إنها تريد شقّ طريق جديدة برائحة

مختلفة، ولذلك تمردت ولم تستجب.

خضع حماد لاختبار فحولة في ليالي عرسه السبع. اختبر التضارب بالعصي مع "التيغي"[1] الذي أرسلوا في طلبه من حدود مطروح. كان عمله يتطلب أن يتنقل بعيداً وقريباً. لقد تضاربا بالعصي طويلاً وتصارعا محاولاً كلٌّ منهما إسقاط الآخر أرضاً. في الجولة الأولى خشي ابن عمة حماد أن يغلب التيغي، فرشاه بمضاعفة أجره بعيداً عن الأنظار. غضب حماد فيما بعد عندما علم أن انتصاره كان مزيفاً وغير حقيقي، لكن أحد أبناء عمومته العقلاء هدّأ ثورته بقوله:

- اهدأ، هل تظن أنك الوحيد أو الثاني أو الرابع عشر، الجميع فعلها قبلك.

دخل حماد دخولاً إسلامياً بزوجته، أي أن سبابته لم تتدخّل في فضّ بكارتها حسب التقاليد المحلية. قام بخلع جرده مبرزاً عن بذلة عربية ناصعة البياض وكاط ملف[2] دمنهوري. عندما رأت فطومه فتاها فرح قلبها وسألت نفسها: هل هذا كله لي؟ رباه أنا لا أصدق نفسي!

كتمت صوتها وتعبيراتها غير المصدقة، ثم لما جلس بجانبها وخلع شنته[3] كاد يغشى عليها، فشعر حماد ناعم جداً ويميل إلى الشقرة على نقيض شعرها!

---

١ التيغي لقب معناه الضخم القوي كمصارع، وقد يُستخدم كنية لشخص.

٢ كاطْ ملف: صداري أو صدرية، بكمّين مطرّزين بالحرير، يرتديها الرجل الليبي فوق قميصه العربي أو التقليدي.

٣ الشنه: قبعة أو طاقية تقليدية.

كان عمها وابن عمته يقفان غير بعيدين من اللقاء المرتبك الذي تكتشف فيه فطومه زوجها ويكتشفها فيه. أحياناً يتمتم العمّ المقطب قائلاً:

- تأخر الولد بالداخل. يستر الله... يستر الله.

غيّر ابن عمة حماد مجرى الحديث بسؤال العم العَجِل عن حال سوق الأسلحة. سأله مرتين، مرة بمناسبة البندقية التي يحملها على كتفه، ذارعاً بها السقيفة جيئةً وذهاباً، ومرة بمناسبة ارتفاع أسعار المواد المهربة عبر الحدود مع مصر. لكنّ عمّ فطومه لم يكن منشغلاً سوى بأمر ابنة أخيه، التي يجب أن يلمسها رجلٌ غريب تزوجته وعليه وحده يقع إثبات عذريتها. ليس ثمة مناسبة غير الزواج لإثبات ذلك. لم يُبدِ العم رغبةً في الكلام عن سوق السلاح أو عن أي شيءٍ آخر. أغلق الموضوع بغلق فمه بعد أن قال:

- سوق يأتي الله بسترها.

احتاجت حالة حماد وفطومه إلى الكثير من طلبات الستر الإلهي قبل أن يُصدر باب حجرتهما صريراً قوياً ويخرج حماد متلعثماً مناولاً عمّ العروس خرقةً بيضاء ملطّخة ببقع من الدم، سرعان ما خبّأها العم في فرملته وخرج إلى جموع الرجاّل المنتظرين أمام البيت. تفرّغ العم لإفراغ حشو بندقيته في الهواء، سعياً بالبشارة إلى شقيقه وإخوته وأبناء عمومته، وإلى أخوال العروس الجالسين وراء البيت في انتظار أن تأتي الخرقة البيضاء غير بيضاء، بوسعهم منذ اللحظة أن يعيشوا حياتهم دون عار، متى لاحت الخرقة ملطّخةً من بعيد. كان العم يحملها إليهم مسرعاً، مثل راية معركة براءة من الإثم وإثبات لنجاعة

صندوق "بوساعة" في مؤازرة حفظ الشرف.

هذه الخرقة الثمينة جداً دليلٌ إلى يوم الدين على أن حماد هو أول فعل ذكوري يحصل لفطومه، وستقفل باب الأكاذيب المستقبلي إذا خطر لحماد طلاقها وسلبها مهرها بادّعائه أنه لم يجدها بكراً.

إنها نتاج الخداع الجمعي المتبادل، اختيرت له البكارة ملعباً!

طوت فرملة العم دليل العذرية، وابتلعت السماء دخان الرصاص، فيما علت زغاريد النسوة، وهنّ يسمعن دكّ الرصاص، فتغنّين بشرف فطومه النظيف، صادحاتٍ على مسامع الرجال المنتشين بامتحان الشرف العسير:

يا فطومه سلمك دساسه ...عمك روح كيف الباشا

يامرومه سلمك ربايه ... مازلبحها بو قطايه[1]

في هزيع الليلة الأولى حاول حماد أن يرفع قطايته، ليكون في حساب فطومه بوقطايه حقيقي، لكنه لم ينجح. كنت على مقربة من اللقاء ومن لقاءات أخرى غيره. قلة منهم كانوا ديوكاً حقيقية، أما البقية فمحض أعداد تمتلئ بها الحظيرة.

رسخ العرف للرجل استعمال يده مع زوجته، دون أن يرى أحدٌ أن ذلك مجرد سدّ فراغ لعجز لا بدّ أن تسده اليد، وهكذا اعتقدت سائر النساء في هذا البلد أن ذلك طبيعي للغاية وليس دليل عجز يجيز لهن حق البحث عن بديلٍ مناسب.

١ دساسة: المخبئة المحافظة. مازلبحا بو قطايه: لم يغرر بها رجل، والقطاية هي عرف الديك الأحمر. والاستعارة للتشابه، لأن الرجل الليبي يعتمر القبعة الشعبية الحمراء الشهيرة بالشنه.

نُوِّمت الحقوق قروناً قبل أن تتعلم المرأة القراءة وتبحث لذاتها عمّا ينقصها في عوالم أخرى ليس بها مواصفات الذكر المحلّي، ولتدرك حقها في المتعة وأن ما فاتها فاتها بالأكاذيب ليس إلا.

لقد شهدتُ، وأنا طفلة، على الكثير ممّا في العالم السرّي لرجال ونساء يلتقون بعضهم بعضاً لأول مرة، فقط لأنهم تزوّجوا. كنت طفلة زنجية تخدم أزواجاً من ذلك النمط، لا يُخشى على سريتهم منها، إذ لا مبرّر للحذر من طفلٍ ساذج لا يفهم، فمابالك إن كان أسودَ بربع دماغ كما يشرع الاعتقاد.

كنت أسمعهن يبكين وأسمعهم يشتمونهن ويضربونهن ويهددونهن بالطلاق أو الادّعاء بأنهم لم يجدوهنّ أبكاراً. وفي نهاية الأمر كنّ يصمتن مستسلمات لأقدارهن منطويات على كثير من الحزن الخاص، ثم يأتي الأطفالُ ويبتعد الحب أو لا يأتي أبداً، وتمتلئ السماء بالأحزان.

الجرد والكاغد

كانت عمتي صبريه في المدينة لبعض الشؤون، حين عادت وراءها الحريق الذي شبّ في الزرايب. كانت السلطات تقضي على الطاعون دفعةً واحدة بطريقتها. الموت يستشري وقد يهلك مستعمرتها إن لم تواجهه بحزم، لذا كان عليها أن تحرقه في مكانه. ذلك ما حدث ببساطة!

ألقت عمتي صبريه ما حملته إلينا من فول وحمص وهي تصرخ من بعيد غير مصدقة القضاء الذي نزل بالزرايب. كانت الزرايب تشتعل وبنغازي المسوّرة بسياج كبير أمامهم تمتصّ الدخان ساهمة. قيل إنه الطاعون الذي حملته، وواجهه السود يومذاك ببحرٍ من الدموع ينافس البحر الذي أمامها.

ألفت عمتي الزرايب على غير ما تركتها عليه ذلك النهار الحافل بالشؤم. أخذت تجري والخوف يسقط قلبها، ماذا يجري؟ لم يكن الظرف يسمح بأي تفسير، علينا أن ندرك ما نراه بأعيننا فقط ويربكنا ويصدمنا. لم يلحظ عمتي ممّن تزاحموا كالنمل عند مداخل الزرايب أحد. ففي مشهد القيامة ذاك بالكاد يدرك المرء نفسه. إنها النار الآتية

على كل شيء وليست الماء أو الريح هذه المرة. لم تبالِ عمتي صبريه بالجنود المصطفّين وهم يمنعونها من الدخول، دفعتهم صائحة:

- ياويلكم، الجرد والكاغد!

لم يعد يبين من كيانها سوى جردها الرمادي المتطاير عنها، وصوتها الذي تحول إلى نواح ذبيح، وقدميها الحافيتين المغبرتين. حاول جوسيبي اللحاق بها، فأًمسك به رئيس البعثة وذكّره بأن القوم مطعونون. كانت عمتي عيده تبكي وتصرخ في الجنود:

- لا تسكبوا البنزين على المداخل. ستعود، أعطوها فرصة فنصف الزرايب لم يحترق بعد.

ناشدت عمتي عيده ضابطاً كبيراً، وطبيباً على ذراعه شارة الصليب الأحمر. هزّ الطبيب رأسه أنْ لا فائدة! وأنزل يديّها عنه بأسف كبير. رفض الجندي الذي كان يحمل تنكة بنزين التوقّف ونفّذ أوامر ضباطه، صبّ التنكة وأغلق آخر جزء حيّ من الزرايب بالنار. حينها أدركت أنني أفقد عمتي صبريه في هذا التنّور المستعر. حثوت التراب على الأرض لأمنعها من أن تشتعل. هرع جوسيبي معي يذرو التراب على البنزين المسكوب. عمتي عيده أيضاً وزنوج آخرون فعلوا فعلنا، بينما لجأ آخرون إلى البحر في هجوم كبير، يغرفون من مائه ما تيسّر لهم لإطفاء الحريق. كانوا يدافعونً عن مكانهم المسحوق دفاعاً يائساً. لكنهم دافعوا وحسب.

من كل الاتجاهات غالب سكان الزرايب لإطفاء الحريق، تعبنا والنار لم تتعب. بدأ جوسيبي يجذبني بعيداً، تشبّث بذراعي وسحبني إلى الوراء ما أمكنه. كانت يداه يابستان وجسدي جثةً ثقيلة.

استنجدت بهم ليطفئوها، بل إنني تذكّرت فيما بعد أن جوسيبي بملابسه التي لم تعد نظيفة ووجهه المعفر بالغبار كان يحثو التراب مثلي ليطفئ النيران، فيما عمتي عيده تصارع الجنود وتصرخ بهم هي ومترجم أسود جاءت به حملة القضاء على الطاعون. كانوا يدفعونها بعيداً وهي تطلب إلى المترجم أن يخبرهم أن المرأة سليمة وليست مطعونة.

- قل لهم إنها ستأتي بمدّخراتها وتعود. قل لهم إنها لن تبطئ. امنحوها لحظة للحياة ولا تحرقوها حيةً معافاة.

إننا نفقد صبريه. لم يردّ أحد، بدأوا يجمعون الأهالي المتعبين مثل قطيع موبوءٍ من الماشية، مهددينهم بإطلاق النار عليهم إن رفضوا السيرَ إلى الحجر الصحي في جليانة. امتلأنا باليأس والحزن، وملأت عرباتهم الأرض من حولنا بالغبار. ارتفع صراخ عيده، فقد أصابها ما يجري بالجنون، كانت تلطم نفسها وتشقّ ثوبها. بحثت عيناها المفزوعتان عني، ولمّا وجدتني كانت نظراتها مخيفة جداً. شدتني من كتفي بقوة وسحبتني من فراغ عقلي حتى فصلتني عن يدي جوسيبي عائدةً بي نحو الزرايب، فيما الناس يمشون في اتجاهٍ غير اتجاهنا. كنت أهذي غير مصدقة أن عمتي صبريه احتجزتها النيران في الداخل، كنت أريد حدوث معجزة بأي شكل وفي أي لحظة تعيدها إلي. قلبتُ بصري في الدخان العظيم، لم أعد أرى إلا فرناً كبيراً يلتهم كل شيء ورجحت أنها ستختنق ثم تحترق، فرئتاها ضعيفتان وستسقطان أولاً.

كانت عمتي عيده مصدومةً مثلي. في لحظة بدا فيها الجميع

وكأنهم يحترقون فعلاً. تيقنت من شيء ما بدأت تحثّني عليه:

– ابكِ المرأة التي لن تعود. ابكِ أمكِ، ابكِ أمكِ.

هزتني بقوة من بين يدَي جوسيبي الذي لحق بنا محاولاً استرجاعي من قبضتها:

– تعويضه أمكِ، أمكِ وليست عمتكِ. صبريه أمكِ وليست عمتكِ.

ضربها بعض الجند بأخماص بنادقهم، وهدّدوها لتبتعد، فهي تعثر مهمتهم ضد الطاعون. يئس جوسيبي من الأمر، جرّني بعيداً وخبّأ وجهي في صدره كيلا أرى المزيد. صرت فعلاً يتيمة، فقدت جذري في الحياة في اللحظة التي عرفت وأنا أفقدها أنها كانت أمي طيلة العمر وليست عمتي، وأنها خبأت نفسها لتخبئني هروباً من الأذى وخوفاً عليّ من شرور الخلق. كانت أمي التي دخلت نيراناً كثيرةً من أجلي، ليس أخيرها أن تنقذ كاغد اعتراف أبي المعزّز بجرده، سترة الرجل وغطاءه وشرفه. كانت أمي التي لم تسمح لها الأرض المشتعلة بالخروج حيةً والعودة إليَّ. كنت أبكي وأولول وجوسيبي يحضنني متأثراً بمصابي، مصدوماً مثلي بما قالته عيده. قال لقائد البعثة الطبية إنه سيأخذني إلى الكروسة التي يركبها لأكون معه.

صرخت كلمة "يام" للمرة الأولى في حياتي: "يام لا تتركيني، يام عودي، يام لا تذهبي".

يا لتعاستي! ناديت ما أفقده في لحظة فقدانه، وجهلت ما أعرفه في لحظة إدراكه!

هل كان صُنعَ بشرٍ أم صُنعَ قدر؟

لم يتركني جوسيبي. قال ونحن نركب العربة:

- سيأخذوننا إلى حيث يجب أن نستحمّ جميعاً ونُعقَّم ويتمّ التخلص من ثيابنا وأشيائنا.

بكى مثلي وغالب حزنه واضعاً رأسي على كتفه، فيما إنسانٌ مجنونٌ فيَّ يغادر جسدي قافزاً نحو الزرايب. كان جوسيبي يصيح بي:

- لا تنظري... لا تنظري!

وكنت إنما أعيد ميراث أجدادي الذين استعبدهم أجدادي، مغمضة العينين، كي لا يرى موتي موتي!

كان آخر ما رأيت من مأساة الزرايب دخاناً أسودَ كثيفاً حجب الأرض والسماء؛ رائحة كريهة لأجساد بشرية وحيوانية شويت حية؛ روح أمي غير المطعونة تختنق من سوادٍ خُلقت وإليه تعود، هي ومن احتجزتهم النيران هناك، كانوا أحياءً عندما رشّت السلطات البنزين والكاز على الأكواخ وأشعلتها بمن فيها وما فيها. تعلقتُ ببقايا الرؤية باكية، حتى تهيّأ لي أني أرى أمي في الزرايب وهي تبتعد نحو السماء كما لو أنها تخطو بين العشاش والأكواخ، متجهةً إلى البحر لتغسل الثياب، لتغسل الحصر، لتختفي كما تختفي الطفلات الصغيرات مع كائنات أخرى ويستحيل استعادتها. تلك مرة أولى وأخيرة مليئة بالحزن والحسرات، لفظت فيها كلمة "يام" ولم تسمعها أمي، أو عمتي صبريه كما اختارت أن أناديها دائماً حمايةً لنا.

في مقر البعثة اليوسفية، هدأتني راهبتان بحقنة. أظنني نمت هناك لأيام من صدمة الفقدان. كنت كلما رفعت رأسي عدت إلى غيبوتي.

لعلّ ذلك خيراً لي، غيّبني عن الشعور بالألم لأيام. كنت أعرف أنني أتنفس وحسب حين أفتح عيني وألحظ السوريلات البيضاوات في أرديتهن النظيفة يطفن من حولي، يقلن لي شيئاً ويمسكن بيدي ويتسمن، فكأني ما كنت أفتح عينيَّ إلا لكي أحصل على تلك الابتسامات ثم أعود إلى غيبوبتي الممتدة من جديد.

علمت أن جوسيبي كان معي، دأب على تفقّد من يعرفهم من الزرايب، أكثرهم لم يعد موجوداً. بحث عن عمتي عيده، ليعرف منها حقيقة كل شيء غابت حقيقته عني. قال لي إن الناس سوف يعودون إلى الزرايب بعد أن تخمد الأحزان، ليصلّوا على رفاة موتاهم ويدفنوا الحطام وفق الشريعة الإسلامية، ثم ستشيّد لهم الحكومة الإيطالية مخيماً جديداً.

ماتت الزرايب وعاشت فينا بشكلٍ آخر.

قال جوسيبي إنه سيذهب معهم، وسيحاول معرفة مكان براكتنا إن استطاع، ليأتيني بما يجده منها. سألني متردداً وهو يدرك عقم السؤال:

- ماذا لديكِ هناك تريدين مني أن أبحث لكِ عنه؟

وأطرق لمّا رآني أبكي وأمسح وجهي بيدي. كنت طريحة سريرٍ مرتّب في غرفة طُليت بالجير الأبيض، ليس فيها شيء عدا منضدة صغيرة وصليبٍ كبير لُصق بالحائط المقابل للسرير، ومن حولي وجوه ثلاث راهبات إيطاليات يتحدثن مع جوسيبي. هُيئ لي أنني في مكانٍ لم أرَ له مثيلاً، أسمعهم يتكلمون عني لأني لم أعد معهم إلا بجسدي الزرائبي الفقير، فقدت كل شيء، ولن تكون حياتي سهلة

بعد اليوم، فأنا صغيرة يتيمة "أين ستذهب بعد أن تغادرها الغيبوبة؟".

تلك الغرفة الصامتة، وتلك العبارة لطالما رددتها السوريلات في حديثهن بجانبي، سواء كنّ مع بعضهن أو مع جوسيبي، مازالت تتأرجح في عقلي، تربض في ركنٍ بعيد من روحي، وتعدو مثل حيوانٍ جائع نحو فريسته كلما عاودتني آلام الفقد.

- يا لها من مسكينة! لا أم، لا أب، لا عائلة!

ليس فقدي لعمتي التي هي أمي فقط، بل للزرايب بكل ما فيها، طفولتي، عملي، حياتي، عمّاتي، صديقاتي، البحر، غربال الرمل الكبير، الحب، الغناء، الرقص، الدموع، العبد التقاز، مفتاح الآتي دائماً من بعيد، وقلب بوقا الذي قال عنه طبيب تشريح إيطالي يبيع الجثث لكلية الطب في روما: "أما هذا القلب، يا صديقي، الذي يشبه قلب الشاة، فهو لجثة خرافية".

لا يمكن أن تتلاشى الزرايب مني أو تحترق، فماذا يستطيع جوسيبي أن يجلب لي من رفاتي هناك؟

كنت أعتقد أن مفتاح نجا من أن يكون شاهداً على ذاك اليوم الأسود، لكنني شهدت كيف أنه لم ينجُ من الحزن الذي سبّبه له. ظل يقدّر مكان براكتنا في الزرايب تقديراً ويذهب إليها، يجلس هناك ملتصقاً بالأرض ويبكي وحيداً لا يريد من يواسيه.

في إحدى المرات، وكانت صبيحة يوم زواجه، فقدناه في العرس، قدّرت أين يمكن أن أجده، فركبت الكروسة مع جوسيبي إلى البحر، لمحته من بعيد هناك، بحلّة العربي التي يرتديها العرسان، كان يجلس حانياً رأسه على ركبتيه، يخبر أمي بأنه تزوج وأنه يفتقدها في فرحته،

ويعدها بأن يفعل كل ما وعدها به، أن يسمّي اسمها ويحجّ لها وألاّ يتخلى عني.

كنت أسمع عبراته كلما دنونا منه، ثم أجهش حين اقتربت وعانقته. قال لي ودموعه تنزل على وجهه:

- أفتقدها يا أخية، أفتقدها.

إنني ميراث من لم ينظروا الموتاهم، أغلقوا الهم أعينهم كي لا يروا القسوة، وترك فيها منفذاً فقط للدموع.

إنني نبتُ ما سقط من تلك العيون.

الحريق

قرب حوش الخدم والماشية، ترنّح مترثراً لوحده. سمعته تعويضه يرتطم بالأرض فقالت للمرأة الصماء إنه السيد محمد الصغير. دمدمت المرأة المنكمشة في فراشها صوتاً غير بيّنٍ، ثم انقلبت على جنبها الآخر وعادت للنوم. كانت متعبة من يوم كاملٍ أمضته في المطبخ تعدّ مؤونة الشتاء، من عصبان الشمس والقديد. قضت وقتاً طويلاً تملأ الزير تلو الزير وتضع عليها العلامات لتمييز ما هو قديد فقط عمّا هو قديد مخلوط بالشحم عمّا هو شحم خالص.

تلحّفت تعويضه بلحاف المرأة الصماء وخرجت لمساعدة السيد على الدخول، خشية أن يطلب جاب الله أو عيده فلا يأتيانه بعد أن كثر ضجيجه، وكان من عادته ألاّ ينادي أحداً غيرهما إذا أراد شيئاً من الخادمات أو الخدم. أخذت تعويضه بيده وساعدته على الوقوف، كان طيّعاً واستجاب. أبعدته عن المزراب الذي يفيض بمياه المطر، فقال لاعناً وهو يتلمّس الشنة على رأسه:

- ما الذي يحدث للسماء، ما بها؟ لقد ثقبها شيء!

قالت تعويضه مسايرة:

- أجل يا سيدي.
- ما هو؟
- لست أدري يا سيدي، لكنها ثُقبت على كل حال، يبدو أن الشتاء يباغتنا باكراً هذا العام.

التصق جسده المبلّل بها وهي ترفعه فانتبه لوجهها. قال لها ويداها على كتفيه:

- من أنتِ؟

أجابت بارتباك:

- خادمتك سيدي.
- عيده؟
- كلا يا سيدي، أنا تعويضه.
- آه... تعويضه منذ متى أنتِ هنا؟
- من زمن بعيد يا سيدي.
- لماذا لم أركِ من قبل؟
- أنا موجودة في هذا البيت، وأنا أراك دائماً.
- ها، لماذا لم أركِ في بيتنا من قبل؟
- أنا التي سكبت عليها حلة الشوربة الساخنة يوم عراسة[1] سيدي الصديق.
- أووووه، ألم تكن عيده؟
- لا يا سيدي، كنت أنا.

خبط جبهته بكفّه وكأن حلة الشوربة سُكبت للتو:

---

١ العراسة تطلق على العريس وأصدقائه الذين يرافقونه طيلة أسبوع زواجه.

- لكم أنا آسف، آسف حقاً. هل أصابكِ مكروه؟

كرّر ذلك مرتين. سكتت تعويضه لحظة وأسندته إلى الباب لتتمكّن من إدخاله:

- مرّ وقت على هذه الحادثة يا سيدي، لا تشغل بالك وادخل، إنك تبرد.

- قولي الصدق، لا تخافي مني، أنا الآن في حال جيدة، تستطيعين أن تطلبي أي تعويض، تستطيعين أن تطلبي حتى حريتك.

- لا أريد شيئاً يا سيدي.

- لا، لن أدخل ما لم تقولي ماذا حصل.

- احترقت رجلي فقط.

- تقصدين أني حرقتكِ؟

- لا تغضب مني يا سيدي أرجوك.

- تقصدين أنّي آلمتكِ وحرقتكِ! عليكِ اللعنة يا خادم الخدم، احترقتِ وسكتِّ!

- لا يا سيدي، الشوربة هي التي حرقت رجلي وليس أنت.

- أريني رجلكِ.

- كلا يا سيدي لا أستطيع.

- إذاً أنتِ تكذبين عليَّ، لأني لا أستطيع إيذاء نملة، ها اسألي عني كل الناس، سوف أعاقبكِ لأنكِ تكذبين.

توسّلته خائفةً:

- أبداً يا سيدي، لم تؤذني على الإطلاق، فلا تؤذني بربك.

- أريني رجلكِ.

- كلا يا سيدي.

- لماذا لا تريدين أن تريني رجلكِ المحروقة.

ترددت قليلاً:

- لأنها يا سيدي في رجلي من فوق.

- هذا سهل جداً، ارفعي ثوبكِ وأنا الذي سيرى.

كانت مترددة في رفع الثوب والكشف عن الحرق، لكنها نفّذت الأمر وهي تشعر بتحقير السيد لها، إذ قال:

- لا أرى شيئاً، الظلام مطبق.

قالت في نفسها إن هذا غير مستغرب من سيد أبيض تجاه جارية سوداء لا يعلم حتى بوجودها في صفوف الخدم. مدّ يده متحسّساً الحرق.

- هنا؟

- تقريباً يا سيدي.

- هنا؟

- آه... آه نعم هنا.

- هل يؤلمكِ يا صغيرتي؟

- كلا لم يعد يؤلمني.

- ما اسمكِ؟

- تعويضه يا سيدي.

كان جالساً على المرتبة مكان نومها، بالكاد استطاع فتح عينيه والنظر إليها بغثيان ثم ارتمى مغضماً عينيه ولم يعد يتكلم. وقفت لحظات واجمة وقد صُدمت برؤية سيدها ذي البأس والمهابة في

حالٍ من عدم الاتّزان. كانت تحمل صورةً مغايرةً عنه ككل من في البيت، صورة سيد جبار لا يتكلم كثيراً ولا يُعصى له أمر، وأكثر ما يزعجه ويخرجه عن طوره أن يكرّر كلامه مرتين، مثلما حدث يوم غداء عراسة الصديق ابن عمه، فارت أعصابه ورماها بحلة الشوربة. مسؤول عن كل صغيرة وكبيرة من شؤون العائلة في وجود السيد الكبير والده، الذي منحه سلطات أكثر من تلك المعطاة لإخوته ممّن يكبرونه أو يصغرونه. هو، على نقيض إخوته، لا علاقة له بالخدم ولا يبدو ميّالاً لمضاجعة الخادمات السوداوات، اللائي ينتشرن في بيتهم، على غرار ما ألف الأسياد فعله مع مُلك اليمين، بل إن ميوله ذهبت باتجاه نوع خاصٍّ من النساء، الموسمات البيض من بنات باب الله تحديداً، وقد كان متحفظاً في ذلك فلم يشاهده أحد في حالة مجون أو خروج عن المألوف.

قالت في نفسها: "ما العمل وجاب الله مع عيده في حوش الماشية؟" إنها لن تقطع سعادة الحبيبين، حتى وإن جاء أحدهم وفتّش عن السيد ووجده في غرفتها.

انكمشت بجانب الباب ولم تستبدل ثوبها المبلل. لجدة الموقف لم تشعر أنها تحتاج ذلك. كانت ترمقه على ضوء السراج، غير مصدقة أنه السيد محمد الصغير الذي سمعت عنه ما يوقف القلب لشدته وحزمه. ماذا تقول له حين يصحو ويجد نفسه في فراش خادمته الوضيع؟ ماذا تقول للالاعويشينه غداً إن سألتها أين كان جاب الله وأين كانت عيده؟

قفزت مسرعةً لمّا تفطّنت أن برنس السيد مبلول، تقدمت بوجل

من المرتبة وترددت في خلعه عنه، انحنت عليه وأخذت تنزعه بتؤدة، كان ثقيلاً وتفوح منه رائحة "نازلي درنه"[1]. لم يعد متيقظاً لما يحدث، طمأنها ذلك فنظرت إلى وجهه بتمهل، تأملته جزءاً جزءاً: عيناه الواسعتان المقفلتان على خرزتين بلون اللوز؛ أنفه الجميل الذي لا يخلو من خنس؛ شنبه المرتفع ولحيته الحمراء المنسدلة على خديه بنعومة ولمعان؛ شعره الأملس الكثيف المنتهي إلى عنق أبيض نظيف؛ أصابعه الطويلة التي يملؤها شعر كثيف وخاتم ذو نقش، يتوسّطه حجر أزرق صغير، في بنصر كفه اليمنى.

خلعت عنه بلغته ووضعتها جانباً، لترى قدمين نظيفتين بيضاوين طويلتي الأصابع. إنه أول رجل تتمكّن من رؤيته بهذا الحدّ من الرؤية، أبيض وليس أسود، تلتهمه عيناها وتحتفظ بشكله لتسترجعه إن استحال أن يصبح ما يحصل لها الليلة حقيقةً. رجل ليس بعبد ولا حرّ عادي، إنه من لم تتخيّل يوماً أن تقف قبالته وتتكلم معه، فكيف بأن ينام في فراشها بعدما مال جسده عليها وهي ترفعه من تحت المزراب. ستحبّ ذلك المزراب كثيراً، بل ستحبّ المطر، ولن تعلّق الغربال تحته في منور البيت لكي يتوقف. إنه صانع الصدفة الجميلة غير المحسوبة في حياتها، كما لم يحدث لأي خادمة في بنغازي كلها من قبل. ترى بأي كلمات ستخبر عيده وماذا ستقول؟

علت خفقات قلبها تحت تأثير صدمة لا تتمنّى الخروج منها، وهي الخادمة السوداء التي لم يرغبها عبد ولا حر إلى الآن، ولم

---

١ خمر محلي يشتهر برائحته المنعشة.

يمسسها أحد كما يحدث لكل الخادمات في عمرها، ما سمعت عنه وانتظرته على نحو لا يوجد له بديل. لا أحد لاطفها أو تحرّش بها في المنزل، أو في السوق، حتى صدقت أنها السوداء القبيحة التي ينفر منها الرجال ويصدّون عن الاقتراب منها. تذكّرت أنها مازالت تحمل غشاءها الفطري إلى الآن، في الوقت الذي دخل بعيده عدة رجال قبل جاب الله، بعضهم أبيض وبعضهم أسود. كذلك احباره ذات الثلاثة عشر عاماً التي اخترقها الابن الأكبر للعائلة وجعلها تحبل في أقل من أسبوع. قالت في نفسها حين التفتت نحو الزنجية الصمّاء النائمة في نفس الغرفة: "حتى هذه المرأة التي تجاوزت الأربعين لم تخلُ حياتها من رجل يأتيها، ويعلم به الخدم جميعهم، وهو - يا للغرابة! - الصديق ابن عم السيد محمد، عريس الأمس القريب، الشاب المفتون بالزنجيات الكبيرات، غير المكتفي بهنّ في بيته، والحريص على تتبعهن في أي مكان".

عادت بهدوء إلى جوار الباب، وانكمشت على الزلزال الذي حدث داخلها حتى الصباح. لم تنم، وكيف يأتي عينيها النوم وفي نفسها يتردّد أن سيد المربوعة تلو المربوعة رفع ثوبها ولمس بيديه البيضاوين الموضع الذي انتهت إليه حُلّة الشوربة، أي لمس جرحه فيها.

في ساعات الصبح الباكرة أفاق السيد على نفسه في فراش الخادمة. لم يعِ كيف أتى، وصُعق عندما رأى خيالها الأسود الرفيع مكوّراً عند البابَ، وكأنها كانت تنتظر صحوته. ظل ساكتاً لا ينبس حتى اقتربت منه وانحنت أمامه. مرت لحظات لم يعرف ما يقول

لها، ربما اعتقد أنه لمّا ثمل ليلة أمس نام مع الخادمة وخشي أن يكون ذلك قد وقع حقاً. سألها متجهماً:

– ماذا حدث البارحة؟

قالت:

– لا شيء يا سيدي. كنت تقع في المطر وأنا أدخلتك.

أطرق صامتاً ثم سألها:

– أين نمتِ؟

– لم أنم؟

– لماذا؟

– جلست الليل كله عند الباب.

– ولماذا؟

– لأنك نمت مكاني.

سكت مجدداً وكان يبحث عن شيء يقوله.

– من أنتِ؟

– خادمتك.

– ما اسمكِ؟

– تعويضه يا سيدي.

– منذ متى أنتِ هنا؟

– منذ زمنٍ بعيد يا سيدي.

– إذن لماذا لم أركِ من قبل؟

– أنا موجودة في هذا البيت من زمان وأراك دائماً.

– لماذا لم أركِ في بيتنا من قبل؟

– أنا التي سكبت عليها حلة الشوربة الساخنة يوم عراسة سيدي الصديق.

سكت هنيهة ثم قال:

– اووووف، ألم تكن عيده؟

– لا يا سيدي. كنت أنا.

نهض عن المرتبة فناولته الشنة، ثم انحنت لوضع البلغة في قدميه. لم يتكلم، بل إن شراسة طبعه ذهب القليل منها مع هذه الطاعة الجارحة التي عاملته بها خادمة استهزأ بها فلم يعرفها واحتقرها فسكب عليها حلة شوربة ساخنة. "ما الذي يحدث؟" تساءل في نفسه. لمس يديها وهي تناوله البرنس ثم قال:

– يداكِ باردتان جداً، تدفئي جيداً.

لم تنطق بحرف. تجاوزها خارجاً، فسقط في قلبها أن هذه الليلة التي تمتعت فيها بوجوده قربها انتهت ولن يكون لها لاحق. مضى إلى البيت، وفي الأثناء شمّ في نفسه روائح الخدم التي لا تُعرف في سواهن. تشمّم نفسه جيداً، وعرف أنها علقت به كما لو أنه نام في حضن الخادمة وليس في فراشها، وكما لو أنها لم تنم عند الباب أبداً وأمضت الليل تكيل له القبل.

كان عليه الاغتسال من رائحتها لطردها ونزعها عنه. غمر جسده في الحوض الكبير وأغمض عينيه ساهماً. كان يغتسل ويشمّ نفسه ليتأكد من ذهابها، مسترجعاً كل ما أخبره به الصديق عن النساء السوداوات وحلاوة مضاجعتهن. إنه لم يجرّب واحدة منهن، ولا يجد في نفسه ميلاً لهن مهما فكّر، بل إنه يرتاب في سلامة ذوق

الصديق، الذي يأخذه إلى المبالغة والجنوح. خرج من الحوض كمن ولد له عضوٌ جديد في جسده، وكمن عاد إليه الإحساس وتكبّر عليه. خيّل إليه أنه غرور الشباب والفتوة، يصل بالرجل منهم حيث يصل ثم يعود أدراج العقل والرشاد. ها قد مرت أيام على الرائحة التي سكنته على حين غرّة، واستحضر عقله ما ضاع منها، وتذكّر حلة الشوربة الساخنة أكثر مما تذكّر تفاصيل وجه الخادمة السوداء، فإذ هو يسأل الصديق وهما في الدكان يكيلان حصص القمح والشعير، قال دون مقدمات:

- صديق!

التفت إليه الصديق وبيده الكيل:

- نعم.

- ماذا تجد في الزنجيات الكبيرات ولديك زوجة من أجمل بنات أعمامك؟

ترك الصديق الكيل من يده وسأل مستغرباً:

- لماذا تسأل عن أشياء لا تعنيك؟ ألم تصفني دائماً بفساد الذوق؟

أمال رأسه جانباً وردّه ببطء صوب الصديق قائلاً:

- أوف يا بن عم، دعك مما كنا نمزح فيه، الآن أسألك رجلاً لرجل.

- ماذا حدث؟ محمد الأبيض يسأل عن الزنجيات، ما الخبر؟!

ضحك الصديق من ابن عمه ثم قال مضيفاً:

- اووه يا بن عم، ماذا أخبرك عن تلك الروح الحارة عندما تكون

في حضن امرأة سوداء، أي نشوة كالسكر تأتيك معهن، فلا تتمنّى أن تبارحهن أو يبارحنك أبداً.

زمّ شفتيه وهزّ رأسه وكأنه لا يستوعب تماماً مبالغة ابن عمه:

- هكذا الأمر إذاً!

قال الصديق ملتزماً التأكيد:

- هكذا ويزيد. ليتك فقط تتجاسر وتجرّب ما جرّبناه أنا والمهدي والشارف وحمزة. لقد صدّقوني فتبعوني فلم يندموا، إلا أنت لا أدري علامَ تقفل رأسك؟

- بما أنك أحد خبراء الخدم، سأحكي لك عن شيءٍ مؤثرٍ وغريب حصل لي منذ أيام مع خادمة من أكثر خدمنا بؤساً، لكني مازلت ألمس أثره في نفسي مذ وقع.

- هل ضاجعت ملك يمينك أم يمين غيرك؟

- تعلم علم اليقين أن ميلي للنساء وقفٌ على البيض النحيلات القصار، لكني حين ثملت ذات ليلة وجدتني بين يدي خادمة عندنا، لم أعرف يوماً أنها موجودة في الركن الخفي من بيتنا.

- صفها لي، فأنا أستطيع تمييز الجمال الأسود وأعرف ما لا تعرف عنه.

- لا. إنها فتاة عادية، مسكينة وبائسة.

شزر الصديق بعينيه قائلاً:

- مسكينة، ها؟ إنك تجهل حقاً أن هذه المسكنة تتحول إلى جرأةٍ قاتلة متى حانت الساعة. أنت المسكين الحقيقي يا بن عم.

شدّت الحكاية انتباه السيد الصديق، الذي عثر على كنزٍ جديد

سيدرك طريقه إليه لا محالة في وقتٍ قريب. استمرّ محمد الصغير في حديثه قائلاً:

– لقد سحبتني من تحت المزراب ونيّمتني في مرتبتها وظلت هي صاحية في البرد عند الباب حتى الصباح.

– هل استغربت لهذا؟

– نعم، لاسيما بعد أن عرفت أنني أسأت إليها في عرسك، كنت رميتها بحلة الشوربة فأحرقت ردفيها. لماذا عاملتني بلطف وطاعة وطيبة رغم أنني شوّهتها؟

– الخدم والشواشين هكذا، طيبون جداً وصبورون ومخلصون.

– لكنها منذ ذلك الصباح لم تغادر خيالي يا صديق. ربما شعرتُ بذلّها وهوانها. لأول مرة أفكّر، يا صديق، في شخصٍ أسود بهذا النحو. تعلم أنْ لا علاقة لي بهم، سوى علاقة السيد بالعبد.

همس الصديق لابن عمه:

– اذهب إليها وجرّبها وستثني على الصديق.

كشّر باستعلاء:

– لست مثلك، يكاد ينقلب لون جلدك إلى السواد لكثرة تمرّغك واحتكاكك بالخدم. انظر... ها... حتى شعرك بدأ يتحلزن مثلهن.

ضحك الصديق حتى برزت نواجذه:

– إذن أستسمحك في أخذها منك؟

– إياك يا صديق. في مثل هذا لن أمزح.

وتغيّرت نبرة صوته فجأةً. قال الصديق:

- ما بك؟ لماذا تهتم بالأشياء المهملة وتستكثرها عليَّ؟

قطب محمد قليلاً حتى ظهرت في حدقتيه تلك اللمعة الغرية، لشيء ما يعزم الإقدام عليه بحماقة غير محسوبة، كرّر القول لابن عمه:

- إياك يا صديق. في مثل هذا لن أمزح.

بادر قلبه غضبٌ طفيف من طلب الصديق، حتى قال ما قاله وهو موقن بأن فتاة تلك الليلة، التي ربما تكون متزوجة من أحد عبيدهم، لن تكون لأحد من قبيل المزاح أو التجربة.

أنهى معه الكيل متكلماً في شأن البضاعة وطريقة نقلها إلى مخابئها ثم غادر الدكان. في الطريق إلى البيت مرّ بدكان العطار، وقف لأول مرة في حياته ينظر إلى الخادمات في السوق وهنّ يشترين مواد العطارة ويبعنها، يقلبنها بأيديهن ويجرّبنها بأنوفهن وأفواههن، وهن يرطنّ برطانة يفهمها العبيد عن بعضهم. كان السوق مزدحماً بسود يبيعون ويعملون ويتسوقون ويتسولون. كان ينظر إلى النساء خاصةً كأنما يبحث عن سرّ الجاذبية فيهن. عادت إلى أنفاسه رائحة الفتاة السوداء التي نام في مرتبتها، وعلقت به رائحتها دون أن يمسسها منه شيء. كان فيها من رائحة دكاكين العطارين في سوق الجريد. تردّد في ذهنه ما قاله الصديق عن حلاوة الخدم وما جعل الله فيهن من أسرار النشوة، فعاوده الضيق مما قاله الصديق وساوره الشك بأن ابن عمه سيبذل جهده للوصول إلى خادمتهم محروقة الردفين. شعر بشيءٍ من البلاهة في إطلاع الصديق على ما كان يجهله من بيتهم الخلفي. سار إلى نهاية الشارع، وتأزمت أفكاره بشأن الصديق، الذي

لن يألوَ جهداً في الحصول على الخادمة. شكّ به، حتى أنه ربما طلبها من عمه لقضاء بعض الأعمال في بيته وحقّق خلوةً بها. من سيهتم حينها لأمرٍ يحدث دائماً في غير ما حرج؟ ضغطت صورة الصديق كما تصوّرها على نفسه فرجع أدراجه إلى دكان العطارة. تردّد في الدخول ثم حسم أمره بالدخول، سلّم على صاحب الدكان، وباغته، وهو يسأله عن السيد الكبير وعمومته، بطلب شيء من أطايب النساء، شيء مما يجعلنه لإثارة الرجال، وشيء مما يطيل عمر النشوة، وشيء مما يحبّب الرجال لهن، ثم خبّأ الكيس في جيب فرملته ومضى يسرع الخطى إلى مبتغاه.

مساء الخير... صباح الخير

يعدّ الخدم مائدتين متجاورتين في البيت الواحد، واحدة للنساء وأخرى للرجال. تابع بعينيه حركة خادمة من اثنتين كانتا تقدمان الطعام وتذرعان وسط البيت جيئةً وذهاباً.

لاحظت أمه اهتمامه بواحدة، كان ينظر إليها ثم يشيح بنظراته ويطيل النظر عندما لا تلتفت إليه، بينما لا يكترث للأخرى. غمزت أباه لينتبه إليه، كان يخفض بصره حتى تمرّ ثم يرفعه مرةً ثانية وراءها، صامتاً لا يشارك في حديث، ثم، إذ هم يأكلون والخادمتان واقفتان غير بعيدتين تنتظران أيَّ أمر، دلق شيئاً من الحساء على فرملته وهبّ واقفاً من مكانه. اقتربت تعويضه مسرعةً بالمنديل. خلع الفرملة وناولها إياها قائلاً في هدوء:

- خذيها.

وكان ينظر في اتجاهٍ وحيد، أدركت معه أنه يروم شيئاً. أسرعت بظنونها وبالفرملة إلى المطبخ، ملأت وعاءً بالماء لإزالة البقع، لحقت بها عيده لأخذ الملح، انحنت هامسةً لها ببضع كلمات في أذنها وهي تبتسم في تخابث:

- شمّيها قبل.

قرّبتها آنذاك إلى أنفها بحذر وتذكّرت تلك الليلة الطويلة التي تشمّمت فيها النائم بمخدعها، وكم استهوتها رائحته التي لم تشمّها في رجل من قبل. أجل، إن قلبها لا يكذب فيما يحسّه. السيد الذي دلق عليها الشوربة الساخنة في حالة غضب يريدها في حالة سكون. السيد الذي لمسها في حالة سكر يريدها في حال يقظة كاملة، متعة وتسرٍّ.

بينما توشك على غمر الفرملة بالماء، تحسّست شيئاً في جيبها، قلبتها فإذا بها لفافة صغيرة بها قطعة مسك ولبان وسواك وساق من حلوى البامبيلاء وشيء آخر لم تعرفه.

بفطرتها أدركت ما سوف يلي.

أخذت الصرة الصغيرة وخبّأتها بسرعة في صدرها وأحكمت ربط فتحة الصدر من فستانها بفرح وهي تكاد تطير في السماء.

ما هذا الذي يجري يا إلهي الرحيم؟ هل حقاً يرغب رجل بوسامته خادمةً بسيطةً مثلها؟

بعد انتهاء الغداء حاول التقدّم إلى المطبخ حيث يمضي الخدم معظم يومهم. لم يجد حجةً أو سبباً، فالخدم الآن يتناولون غداءهم بعدهم. تراجع واستلقى على البسط تحت العريشة، وضع يده على جبهته وأغلق عينيه في سكون. ليس وحده، فالجميع يذهبون إلى القيلولة في هذا الوقت. وأثناء ذلك يتحرّك الخدم بهدوء. كانت تشعر به وبما يحسّ به، حاولت الاقتراب منه، صارت تجمع بعض السجد وتعيد ترتيبها بهدوء قريباً منه. رفع ذراعه عن وجهه فوجدها هي،

أمسك بيدها ولم يتكلّم ثم تركها تذهب.

في المساء مكثت في غرفتها مع رفيقتيها في انتظارٍ مفتوح على الأمل. كانت واحدة تقول إنه لن يأتي بينما تقول الأخرى ربما يأتي، أما هي فتعلقت بصوت قلبها وما تحرك فيه، حتى سمعت وقع خطوات خفيفة غريبة تقترب. دقّ قلبها بسرعة. إنه هو لقد جاء، كما قالت لعيده: "أراهنكِ سيأتي". كانت تعدّ نفسها وتتجهّز لهذا المجيء بكامل السعادة والشغف. فتحت باب الغرفة وخرجت في لباس ليس كلباس النهار، أسدلت شعرها ووضعت كحلاً في عينيها وتمسّكت واستاكت بهديته السرية إليها. حملت في صدرها الشيء الآخر الذي لم تعرفه.

شمّها وهو يقترب الهوينى. قال لها: "مساء الخير"، وقالت له: "مساء الخير"، ثم وقفا صامتين. بعد برهة سحبها بهدوء من يدها فمشت معه إلى آخر ما في ذلك المساء.

لم يتحدثا، لا أحد يجد شيئاً يقوله للآخر. كان صمتاً يتنفس ويتبادل نفسه بينهما. كلاهما يكتشف عالم الآخر الغريب المختلف بعينيه، ثم تمتد الأيدي لتكتشف أكثر وتسترسل حتى أصبح الصبح وهي تتوسّد يده وهو يمسك بيدها الأخرى على صدره.

لم يتكلما. قال لها: "صباح الخير". قالت له: "صباح النور سيدي". نظر إليها بهدوء ثم قال:

- رائحتكِ طيبة.

تبسّمت بحياء فمسح على جيدها:

- أأعجبتكِ الهدية؟

هزت رأسها:

- نعم يا سيدي أعجبتني، حفظك الله.

- هل أعجبكِ؟

سكتت وضغطت كفه التي تمسك يدها.

- هل تجيدين صنع الحنة؟

- إيه، نعم!

- إذن سأجلب لك كيساً منها، ولا تخبري أحداً عما حدث.

مضى يلبس ثيابه وتركها في اللحاف مع رائحته والفرح وأشياء لا تصدّق أنها حدثت حقاً.

مضت تفكّر في الحنّاء وما يليها.

العودة

سيتزوج أمين، شقيق محمد، من كريمة أحد أقاربهم، بناءً على رغبة العائلة في التصاهر مع القربى. سيتم في المناسبة نفسها طهور أبناء الصادق وإسماعيل في احتفال عائلي تقيمه العائلة التي تجايلت في نفس الشارع. كانوا مستغرقين في التحضير للزواج والختان. كان علي مشغولاً بالحديث مع جده امحمد الكبير عن ركب خاله محمد الذي يُقلّ أعمامهم الكبار الآتين من مصراته. كان وصولهم مرتقباً قبل العرس بأيام. دارالاتفاق على أن تحيي العائلة الاحتفال بعد رجوع السيد محمد الصغير من تجارته سالماً، تلك التجارة الشاقة التي استغرقت أشهراً انقطعت خلالها أخباره في بعض الأوقات، وصادف فيها انتشار موجة جديدة من الوباء الأسود في فزان ونواحيها، مما أقلق والده وأمه وأقاربه وسحق قلب تعويضه الذليل اشتياقاً. زاد شوق الجميع كباراً وصغاراً لعودته، وبكت أمه غيبته بالعلن وبكته سراً تعويضه التي شغفها حباً وشغلها التفكير بعودته كل حين، حتى أنها كثيراً ما ناجت عيده بذلك، مفصحةً عن أشواق كبيرة ورغبات كامنة ومشاعر متوترة.

قالت لها ذات مرة:

- لم أعد أشعر بأني جارية تُسرّي عن سيدها، فأنا الأخرى أتسرّى به، وهذه المساواة الإلهية في الشعور تمنحني القناعة الكاملة بأنني وهو واحد. في الحب هو عبدي أكثر مما يبدو العبد العادي. محمد معي رجل آخر ليس الذي ترونه. إنه رجلي وليس سيدي.

أحب محمد خادمته كذلك ووجد فيها ما لم يتوقعه في خادمة. شغفته مرة عن مرة، حتى استولت على جماع قلبه كاملاً واختصرت فيه النساء، فأثار ميله الشديد لها الحسد والغضب. واعتقد أبوه وأمه أن ما بين ابنهما وجارية من ملك اليمين لن يكون أكثر من نزوة عابرة يطفئ جذوتها الوقت وتخبو شعلتها رويداً رويداً بالإشباع والتعود. بينما بلغت مخاوف زوجته حدّ الشكوى والامتعاض من منازعة خادمة وضيعه لها في زوجها. عززت تلك المخاوف وكبّرتها وأعطتها حجم الكارثة شقيقته حليمة المقيمة في درنه.

هكذا غدا محمد وتعويضه شأن كل أحد، ولا يخلو حديث جلسة منهما.

قدم ركب مصراته البعيدة، فانطلقت الزغاريد ورشّ العبيد ماء الزهر عند الباب ووزّعت الحلوى. كانت سعادة علي لا تقارن حالما رأى خاله وصديقه وأباه، حضنه سروراً به مكثراً من القول له:

- الشتاونة بدونك لا يساوون شيئاً.

فيرد عليه خاله ضاحكاً:

- اسكت يا ولد، ستأخذهم الغيرة مني فيعود بي أعمامنا إلى مصراته.

وقفت تعويضه تنظر من بعيد، بينما أمه وزوجته وشقيقاته وبناته يزدحمن عند الباب لملاقاته. وقفت عيده بمحاذاتها تنصت لما تقوله:

- لا أصدق أني أراه من جديد. الغيبة مع انقطاع الأخبار كانت طويلة وقاسية.

التفتت إليها عيده:

- هل أقرصكِ لتصدقي؟

لم يكن سراً حديث الخادمتين اللتين تركتا عملهما في المطبخ وخرجتا لمشاهدة نساء السيد محمد كيف يستقبلنه. بعض الأعين، رغم انشغالها بالاستقبال، كانت تراقب حركة تعويضه التي أخفت انفعالها كما أوصتها عيده، وسيطرت على نفسها عند رؤية حبيب تمادى في الغياب، تكبر نطفته فيها يوماً بعد آخر.

رأته من هناك، ونزل في قلبها كما أول مرة اعترف فيها كلاهما للآخر بالحب. تذكرته في آخر مرة لقّنته فيها الغرام قبل سفره بليلة، حتى صدمته جرأتها عليه، جرأة أحبها حالماً بها مراراً، وعلى استغرابه ونشوته سأل نفسه لماذا كان غافلاً عن الحب القريب منه كل هذه المدة، وكيف لم يلتفت مرة إلى أن حياته الحقيقية إنما هي في الجانب الآخر المهمل من بيتهم!

لم يرَ تعويضه في كوكبة النسوة الملتفّات حوله، لكنه، كما أخبرها فيما بعد، تحيّن رؤيتها كلما تناقصت أعداد مستقبلاته، حتى إذا اتّخذ مجلسه بين أخواته وأمه وخالاته وزوجات أعمامه وكل قريباته، وقالت أخته فاطمة: "إن الخدم يستأذنون للسلام

عليك والحمد بعودتك"، قال لها: "أدخليهم"، فدخلوا جميعهم إلا تعويضه التي انتظر رؤيتها بصبر، اندسّت في المطبخ وانكمشت على نفسها مكفكفةً دموعها، ومع سماعها الأرجل القادمة نحو المطبخ استدارت إلى حلل الطعام وشرعت تنشغل بها. كانت عيده تلك التي تأتيها بالأخبار مثلما تذهب احباره بأخبار المطبخ كل دقيقة إلى سيدتها.

قالت عيده:

- نحن آخر من سلّم عليه. سكتت النساء مصدومات عندما سأل فاطمة عنكِ قائلاً: أين تعويضه؟

سقط قلب تعويضه في حلّة المرق كما أحسته، لكنها تأججت بالحياة لمّا فاجأها دخول السيد للمطبخ ليسلّم عليها. كان قد هزل وطالت لحيته وامتلأت عيناه شوقاً. لم تنبس ببنت شفة، يبست في مكانها وفي عينيها كل ما أخذه منها من حب له وحده وما ولّده فراقه من حنين. وقفت احباره عند الباب ترقب ما يحدث لتنقله لعمتها. ضاقت عيده بطوافها ذرعاً فحاولت إلهاءها وإبعادها قائلةً لها:

- اغربي من هنا، مالك تحومين كالذبابة اللعينة؟

تلك الليلة، وبعد انقضاء كل شيء، سمعت عيون اللالاعويشينه أن السيد محمد يسأل أين تكون تعويضه، فتعمّدت الإبقاء عليها في خدمة النساء الساهرات. لكن التحجّج بحاجة اللالاعويشينه إلى تعويضه حتى وقت متأخر لم يستمر، أنهاه السيد قاطعاً بإرسال عيده إليها كي تهمس طلبه في أذن أمه:

- سيدي محمد أرسل يريد تعويضه، ماذا أقول له؟

عندها همست فاطمة لأمها أنّ من الحكمة عدم إثارة المشاكل أمام الضيوف الذين جاؤوهم من مسافات بعيدة مهنّئين بعودته سالماً ومشاركين فرحهم بزواج الأمين، وأنّ من الحكمة عدم التحول إلى مضغة في أفواه اللائكين.

سكتت اللالاعويشينه ملياً ناظرةً كلام ابنتها ثم هزّت رأسها للخادمة بالموافقة.

على الفور أخرجت عيده صديقتها من المطبخ وأخبرتها أن تذهب فوراً إلى الحمّام، لأن السيد طلبها. كانت فرحتها غامرة باستدعائه لها، بل بانتظارها في مربوعة ابن عمه الصديق. لم يبدِ أحد أي مظهر للمعارضة، فهو إنما يعود الليلة.

قالت أمه لأبيه في وقت متأخر جداً من الليل:

- أرسل في طلب الشوشانه التي سلبته عقله وجعلته يترك زوجته. يا لها من كارثة! أقسم بتراب قبر أبي أنها سحرته. فضلة نساء العالمين تفعل به كل هذا! سيقتلني بالسكتة يوماً ما هذا الولد الشقي!

لم يكن السيد الكبير راضياً عمّا يحدث لكن شوقه لولده أسكته قليلاً. تمتم لزوجته بأن تهدأ وتتركه لشأنه:

- دعيه الليلة فقط، ثم سأتدبّر الأمر بنفسي.

قالت السيدة:

- دون حياء أو خجل، يستبدل بزوجته الجميلة عبدةً سوداء من عبيد جده يشاركه فيها عبد. ألا يخجل حتى من كونها حامل؟ أقسم أنها عملت له عملاً كي تسلبه ماله وعقله، وهاهي تنجح.

- ابنكِ ليس ولداً صغيراً لتحتال عليه جارية، إنه يتسرّى بها ليس

إلا ثم سيلفظها كما هو الحال عندما يشبع منها.

– يثير فضولي أن أعرف ماذا يجد لديها من شيء لا يوجد لدى غيرها من النساء حتى يتمسّك بها إلى هذا الحد؟

– دعينا منه الليلة، لدينا ما هو أهم الآن.

على مضض قالت اللالاعويشينه:

– آخ، آخ... الليلة فقط.

ورفعت سبابتها المصبوغة بحناء حديثة في وجه زوجها المخمّن أمراً.

ردّد الزوج:

– الليلة فقط.

نوار الورد

في هزيع الليل الأخير، وهما تتكئان على مرتبتيهما في براكة عيده، كان المطر ينقر خفيفاً على الزينقو، والكانون يرسل الدفء بتؤده متفاعلاً مع حفنة بخور زكيّ الرائحة ألقمته إياها عيده قبل أن تأوي لفراشها.

حدثتها تعويضه عن ليلة ملْؤها السحر والغرام، فتنها فيها سيدها بكل الأساليب على وقع غناء "مريانا" ودقّ الدرابيك في بيت الصادق القريب منهما. جلسا معاً في مربوعة الصديق وكان أعدّ للقائهما جيداً، أخلى البيت من أهله ولم يجعل فيه أحداً حين استدعاها. صحبها إليه جاب الله من باب الخدم الخلفي، فوجدته ينتظرها متلهفاً. ابتسم حين رآها وظهر فلج أسنانه، ثم عانقها عندما دخلت مرحباً بقدومها:

- مرحبتين بحلو الطلة.

ظل يعانقها ويشمّها قرابة الساعة، فيما صوت مريانا القريب يترنّم بروعة شدت أسماع العراسه وهيّجتهم، حتى كأنها تصدح لكل العشاق فيما غنّت، وكلّما قالت "آه ياعيني ياداي" قال لها ضاحكاً متبسماً:

- اسمعي كيف شدّت مغنية سوداء قلوب جماعة كيّسة من الرجال البيض، وتحققي بنفسكِ كيف سلبت فاتنة سوداء قلب سيدها الأبيض المريض بحبها.

أحضر لها هدايا من بينها فستان من الساتان الأحمر، قال لها:

- تقدّمي أُلبسكِ إياه.

تضاحكا وهي تقول له:

- هل تُلبسني أم تلمسني؟ الفستان ليس به شيء يعطل مثوله على جسدي إلا البروز القليل لبطني.

- هذه ليلة يطيب فيها الشراب والرقص والغناء والحب والدلال إلى ما نهاية. خذي الحزام واحتزمي وارقصي.

- كلا، لا أستطيع.

أطبق ذراعيه حولها ليس كما في السابق وأقعى على ركبتيه سائلاً:

- كم عمره؟

- منذ ليلة سفرك خُلق كتابه. هل تريدهِ أم أسقطه؟

- بذوري لا تسقط. إياكِ أن تفعلي شيئاً من ورائي.

- إذاً أعطني العهد بأن تعطيه اسمك وألاّ تبيعه ولا تدع أحداً من العائلة يشتريه أو يأخذه مني.

- لا تخوضي في الهموم. هو ابني وسأحمله بين يدي إلى الجامع عندما يأتي كي يعلم الناس كلهم أنه مني ومن مولاتي التي أنا عبدها السميع المطيع.

ركع مقبّلاً سرّتها، لتذهب بهما من ثم خمرة الحب بعيداً عن كل شيء.

- وهل يركع الأسياد للخادمات إلا إذا أحبوهن بصدق؟

عقّبت عيده المأخوذة باعترافات صديقتها.

- قال إنه يريدني الغداة في الدكان لأنه لن يعود إلى الغداء في البيت وأنني لابدّ أن أكون من يحمل إليه الطعام. فلما فعلت احتجزني والسوق فارغ وأوصد باب الدكان علينا ثم أخذني من يدي إلى المستودع الخلفي حيث يخزنون البضائع. وجدته قد فرش الأرض بنوار الورد، فلما سألته: ما هذا يا سيدي؟ أجابني بأنها تجارته من نوار الورد الذي تستخدمه النساء للزينة والتعطّر وأنني سأتمرغ فيه قبل أن تلمسه نساء برقة كلهن. مرّغني فيه حتى أعطيه من سواد لوني ثم ضاجعني ونوار الورد يحيطنا. جنّ بي وجننت به حقاً. كم أعشقه! كم أعشقه بروحي كلها التي ما خلقها الله لي إلا ليضعها طوع شارته!

استندت تعويضه إلى الجدار في مرتبتها متنهدةً. سألتها عيده:

- ما بكِ؟

- خائفة من عمتي وسيدي امحمد الكبير، أشعر أنهم يعلمون بما بيني وبين ابنهم ويبيتون نية التفريق.

- الحب رائع يا تعويضه، عيشيه ولا تضيّعي الوقت في الخوف. لن يحدث إلا ما كتبه الله لنا.

ثم ترنّمت:

والله ياما ريتي

فرح وزها يالعين ياما ريتي

الغالي قسم اللي وراه مشيتي

أكملت تعويضه مقطع الأغنية:

يالعين ياما ساير
بينك وبين اللي جبينه ناير
واليوم بانن يالعين بشاير
معاهن تريح خاطرك وزهيتي
فرح وزها يالعين ياما ريتي

امتدّ حديث الأهازيج حتى أخذهما النوم إليه.

ماء السماء

تستعد النساء ليوم الحمّام كيوم نزهة ومناسبة ترفيه. يجمع فيها الحمام الصديقات القريبات والبعيدات ومن لا يتقابلن إلاّ فيه. مكان اجتماعي يحببن الذهاب إليه للاستحمام والاستجمام وتبادل الأحاديث والتعارف. تسعد بيوم الحمّام الخادمات كذلك، فهن يرافقن سيداتهن ويقمن على خدمتهن، وفي الأخير يتقدمن كذلك للاستحمام قبل انقضاء الحمام، فيعبثن ويلهون مع بعضهن، وهكذا يمضي اليوم استثنائياً ويعود الجميع إلى البيت نظيفاً حتى دورة الحمّام القادمة.

بأيام قليلة تسبق يوم الحمام تُجهّز الخادمات الملابس ومواد العطارة والصابون، ويستعد العبد سائس الكروسة إلى نقلهن والرجوع بهن، فيرتّب حركته ما بين السوق وأعمال الرجال ومتطلبات النساء ذلك النهار.

تكلمت اللالاعويشينه مع ابنتها فاطمة عن التغيير الذي تمرّ به الخادمة، خلال الإعداد ليوم الحمّام. إنها حامل، وتحاول المداراة لأن والد الطفل هو ابن العائلة. لوحظت وهي تستفرغ قرب التنور.

حاولت فاطمة صرف والدتها عن متابعة الخادمة وحملها قائلةً لها:

- حتى إن كان ما تقولينه صحيحاً عن أن محمد هو والد الطفل، أرجو أن تتركيه له.

فتغضب اللالاعويشينه وتحتج:

- لا لن يكون، ولد أمه شوشانه، ومحمد لديه زوجة مثل البدر، كما أنجبت له الإناث تستطيع إنجاب الذكور.

- لا تسقيها يا أمي برحمة تراب قبر جدي وجدتي. متلهفون نحن لذكر يحمل اسم العائلة، ربما كان الحمل ذكراً. دعيه.

- مستحيل أن يحمل اسم العائلة ابن جارية سوداء، هذا ما لن نسمح به. ليطارحها الغرام، تلك سنّة الله في خلقه، أما أن يخلف منها عقباً، كلا، ولن يحدث مادمت حية.

في الليلة نفسها أعدّت اللالاعويشينه بنفسها خلطة الأعشاب التي جاءت بها صديقتها مناني. ستقتسمان الشراب بعد تمامه، فمناني هي الأخرى لديها خادمتان تريد إجهاضهما، واحدة سرية لزوجها وأخرى لابنها. جلسن في صحن البيت يتبادلن الأحاديث، إلا فاطمة كانت صامتة. نادت اللالاعويشينه خادمتها وطلبت منها شرب الطاسة كاملة. كانت الخادمة تغسل الثياب مجهدةً من جلوسها إلى الليان، شربت قليلاً ثم توقفت مشمئزةً من طعمه.

- مرّ يا عمتي، وطعمه لاذع.

- اشربي اشربي، لن يحدث لكِ شيء، سيقوّيكِ وينشّطكِ حتى في الفراش ويجعل رائحة عرقكِ طيبة.

حتى لا تشك الخادمة الصغيرة في المحلول الذي تتجرّعه وفي

نية السيدة، رفعت الجالسات كؤوسهن وشربن مثلها، لكن ما في كؤوسهن كان محض ماء عذب. غمزت اللالاعويشينه بطرف عينها لمناني وسعده، وغطت ضحكتهن صحن البيت. أغلقت الخادمة عينيها وتجرّعت أكبر قدر تستطيعه من الشراب الكريه. تركت ثمالة الطاسة ومسحت فمها بكمّها في تقزز:

- يكفي يا عمتي، والله لا أستطيع المزيد.

- نعم، اذهبي الآن وأكملي الغسيل، ثم تعالي للعشاء مع البنات. الحاجة مناني طبخت لكن بيديها صدقة جارية على موتاها، ولا بدّ من أكلها كلها. الصدقة لابدّ أن تؤكل لكي تبلغ الموتى حسنتها.

انحنت الخادمة على يد الحاجة مناني وقبلتها:

- تقبّل الله منكِ ورحم أحبابكِ وجمعكِ بهم في الجنة.

في بيت مناني، سُقيت الخادمتان بالطريقة نفسها محلول ماء السماء النقي بخلطة مقوية محفزة من أعشاب ثمينة، ثم قُدِّمت لهما بقية الوصفة في هيئة طعام.

قالت مناني:

- اللالاعويشينه طبخت لكما بيديها صدقةً جارية على موتاها، ولا بدّ من أكلها كلها. الصدقة لا بدّ أن تؤكل لكي تبلغ الموتى حسنتها. غداً لا تنسيا شكرها، ها، لا أريد أن يقال إن بنات بيت مناني لا يعرفن الأصول، لا تخجلاني معها.

قالت الخادمتان:

- تقبّل الله منها ورحم أحبابها وجمعها بهم في الجنة.

غادرت تعويضه الليان ذلك المساء بعرقٍ غزير يتصبّب منها،

لم يتوقف بل أخذ في الازدياد. أحست أن النوم لا يأتيها بسهولة. الطقس حار أم هو جسدها؟ تقلّبت وهي تشعر بارتخاءٍ غريب. قالت لها رفيقتها:

- نامي، كفاكِ تقلباً.

- لا أستطيع، أشعر بجسدي كله مرتخياً.

- أواه! مرتخياً أم أنكِ تشتاقينه، قولي الحق.

سكتت لحظات ثم قالت بصوتٍ ضعيف:

- لا أدري، ربما الاثنان.

- نامي نامي، غداً الحمّام، يوم جميل جداً، سنقابل البنات ونثرثر ونضحك ونغادر النكد قليلاً.

- أجل، سيكون يوماً مميزاً.

عيده لجاب الله وتعويضه لسالم

تحيّن جاب الله سويعات رضى سيده وهو يعود به محمولاً على ظهره من إحدى مسامراته، وبذكاء لمّح له عن رغبته في الزواج من خادمته عيده.

قال السيد:

- أويتزوج العبيد؟

أدار العبد عنقه الغليظة تجاه سيده وأجابه:

- أجل، أجل يا سيدي.

- أتعني أنهم يتزوجون؟

- نعم، نعم يا سيدي.

- يحسّون مثلنا؟

سكت العبد فلطمه السيد لطمةً خفيفة على وجهه وهو يركب ظهره:

- ها... ها أجب يا عبد السوء!

قال جاب الله:

- حاشا لله يا سيدي.

علت قهقهات السيد حتى كاد يسقط عن ظهر جاب الله الذي حمل في يده عصا السيد وقبعته ودسّ البلغة في جيب فرملته:

– إياك أن تظنني غافلاً عن ألاعيبك.

– العفو منك يا سيدي، أية ألاعيب؟

– هل تحب الخدم أنت أيضاً؟

– سيدي وصلنا، دعني أنزلك لآخذ مفتاح الحوش الخلفي.

– آها آها، بدأت تفهم يا جاب الله الحبيب. هل تعرف يا جاب الله أنك أحب عبيدي إلى قلبي؟

– أعرف يا سيدي أطال الله في عمرك، وهذا من نعم الله عليَّ.

– أنت رجل طيب. دعك مني، أنا لست رجلاً شهماً مثلك.

أدخل العبد سيده من باب البيت الخلفي لجهة شارع السوق، حتى يجنّبه رؤية أحد.

– إياك أن تعرف عمتك أنني كنت عند فاطمة توريللي.

– العفو يا سيدي، متى سمعتني أقول شيئاً لها أو لغيرها؟

كانت الخادمات صاحيات، فلمّا سمعن جاب الله يدخل بالسيد ساعدنه في حمل المرتبة ووضعه عليها، ثم نقلنه معه إلى غرفة نومه. كان جاب الله يتولى دائماً وضع السيد في فراشه إذا ثمل. طلبت منه اللالاعويشينه إقفال الباب خلفه بعد استجوابه أين كان السيد. أجابها ورأسه إلى الأرض:

– كالعادة يا عمتي، مع أصدقائه في مربوعة الحاج موسى.

– هل كانت هناك مغنيات؟

أمالت عنقها قليلاً وعيناها على جاب الله إذ ذكرت المغنيات.

– كلا يا سيدتي، لم أرَ واحدة منهن.

– أصدقني يا جاب الله.

– ما كنت معكِ إلاّ صادقاً، كانوا عبد الجليل والشارف والساحلي والحاج موسى وسياله، كانوا يتسلون ويتحدثون.

– هل هم أصحاب كأس؟

– الشارف نعم، الحاج موسى لا.

– اذهب الآن.

اعتقد جاب الله أن سيدته ستسأله عن العربة لتقدّر المكان الذي قدما منه، إلا أنها لم تسأل. انصرف سريعاً بقامته الضخمة. أقفل الأبواب حتى لا يخطر لسيدته سؤال فتناديه لتطرحه عليه. مرّ على سكن الخادمات ونادى عيده همساً. كانت تنتظره. استبدلت ثيابها وتعطّرت ونزعت المحرمة عن شعرها. رآها جاب الله دون حزام ومحرمة، أحب أن يراها هكذا دائماً زنجية الشعر والملمس، أحب أن يشمّ ريحها ويسمع عذب أحاديثها المختلسة. أخبرها أنه كلّم سيده عنها لأنه ما عاد يطيق عيشاً بدونها. توهّج شيء في عينيه وخفق قلبه سريعاً، مدّ يده إليها ولمّا لم تردّها عنها وجد نفسه يطلبها إلى حوش الماشية حيث لا أحد فوافقته حتى مطلع الفجر.

قال السيد امحمد الكبير في الصباح لزوجته:

– إن لم أكن مخطئاً، أظن أن جاب الله ليلة أمس كلّمني عن عيده!

ألبسته الفرملة مستغربةً:

– جاب الله كلّمك عن عيده؟ متى وماذا يريد منها؟

قال ساخراً:

- ها... متى، البارحة، أما ماذا يريد منها، دعيني أفكّر قليلاً.

- البارحة!

شكّت السيدة بأن زوجها تخيّل ذلك في ثمالته، عدا عن أن السيد لم ترقه شكوك زوجته التي قد تكون مفتتحاً لاستجوابه عن أين قضى ليلته ومع من. بيّن لها غضبه من شكّها وتغيّرت نبرة صوته في الحال.

- حتى وإن كنت أتخيل ذلك تخيّلاً، جاب الله سيتزوج عيده... ها.

غادر غرفته على الفور منادياً بأعلى صوته:

- عيده... يا عيده... عيده!

تركت الخادمة العجين الذي تعدّه وجاءت مسرعةً يملؤها الخوف من علوّ صوت سيدها. وقفت اللالاعويشينه على مقربةٍ من زوجها تحت العريشة وهي غير مدركة لما سيفعله.

أجابت عيده سيدها:

- نعم يا سيدي.

قال السيد وهو يقيم عصاه تحت إبطه:

- ما اليوم؟

- الخميس يا سيدي.

- الخميس القادم أزوّجك من جاب الله، هيّئي نفسك لذلك، سوف أخبره هو الآخر ليستعد.

قال ذلك ونظر إلى زوجته مربّتاً على طرف عصاه، وكأنه يقول لها قبل أن يخرج إن كل ما يتخيله امحمد الكبير لا بدّ أن يصبح حقيقة.

أضافت اللالاعويشينه في عجالة وتخابث:

- نعم هو كذلك، أنتِ لجاب لله وتعويضه لسالم، دعونا نفرح بهما هما كذلك.

لعل ما دفع السيد امحمد الكبير لمعاكسة زوجته هو ضمان استمرار عيده وزوجها في خدمتهما وما سينجبانه من خدم جدد للعائلة. هذا ما خطر لعيده وجعلها تظن أنه سبب الموافقة السريعة على طلب جاب الله، لكن السيد ما كان يعلم أن الخادم والخادمة تآلفا من وراء الباب واختلسا الكلام والنظرات، وعبّر كلٌّ منهما للآخر عن عاطفته الجياشة باقتدار، فخبّأ العبد لها في جيب فرملته شيئاً من الفول السوداني، سرقه من السيد في إحدى مسامراته، واقتطعت له هي جزءاً من عصيدة المولد التي أعدّتها لسيدتها وصويحباتها وجعلتها في صينية داخل وعاء الإسطبل كيلا تراها إحدى الخادمات فتشي بها.

عصيدة ذلك المولد كانت ساخنة مغموسة في الرُّبّ والسمن البلدي، تعلن رائحتها الزكية عنها في الإسطبل عند دخوله. خاتلت عيده العيون وهي تناول جاب الله الصينية. قال له شارباها المتهدلان إنها فكّرت به وهي تعدّها فاشتهتها له. وتعبيراً عن امتنانه وفرحته بما فعلت غمس أصابعها السوداء الخشنة في الوعاء ولعقها ثم لعقها ولعقها ليستديم اللعق بينهما منذ تلك العصيدة دون مناسبة سوى مناسبة الحب وحده. عادت عيده إلى المطبخ مرتجفةً تمسح أصابعها من رائحة السمن والرُّبّ في طرف ثوبها، لتنجو من رائحة العصيدة ولا تنجو من فعل اللعق المتراكمة آثاره في روحها. أسرّت لتعويضه بأن روحها تكاد تخرج منها وأن جاب الله ربّ تلك الروح.

سعدت تعويضه وعانقت صديقتها فرحاً بالحب الذي صار يعرف طريقه إليهم في حبس خانق الشعائر.

صعقت المفاجأة عيده، فالبارحة تأسّست لها حياة جديدة مع جسد جاب الله بعد افتراق، واليوم يفتح لها الباب للدخول دون خوف. مكثت مكانها صامتة، وغادر السيد امحمد الكبير البيت ناجياً من الاستجواب، ولم تتحرك عيده إلى أن سألتها اللالاعويشينه:

– هيه يا بنت، ماذا جرى لكِ؟

مسحت آنذاك يديها بفستانها غير مصدقة وغير نابسة بحرف، ثم طأطأت رأسها أمام سيدتها التي لم يهمّها الجواب لما وجدته من حكمة في قرار زوجها تزويج الخادمين والانتفاع بذرية وفيرة من العبيد. زيجات من هذا النوع توفر نفقات شراء خدم جدد للعائلة وتدريبهم، حين يتقدم الخدم الآباء في السن ويهن العظم منهم ويصبحون غير قادرين على الحركة.

كتمت عيده أسباب قبولها بالزواج عن اللالاعويشينه، وكذلك كتمت اللالاعويشينه ما جال بخاطرها، لكنها سألت خادمتها مداهنة:

– هل يعجبكِ جاب الله أم نستبدله بسالم؟

نطقت عيده متفاجئةً بالسؤال:

– الرأي رأي سيدي، ولا يمكننا كسر كلمته.

ضحكت السيدة كما تضحك بنات باب الله وغمزت لها بطرف عينها:

- بتراب قبر أمي إنه يعجبكِ، ويعجبكِ إعجاب المجرب. اذهبي الآن أيتها الشقية.

طأطأت عيده رأسها قبالة سيدتها، التي أمرت بإقامة حفل صغير يقدّمون فيه الطعام للفقراء ويجرّبون فيه درباكة جديدة، ويتخلّصون من تعويضه بشكل مسالم.

كانت السيدة تهوى المرسكاوي من مغنياته السوداوات وتختلق المناسبات لإحضارهن إلى بيتها للاستمتاع بما تجود به حناجرهن الذبيحة وأصواتهن الشجية.

جاء يوم الخميس بطيئاً جداً على عيده وجاب الله، العاشقين الكتومين المتلهفين، لكنه جاء في الأخير وحفل بروائع المرسكاوي.

نريد نرسلك تمشيش ياشوشانه
تجيبي خبر ريدي ووين مكانه
نريد نرسلك تمشيله
بوعين سوده لابس التكليله
من فرقته جردي غلبني شيله
في وسط قلبي والعة نيرانه
نرسلك ياجاره
تجيبي خبر ريدي ووين دياره
من فرقته قلبي شعيله ناره
جاني الخبر نازل علي زيانه
نرسلك لاغادي

لبو عيون يرزن فالتات عوادي
من فرقته قلبي انحرق م البادي
قالوا مريض وحالته تعبانه
نريد نرسلك تمشيش ياشوشانه!

أقدار خفية

قال لجاب الله:

- اذهب وأحضر لي سالم.

كان علي واقفاً عند مصطبة البيع، انحنى بمرفقه عليها قائلاً:

- يا غالي، لا تضغط على العبد فيخدعنا ويكون له حق الفراش.

- لا عليك، دواء العبد عندي.

- أخشى أن...

قاطعه ملوّحاً بساطور صغير في يسراه:

- لا تخشَ شيئاً وسترى.

بعد لأي، جاء سالم وانصرف جاب الله. وضع محمد كرسياً بباب الدكان دلالة أنه مغلق، ثم قلب كرسياً آخر وقعد عليه في مواجهة العبد. كان متوتراً فكلّم العبد مقطّباً دون أن يشيع بصره نحوه:

- سمعت أنك ستتزوج الخميس المقبل.

أجاب العبد الذي لا يعرف شيئاً عن استدعاء السيد محمد الصغير له:

- نعم، تلك رغبة سيدي امحمد الكبير.

- وأنت ماذا تريد؟

سكت العبد.

كرّر له محمد السؤال:

- قل، لا تخشَ شيئاً.

- لا ليس هناك ما أريده.

- وأوامر سيدك؟

- كلها مطاعة.

- وأوامري أنا.

- كلها مطاعة.

- جميل، إذن ضع يدك على الدرج الآن.

- أي يد يا سيدي؟

- تلك التي تحتاجها أكثر.

نظر إليه بحدة ولم يجبه. وضع العبد يده اليسرى دون أن يرتجف له جفن. كانت عينا علي تذهبان بين خاله وبين العبد في ارتياب. قال الخال بصوتٍ صارم:

- إن وضعت يداً على تعويضه، سأقطع لك الاثنتين.

ثم بسرعة خاطفة سحب الساطور من تحت المصطبة وجرّه على يد العبد فأحدث فيها جرحاً عاجلاً. نظر العبد وجلاً إلى دمه على الساطور ولم يفهم ما يعنيه أمر السيد له، سكت برهةً ولم يحرّك يده من مكانها ثم نبس:

- أمرك سيدي.

- وإياك أن تتكلّم بما حدث لأحد، حينها لن تلوم إلا نفسك.

قال العبد في يقين:

- السمع والطاعة يا سيدي.

- تستطيع الذهاب الآن.

استدار علي وأزاح الكرسي عن مدخل الدكان كي يخرج العبد. كان ضاغطاً على موضع الجرح بيده الثانية. رفع علي ذراعيه عالياً في تكاسل بين دفتي الباب، وبادل خاله نظرات ارتياح متخابثة. ضحكا معاً لهذا التدبير الوقائي، لكنه ودّ المشاكسة فقال:

- من يدري، قد ينجح التدبير وقد يستدرج جمال تعويضه العبد فيغامر بالتجربة.

استشاط محمد غاضباً وأمسك بتلابيب الفتى:

- علي، لا تخرجني عن طوري، وإلا ذهبت وراءه وذبحته واسترحت منه ومن وساوسك.

- أنت لا تستطيع مواجهة من هم أقوى منك، فتلجأ لممارسة الضغط على من هو دونك. انتبه يا غالي من أن يجرّك ذلك إلى ظلم الأبرياء.

ترك رقبة الفتى مرتبكاً، لم يردّ عليه. التقط كيساً صغيراً حضّره مسبقاً وغادر الدكان دائساً ببلغته البيضاء قطرات الدم اللزجة التي تساقطت من العبد عند خروجه.

خرج العبد راضياً وخرج السيد غاضباً. بعض التدابير تناسب أقداراً خفية!

يعطس ويكحّ

زوّجت العائلة عبيدهم من بعضهم بعضاً، عيده لجاب الله وتعويضه لسالم، وأعطت كلاًّ منهما براكة زينقو في ملحق البيت المستعمل حظيرةً للماشية، كمكان لحياة خاصة.

في الغالب يفرح العبيد لوصولهم لذلك المستوى من العيش في كنف أسيادهم، فيرتاحون لاستقرار حياتهم على ذلك المنوال، ينجبون عدداً كبيراً من الأطفال في تلك الأماكن ولا يغادرونها إلا إلى براكة أكبر أو إلى الآخرة، وهي أوسع نطاقاً بالطبع.

شعرت اللالاعويشينه بارتياح كبير بعد الخلاص من الخادمة وإزاحتها عن طريق ابنة أخيها. إنهم ينتظرون الآن عودة المأخوذ إلى عشّه، وينتظرون قدوم الحفيد الذكر. إثر هذه التسوية المجزية باتت الطريق أكثر يسراً لتحقّق حلم الحفيد الوريث.

قالت اللالاعويشينه لزوجها ذات ليلة في مخدعهما:

– محمد لم يتكلم عن زواج الشوشانه حتى عندما جسّت نبضه فاطمة بالكلام عنها أمامه.

– ليهدِه الله ويصلح حاله. ورقية ألم تقل شيئاً؟

– رقية مسكينة، صابرة كزوجة صالحة، هي تخجل مني ولا تصارحني بشيء عن مخدعها.

تنهدت بحزن ثم أضافت:

– لكن مازال الحال على ما هو عليه، صحيح أنه ينام في فراشه لكنه لا يقترب منها.

– سيحتاج ويقترب.

– ذات مرة سألتها فاطمة لماذا لم يعد يأتي أخي أطفال، فردّت عليها: الأطفال لا يأتون من السماء أو مني أنا وحدي. استغربت فاطمة ومنعاً للحرج قلبت لها السبّاط على وجهه، فعادت رقيه وقلّبت السبّاط على قفاه قائلةً لها: لا هكذا ولا هكذا[1].

– ربما يكون زاهداً فيها؟

– زاهد بعد ثلاث بنات!!! والبنت الأولى حبلت بها ولم يمرّ على زواجهما أسابيع، لماذا الآن؟ بتراب قبر أبوَيّ سحرته تلك الخادم العفنة، أقولها أنا عيشه بنت الشاكة وسوف ترددونها مثلي قريباً، محمد مسحور.

يوم الخميس عوضاً عن أن يدخل سالم بتعويضه، دخل محمد واختفى سالم في مكانٍ ما عن الأنظار وقد ظنّوه في البراكة. عندما دخل محمد وجد تعويضه في زينة عروس، ثوب جديد وحنّاء تصبغ أطرافها. كان متشبّعاً من الرضا ومن اليقين بنجاعة تدبيره تجنّباً لشقاق عائلي لا تُحمد عقباه. أمسك يدها ونظر إلى الحنّاء، تشمّمها ثم اقترب من خدها الأيمن ووضع أنفه عليه مغمضاً عينيه دون كلام.

---

١ تستعمل المرأة قلب النعل أو السباط كتعبير عن إتيانها من الدبر.

صار ذلك ديدنه قبل أن يعود متأخراً إلى البيت أو لا يعود أحياناً، فيما ينام سالم في ركن من أركان حظيرة الماشية. كان هادئاً لا يتكلم ولا يحتجّ ولا ترى انفعالات ظاهرية عليه. سألته السيدة عن حياته مع الخادمة وكيف يجدها فأجاب بكلمات قليلة:

- الحمد لله.

وكلما سألته شيئاً آخر واستدرجته للكلام، هزّ رأسه بنعم. أعطته ذات ليلة كأس لبن وصحن تمر، بعد حديث قصير جسّت به نبض العلاقة بينه وبين تعويضه، قالت له أن يأخذه لزوجته ويشرباه معاً، فقد خصّتهما به لأنهما عريسان جديدان. كانت قد وضعت فيه سحراً للمحبة وعدم التفريق. هزّ العبد رأسه شاكراً إياها:

- بارك الله فيكِ يا عمتي.

ثم انصرف إلى براكتهم الخاصة. طرق بأصابعه على الزينقو طرقاً خفيفاً. عندما فتحت له تعويضه ناولها الكأس والتمر مطأطئاً وقال:

- هذا من عمتي الكبيرة لكِ.

وكان محمد في الداخل.

مضت الأيام على هذه الحال والحب يزدهر ويكبر بين الشوشانه والسيد ولا يعكّر صفوه شيء. ذات ليلة اعترى محمد الفضول لتفقّد ركن الحظيرة المهجور حيث يختفي سالم آخر النهار ولا يظهر إلا في الصباح الباكر قبل شروق الشمس، لينظّف الحظيرة ويهتم بالماشية صامتاً راضياً بكل شيء.

ذهب بهدوء ودار في المكان المظلم الأشبه بسرداب تحت الأرض تسكنه الهوام. كان كمن لا يعرف هذا الجانب من بيتهم

على الإطلاق. وقف برهةً في الظلام وتسمّع لخشخشة خفيفة، كتلك التي تصدر عن الحشرات والقطط حين تتّخذ المكانَ مقاماً، لكنه ما لبث أن سمع أكثر منها، همهمة تأتي من وراء أكوام التبن. وقف وأرهف السمع، إنها أنفاس بشرية تتلاحق في حذر، ظنّه أحد العبيد يختلي بإحدى الخادمات. أصابه الفضول فاقترب ببطء، ورغم أن الظلام خلف أكوام التبن كان شديداً إلا أنه أصاب انعكاساً لظلين بشريين، كانا كتلةً واحدة برأسين، عادا يتحركان للأعلى وللأسفل. كبر فضوله لمعرفة من هما كائنا الخربة، تجاوز الفضول كومة التبن، وتقدّم مباغتاً انتشاءهما سائلاً:

- من هنا؟

بسرعة انفصل الجسدان إلى كتلتين تبيّن أن إحداهما أقصر من الأخرى وأضعف. ردّد السيد سؤاله بلهجةٍ آمرة:

- من هنا؟

أجابه صاحب الظل المطأطئ بصوتٍ متهدّج:

- استرني يا سيدي.

- اقترب. من أنت ومن معك؟

ولم يقترب، ربض مكانه لا يتحرك وكأنه جماد، بينما تخفّى الظل الآخر مندسّاً في التبن ما أمكنه. قال السيد: "اخرج وإلا قتلتك"، فخرج بحذر طالباً الستر. كان شيئاً صادماً وغير متوقع البتة، فاجأ السيد مما يحدث في ملحقات بيتهم ولا يحسّون أو يعلمون به. صعد الدم إلى رأسه حين رأى عبدهم عارياً يلمع جلده الأسود وكأنه دُهن استعداداً للبيع، كان يحاول شدّ الإزار وإخفاء عورته. سأله السيد شاداً برأسه:

– من معك؟

سكت العبد.

– قل من معك؟

سكت العبد، فسكت محمد برهة وفهم سكوت العبد.

– يا عبد الشوم، هل تعطس وتكح؟

– سألتك بالله يا سيدي الستر الستر، إنما أنا خصي لا يعلم بسرّي أحد.

– والآخر من؟

تردّد العبد في الإجابة ثم قال:

– سيدي حسين ولد الفقي يا سيدي.

حسين! يا لها من مفاجأة صاعقة! حسين يعطس ويكحّ هو الآخر!

– اخرج يا حسين.

تقدّم الفتى وجلاً عارياً وشرع في الاستجداء بالستر والكتمان. عاجله محمد بلكمة على وجهه أسقطته أرضاً. لم يجرؤ على الردّ أو الكلام. تصدّى سالم للضرب، طالباً من سيده أن يضربه عوضاً عنه: "اضربني بدلاً منه فأنا من يستحق الضرب"، صارا يتلقيان الركلات والصفعات صامتين، حتى تعب منهما، كان سالم متماسكاً بينما نزلت دموع حسين.

بعد أن نال منهما طرد حسين عارياً.

– اخرج أيها السافل، إن رأيتك في طريقي سأقتلك في أي مكان.

والتفت إلى سالم المرعوب والشرر يقطر منه:

– من يوجد غيره؟

أجاب العبد مضطرباً:

- لا يوجد أحد يا سيدي، أقسم لك، سيدي حسين فقط.

- سيدك حسين فقط يا سافل؟

كان يلوي فكّ العبد بين يديه مردّداً: انطق قل قل.

- أقسم لك، أقسم لك.

- غداً تأتي للدكان وتطلّق تعويضه.

- حاضر يا سيدي.

- تفو عليك.

اختفى سالم بعد انتهاء المعركة، لاحقاً بحسين محاولاً تداركه قبل بلوغه ناصية الشارع. كان الدم ينزل من فمه ومع ذلك استمر، حتى ألفاه يسير متستراً بالجدار ناشجاً بصوت خفيض. نزع ثيابه عنه وألبسه إياها دون أن يقول شيئاً، سوى بعض الدموع الحارة ترقرقت في عينيه، فالعبد الأصيل في أي حال كان يجب أن يفتدي الحر.

شدّ رأسه بيديه الغليظتين عندما همّ الفتى بإكمال طريقه إلى بيتهم وقال له:

- تماسك.

الحب خمرة العقل الوحيدة

قالت لسيدها وهي تطارحه الغرام:

– لقد سهوت عندما علمت أنك قادم فلم أعلّق اللحم.

– أي لحم؟

– اللحم الذي أرسله سيدي لوليمة سيدي الفقي غداً، ستأكله القطط التي تدخل المطبخ.

– لا تذهبي وتتركيني.

– لكن القطط ستأكله وتعاقبني عمتي وتغضب مني غضباً شديداً.

– قولي لها إن خادمةً أخرى هي التي نست تعليق اللحم.

– كلا، هي طلبت مني أنا عمل ذلك، وكلّفت الآخريات بأشياء أخرى.

– قلت لك لا تخرجي وليذهب اللحم والفقي إلى الجحيم، تعالي.

حثّها غضبه على المجيء فسكتت ولم تنطق، إلا أن أمر اللحم ظل يشغلها حتى تمنّت أن تتنبه له عيده فتتولّى تعليقه. تقدمت من فراش سيدها الذي داعبها لإعادتها إليه هامساً في أذنها:

- سآتي بلحم غيره غداً إن أكلته القطط، فلا تقلقي يا حبوبتي ودعكِ من كل شيء إلا مني.

- أرجوك دعني أذهب ولن أتأخر عنك.

- سيدكِ سيسافر وأنتِ تضيّعين الوقت في الكلام الفارغ عن القطط واللحم ووليمة الفقي... لعنة الله عليهم أجمعين.

- عفوك سيدي، لا تغضب مني.

- اشربي هذا إن كنت تحبينني.

ترددت دافعةً الكأس برفق:

- ستحصل لي كارثة، سيجعلني أتقيأ.

- اشربي، لن يحصل لك شيء.

- كلا، أرجوك اعفني سيدي منه وسأفعل لك كل ما تطلبه مني.

- أنا آمركِ، أتعصين سيدكِ الذي يقول لك إنكِ حبوبته، اشربي لي أو أشرب لكِ.

- سأدوخ حتى الصباح كما حصل تلك المرة.

- كانت تلك المرة الأولى، أما الآن فلن تدوخي ولن تتقيئي، هيا.

- حسناً اشرب لي.

- لا. اشربي لي أنتِ.

- حسناً، مرة أنت والأخرى أنا.

- ما ألذّكِ وما ألذّ السكر بكِ يا تعويضه يا حبوبة سيدكِ.

شربت ثانيةً ثم ثالثةً حتى ثملت بين يدي السيد الذي قلَبها عليه ضاحكاً مقهقهاً، مغازلاً إياها بكل ما أوتي في حبها من قوة: "أنتِ سلطانتي ومولاتي"، وفي هذيانهما المختلط رجعت إلى ذكر اللحم

الذي نسته مرةً أخرى، فضربها على ردفيها حتى أوجعها فسبّته، فلعنها فعضّته، فتألم مدمدماً فزادها فلعقته، فطرحها فطارحته، فدلاها فامتشجا فتغالبا فاستبقته، فهمهم: "سلطانتي مولاتي"، وكانت رقبته البيضاء بين فكيها الأسودين وجبةً شهية لقطةٍ ضالة لا تفرق عن السباع ولا تكاد تعرف نفسها لفرط جوعها.

الخطيئة

متّكئاً بمرفقه على المصطبة، قال لعلي بعد صمت:

- وجدتهما نائمين على شحنة البارود.

كانا ينتظران مجيء الفقي. قال علي وهو يراجع دفتر الحسابات:

- لو كنت مكانك لقتلت الاثنين.

- خنق الكلب أفضل من قتله، سأخنق به والده.

- أي والله، إن تأثيره على جدي بالغ، هذا الملعون لديه لسان وحجة حتى إبليس لا يملكها.

جاء إلى الدكان أبناء عمومتهما، الأخوان يوسف وأحمد بن شتوان، ودّا التحدث مع عمومتهما على انفراد.

سيصل بابور من مالطا بعد خمسة عشر يوماً في أكثر تقدير إذا كانت حالة البحر هادئة، سيكون محمّلاً بالبارود والأقمشة والأواني الزجاجية والنحاس، يجب أن تفرغ شحنته بعيداً عن العيون. نحتاج إلى حمالين ثقة، سوف يصل ليلاً ويفرغ على عجل، يجب أن تبقى عيون اليهود والإيطاليين والمالطيين بعيدة عن الميناء خلال تحميل الشحنة.

أنهيا المقابلة سريعاً ومضيا.

- هل تذكر عندما جئنا به هنا وهدّدناه.

- نعم.

- كان يعرف نفسه العبد لذلك لم يتأثر بالتهديد.

- خدعنا لينجو برأسه، كان يحمي نفسه من أن يعرف أحد أنه خصي. عبد ملعون ليس لنا به حاجة بعد اليوم.

- يخشى على نفسه البيع. لديه حق، أرسلت وراء الفقي وسنتفاهم رجلاً لرجل.

- وماذا إن علم جدي؟

- وكيف سيعلم وممن؟ الفقي سيصمت طوعاً ولن يتكلم.

ضحك علي وأغلق دفتر الحسابات:

- إياك أن تجنّ.

- لست عاقلاً كما أنا اليوم.

كان الفقي حانقاً عند مجيئه ويكاد ينفجر من الغيظ، بادر بالكلام دون سلام، واقفاً بعتبة الدكان:

- لماذا ضربت الولد، ماذا فعل لك؟

أجابه محمد دون أن يرفع بصره باتجاهه أو حتى يدعوه للجلوس:

- ألم يخبرك ما السبب؟

- تعتقد نفسك رجلاً تستأسد على صبي.

- اصمت واخفض صوتك يا حاج.

- يبدو أنك لم تعد تخجل. يا للوقاحة!

- أنت الذي لا يقيم وزناً لأحد.

أخذته الدهشة من الجرأة التي يكلّمه بها شاب في عمر أولاده.

– جئه بكرسي يا علي، دعه يجلس لأشرح لهذا الشيخ المتعالي السبب، وأغلق باب الدكان.

ثم دون مقدمات داهم محمد الفقي في عبارة واحدة:

– ابنكم الموقر حسين يعطس ويكحّ يا شيخنا، لذلك ضربته. وجدته في زريبة الماشية خاصتنا مع عبد من عبيدنا. ها هو العبد موجود بالداخل، يمكنك أن تدخل وتتحدث معه لوحدكما.

صدم الفقي، ظل ساكتاً لحظات ثم ابتلع ريقه قائلاً:

– هذا غير معقول! هذا الكلام غير حقيقي!

قالها بجزع غير مصدق وألحقها بـ:

– أنت ممتلئ بالحقد عليّ وهذا ما يدفعك لقول ذلك.

– حقاً أنا أكرهك لكنني لا أستعمل حسين. ابنكم وجدته في زريبتنا فضربته ولم أجده في الشارع وقمت بالاعتداء عليه.

هل هو موت مؤقت ما يمكن أن يكون قد حدث للفقي؟ جمد مكانه، جحظت عيناه، خلع قبعته ومسح عرقه:

– لا حول ولا قوة إلا بالله العظيم. اللهم أجرني في مصيبتي، اللهم أجرني في مصيبتي، لا أكاد أصدق حسين حافظ القرآن، مقيم الصلوات، الذي لا يرفع طرف عينه في إنسان، هكذا!

لطالما قلت لأمه دعينا نزوجه كيلا يتعلم شيئاً خارج الطريق، ولطالما عاندتني قائلةً: مازال الولد صغيراً. هذه خطيئتها.

– ربما لدى أمه شك وتنتظر أن يتضح لها. إنها أعقل منك في كل الأحوال وتدافع عن ابنها ولا تريد فضحه.

تبادل محمد وعلي النظرات وشعرا بثقل الصدمة على قلب الوالد.

ناوله علي كوباً من الماء وقال له مواسياً:

- اشرب يا شيخ وهدّئ من روعك.

خرّ باكياً بعد أن تجرّع الماء.

- مصيبة يا ولدي والعياذ بالله. إنه وحيدي الذي كنت أعوّل عليه، سأقتله بنفسي وأدفن عاري.

أمسكا به:

- لا تفعل له شيئاً، أما رأيت كيف تتستّر الناس على عيالها؟ استره ودع الله يتولى أمره. ماذا ستجني من فضحه؟

تعثّر في جرده وهو ينهض.

- دعوني أذهب، لا حول ولا قوة إلا بالله.

غمز علي لمحمد بعينه ليدع الرجل في حال سبيله ولا يضاعف له الألم، هذا المقدار من الصفعات كافٍ لإيقاف قلبه عن العمل.

لكن محمد قال له:

- قبل أن تغادر يا شيخنا، اكتب كاغد طلاق سالم من تعويضه وضع ختمك عليه، وتذكّر: مازال لنا كلام في مرة أخرى حول كسر ابنكم لحرمة بيتنا.

تنهّد محمد بعد مغادرة الفقي وقال لعلي وهو يقبّل كاغد الطلاق:

- تعويضه لي ولا أقبل فيها شريكاً. إنها نبتتي، لا يسقيها ولا يستظلها ولا يتذوق ثمرها سواي.

نظر إليه علي وقال:

- أصبحت تخيفني. هلا أغلقنا حساب الفقي إلى الأبد؟

فتل محمد طرف شاربه وأجاب:

- لا، ليس بعد.

***

كان الفقي في حال من الانهيار الكامل حين خرّ صاغراً بعد أسابيع أمام محمد:

- بعني العبد. إنه ولدي وحيدي، حرام عليك، الولد لا يأكل ولا يشرب منذ تلك الليلة المشؤومة، مريض في الفراش لا يكلّم أحداً، أمه تكاد تموت حسرةً عليه. أخذته إلى الحضرة وزرت به قبر سيدي عبد الجليل وسيدي رويفع الأنصاري دون فائدة، ربما يستطيع العبد إخراجه من حزنه ومحنته إن رآه وتكلّما معاً، بعه لي حفظك الله.

- كلا.

كان جواب محمد قاطعاً.

- إلغِ ديون أبي كلها وتنازل له عن رأس مال تجارة تونس.

- إنك تتجبّر عليَّ.

- أعرف، لكن هذه التسوية مناسبة لخطيئة ابنك في بيتنا.

ثم أنهى الحديث مهدداً:

- إياك أن تذهب إلى أبي من ورائي ليبيعك العبد.

كان سعر سالم غالياً ذلك المساء بدرجة لا يتوقعها حتى هو نفسه عن نفسه. حين كان الرجلان يتفاوضان حوله، فاوض هو

فكرة مجنونة في رأسه، تسلل على أثرها لأول مرة إلى بيت الفقي في وضح النهار بعد انقطاع أشهر، ظل واقفاً بجانب الفراش حتى استشعر حسين أحداً بقربه ففتح عينيه ورآه. انحنى عليه صامتاً وحمله على ظهره قاصداً به البحر. ظل يسير به دون توقف والماء يغمرهما شيئاً فشيئاً حتى تواريا خلف الأمواج تماماً.

المنصّة

ليس ثمة ما هو أسهل من التخلّص من خادمة تزعجك، بعها من الغداة في السوق أو اهدِها لأحد الذين ترغب في ودّهم أو أذيتهم.

التقى الحاج امحمد الكبير بالفقي ودار بينهما حديث يومي عن حال السوق والمدينة، كان يجلسان على حصير الجامع بعد انقضاء الصلاة، صارحه قائلاً:

– لدي مشكله في البيت يا شيخ.

– قل ما الأمر؟

– ولدي الكبير، عشق خادمته وبسببها أهمل زوجته ولم يعد يعطيها حقوقها.

– طيش شباب وسيعقل. انصحوه.

– كلّمناه، نصحناه، دون جدوى. زوجته اشتكت منه للحاجة، يعيشان معاً مثل الأخوة.

– ألا يفعل شيئاً؟

– لا.

– لا القليل ولا الكثير؟

- لا القليل ولا الكثير يا شيخ.

سكت الفقي برهةً وأرسل بصره للأعلى. ظلّ السيد امحمد يدير سبحته في يده ريثما ينطق الفقي شيئاً. بعد هنيهات قال له:

- ربما الحكاية كلها غيرة نساء.

- لا يا شيخ، ولدي محمد وأعرفه. مللت تصرفاته وعناده وشكوى والدته منه، زوجته ابنة شقيقها وأهلها تجار كبار في مصراتة سيضيقون علينا أمرنا إن بلغهم ما يفعله بابنتهم. ماذا سنجني من عشقه للجارية سوى المشاكل؟

- أها، هكذا إذاً، الموضوع موضوع تجارة ونسب.

اعتدل الفقي في جلسته ومسح على لحيته، ثم أردف قائلاً:

- أفضل حلّ، بع الجارية بمجرد أن يسافر في تجارة.

- أين يسافر وقد عاد للتو بعد غياب أشهر؟

- ليس ضرورياً أن يستمر في تجارة القوافل، ها هي السفن تذهب وتجيء من مالطا. مالطا طريق سهل وقريب إلى بنغازي.

لمعت عينا الحاج امحمد:

- كيف؟

- أرسله في بابور الصوف والشعير، سيرحل بعد يومين، أخبرني عنه الريّس علي الرياني أول أمس. سيعرف ابنك هناك أشياء لم يعرفها من قبل تنسيه الجارية وأيامها.

- لكن أنا والريّس علي لسنا أصحاباً، بيننا مشكلة قديمة.

- فكّر في الأمر ودع الريّس لي.

تنحنح السيد امحمد وغيّر وضع جلوسه ثم قال:

- لكن ليس لدي مال الآن لهذه الإرسالية.

- أنا أسلفك.

بقلق قال:

- كلا كلا، هكذا أزداد غرقاً في الديون، حتى دين تجارة تونس لم تستوفه مني بعد، فهل أضيف إليه ديناً جديداً؟

قال الفقي مطمئناً وهو يشدّ على كتف صديقه:

- الجيب واحد لا تقلق، ثم أن تنشغل بالتفكير في الدين خيرٌ من أن تنشغل وتنغمّ بالتفكير في ولد عاق. الولد غالٍ، ويجب أن نضحّي من أجلهم إن مرضوا أو شقوا، ذلك حقهم علينا.

عاد الحاج إلى البيت وأخبر اللالاعويشينه بما جرى مع الفقي. باركت الرأي الذي سمعته ودعت للفقي بالخير في صلاة كاملة، ثم طلبت من عيده أن تعدّ لها جلسة الشاي مع الحاج في وسط البيت. أشارت لها أن تضع في المجلس وسائدها الخاصة المطرزة وأن تبخّرها بعود القماري وترشّ قطرات من ماء الزهر في جرة الماء البارد التي يشرب منها الحاج، وتوقد فنار القاز وتعلقه بالشجرة. إنه مساء طيب لتبادل الأحاديث والسمر والمناجاة.

كانت عيده تذهب وتأتي بالأشياء وتتسمّع إلى شيءٍ من حديثهما. سألته اللالاعويشينه:

- متى ينعقد السوق؟

- غداً تصل قافلة عبيد جديدة من جالو وسيكون البيع حالاً.

- وكم تريد فيهم؟

- أبلغت السمسار أن يثمّن البكوشة حسب سعر السوق، أما

تعويضه فمئة وثلاثون عصملية، ومسعود مقايضة رأساً برأس، إنه يسعل منذ شهور وهذه العلة لا تجعله مرغوباً، إن استبدلته بعبد أبكم أو أعرج سيكون جيداً للعمل في تكييس البضائع. مسعود ما عاد يحتمل غبار الحنطة.

ثم طرقع أصابعه مضيفاً:

– لعليّ أتوفّر بهم على جزء من ديون الفقي.

سألت اللالاعويشينه وهي تسكب الشاي:

– كيف ستجمع ديناً من بيع جاريتين فقط؟

– الجاريتان والعبد الجديد كذلك، سوف أؤجره لتجار الحبوب بمدخول جيد، لن أستعمله عندي، سيكون للكراء في السوق.

سُرّت اللالاعويشينه بتخطيط زوجها ثم حفنت قبضة كاكاوية وأضافتها إلى كوب الشاي الذي يتجرعه. همست له بشيء فتبسّم وأطرق خجلاً من أن يراهما أحد ممّن في البيت يتناجيان، همس لها:

– اش... اش... ليس وقته الآن.

ضحكت بفجور ثم همست في أذنه:

– منذ وقت وأنت تعدني بتكليلة[1] جديدة، هل ستشتريها لي قريباً؟

أسرعت عيده تبثّ تعويضه ما تلقّطته من أخبار. هوى قلبها على الفور ولم تدرك ما تفعل، بكت كما يبكي العبيد عندما يسمعون ببيعهم وكأنه أول يوم لهم في الرق، يبكون لأن الأوضاع ستتغير مع سيد جديد وعمل جديد ورفاق جدد. رغم أنهم مجهولو الوجود إلا أنهم يخشون المجهول، لربما يكون حسناً إلى حدٍّ ما ولربما

---

١ أقراط من الذهب التقليدي.

أسوأ، لكنهم في الحالين يكون اعتياد رقّهم القديم الذي سيفارقونه برقٍّ جديد.

تصبّراً لا أحد يرغب في التغيير خوفاً من الأسوأ.

لم تستطع تعويضه عمل شيء لإنقاذ نفسها. ركنت إلى البكاء والرجاء، فالمركب التي تقلّ محمداً غادرت ميناء بنغازي نحو جزيرة مالطا منذ أيام قليلة. ذهب محمد بشحنة من الجلود والملح، أُخبرعلى عجل بأمر السفر وقيل له إن مماطلة الريّس الرياني في إعطاء الإذن هي السبب.

هكذا ودّعها بعجلة: سأبيع وأعود.

بعد ساعات من شروق شمس اليوم الرابع أخذت المدينة تتحرك حركتها الاعتيادية: فتح السوق أبوابه، وجاء دلال العبيد يجرّ خلفه عدداً من الرقيق الصغار لعرضهم في ساحة السوق؛ كانوا عراةً حفاةً توشك عظامهم على تمزيق ما تبقّى من جلودهم، طليت أجسادهم بالزيت فأرسلت لمعاناً يغري الناظرين. التقى عبيد قافلة جالو بعبيد قافلة قادمة من فزان ونظروا إلى بعضهم بعضاً كما لو أنهم يستمرون في علاقة قديمة. ودون شيء من المقارنة، كان العبيد الذين جيء بهم من بعضِ البيوت البنغازية أفضل حالاً من هؤلاء ومن أولئك الذين قطعوا الصحراء مشياً على الأقدام ونالهم ضرب السياط وقلة الغذاء والكساء.

من بيت الحاج امحمد الكبير اقتيد العبيد الثلاثة إلى السوق وهم يعلمون وجهتهم التي تقررت سريعاً. كان ثمة حزن على فراق مكانهم وما فيه. لزمت تعويضه البكاء، فبالأمس القريب ودعت محمداً في

ليلتهما الأخيرة ولا تدري اليوم إلى أي أرضٍ تسير، وهل ستلتقيه من جديد أم أن كل شيء قد انتهى عند هذا الحدّ، لتشرع في رقّها الجديد بصعود منصّة العرض شبه عارية.

على الفور تقدم إليها بدوي كان جالساً على الأرض ينهش قطعة خبز بجانب حماره، قبض ثديها وهو يمضغ الخبز بقوة تهزّ شنبه الكثيف، هصر الثدي مرتين لغرض الشدّ وليس الشراء. كانت تدرك أن معظمهم يفعل ذلك بقصد الشد فقط، فوجود الجواري في السوق متنفس لكل من يؤمّ السوق للفرجة. مسّ آخر كريه الرائحة تفحّصها على مهل بدقة وتمعن وكشف الرداء عن عورتها لمساً، حام حولها كثيراً وقد ظنته سيشتريها، إلا أنه عدل أو لم يكن راغباً في الشراء بقدر رغبته في اللمس. قال للدلال الذي سأله لماذا غير رأيه إنّ ردفها مشوه، ووصف عضوها بأقذع كلمة يتجنّب قولها سوقيو السوق ما لم يكونوا في عراك واحتراب. طرده الدلال خشية أن تفسد مقالته بيع الجارية، ناعتاً إياه بالكلب ابن الفاجرة اليهودية.

رجال آخرون كرروا الأشياء نفسها، ولم يبالِ أحد خلال المعاينة بتلك الدمعة المنحدرة ببطء وتثاقل على خديها. الكل شدّ صدرها ولمس عانتها. كانت النساء عن يمينها والرجال عن يسارها، يحدث لهم ما يحدث لها، وبينما تختصّ النساء بالقرص والعصر والهصر، يختصّ الرجال بجسّ كراتهم وتتبّع الخصيان منهم ولكمهم على أنوفهم، ليعرف المعاين قوة العبد الكامنة في دمه، ذلك هو الأسلوب المعهود لاكتشاف إذا ما كان العبد هجيناً أم من أبوين زنجيين. وخلاصة اختبار الدم أنه إذا ما دمعت عينا العبد واحمرّتا فهو

عبد أصيل وإذا كان العكس فهو خليط لا ينفع للأعمال المجهدة، فاختلاط دمه بالدم الأبيض يطيح بسمعة الدماء الزنجية الخالصة المخلوقة للعمل كثيران وللتحمل كبغال.

قلّما فكّر أحد أن عين العبد تدمع وتحمرّ رغبةً في البكاء كأي إنسان وليس كردة فعل على اختبار نقاء الزنوجة. الدمعة هي ما لا يمكن فصله، لكن أحداً لا يكترث بها من عبد.

دمعك غير زايد... ما يقضي فوايد... لا حاجة يدير
اصبرعالشدايد... هكي الله رايد... ماتعلم بغيب
دمعك ما يفيدك ... مش بيدي وبيدك... نرضو بالنصيب
اللي موش بيدك... اصبر لو تكيدك... فرج ربي قريب

قريباً من بازار العبيد، وأمام أحد الحوانيت، اقتعدت الأرض عجوز سوداء تغربل الشعير، غطّى وجهها الغبار كاملاً، عدا بعض الدروب الصغيرة فيه.

غنّت تلك الأغنية.

السوق

اشترى علي عبيدهم وهو لم يزل ابن سبعة عشر عاماً. كان يتيماً، رباه جده في كنفه ولم يعصِه مرة، لكنّ تقدّمه لشراء عبيد جده الذين عرضهم للبيع كان تحدياً له لم يتوقعه يوماً من حفيد احتواه كابن.

اشترى علي تعويضه من أجل محمد الغائب، وليس لأنها كانت حاملاً مرة جديدة. لم يكن يعلم لا هو ولا محمد بحملها. سمع أنها أجهضت مرتين، مرة في الحمام ومرة عندما عندما سقطت عن السلم وهي تنظف السقيفة.

مضى علي مسرعاً ناحية السوق ما أن بلغه النبأ، وفي حلقه غصة من كيدٍ دُبِّر لمحمد. لا بدّ أن جده جُنّ. كان يجري وذهنه يعرض الأسباب لماذا فعل جده ما فعل، لماذا خدعوا محمداً بالسفر وباعوا محبوبته من بعده في جملة عبيد؟

يدرك علي أن محمداً يهيم حباً بخادمته، ولا يريد له أن يشقى ويتعذب عندما يعود ولا يجدها. إن ما لم يرد أحدٌ فهمه هو أن الحب لا علاقة له بسيد وجارية، بأبيض وأسود، بعربي وزنجي... تلك حدود بشرية لا وجود لها في التسرّي الذي لا يعارضه أحد،

إلا أنها تحضر فجأةً وتغدو بضخامة جبل إذا زاد الأمر عن التسرّي وغدا حباً يساوي بين ذاتين اجتمعتا فيه، آنذاك تصبح الحدود نفسها مدعاةً لمحاربته وأصلاً في معاداته، حتماً من غرائب ما حدث للنفس الإنسانية.

تلك الليلة، طُرد علي من بيت جده الذي هو بيته. كان الجد متألماً مما فعله به في السوق، كسر كلمته وشوكته أمام الناس واستعاد عبيد أجداده. من هو ذلك الفتى الذي يقف وسط الباعة في السوق ويرفع صوته في الناس عالياً: "عبيد أجدادي لا يباعون لأحد، ومن يقترب منهم سأذبحه بهذه السكين؟". لم يكن علي يدافع عن العبيد أو عن إرث أجداده؛ كان يدافع عن محمد المغدور بقلبه، المغيّب في مالطا قصداً. كان جده يلتحف جرده رفقة ثلة من التجار على منصة مرتفعة قليلاً عن مستوى الناس ويحدّق فيه واجماً، فيما الرجال ينظرون إليه قائلين: ماذا يفعل هذا الولد؟ ماذا يفعل حفيدك هنا؟ وهل لحفيد صغير أن يمنع كلمة جده ويعترضها أمام الناس؟ لماذا تبيعون عبيداً إذا كنتم ستشترونهم؟

إنه العيب إن لم يكُ العار وعدم الوفاء!

كانت تعويضه على منصة العرض، يحوم الرجال حولها وحول الجواري، حين تقدم علي وخلع جرد أحدهم وغطّاها به. ازداد صوته حدةً فلم يكن يعي ما يفعل لشدة ما به من غضب:

- انتهى السوق... كفى... انصرفوا الآن.

صاح تاجر خبيث من رفاق جده:

- بكم اشتريت أيها الفتى؟

نظر علي إلى جده الذي كان لا يزال هناك وأجاب الرجل:

- رقبتي سدّادة لكل ما يطلبه فيهم جدي وبركتي.

كان الذي يكلّمهم رجلاً وليس فتىً غراً، ربما فهموا أنه يريد الجواري لنفسه، حينها نطق الجد قائلاً:

- اذهب إلى دكانك الساعة، اذهب.

- لن أذهب ما لم يذهبوا هم قبلي.

لقد أحكم الوثاق عليه أمام الناس، حينها لم يجد بدّاً من القول لعبيده: "ارجعوا للبيت". تقدّم إليه علي وقبّل رأسه ثم غادر الميدان. كان الجد غاضباً منه لكنه لم يظهر غضبه أمام الناس.

عاد العبيد سعداء إلى البيت، وعندما رجع علي في المساء وجد أمه تبكي. خرج جده في عباءة النوم دونما شيء يغطّي رأسه كالعادة، كان ينوي تقريعه، وما أن دنا منه حتى وجّه له صفعةً قوية على وجهه قائلاً له:

- اخرج من بيتي يا عاق يا ناكر المعروف.

انكمشت أمه بعيداً، بينما تدخلت جدته. لم يعترض علي على شيء. قال لجده:

- حاضر، سأخرج.

وكانت الدموع في عينيه وعيني جده متساوية.

حاول تقبيل يديه والاعتذار منه، لكن الجد رفض. كانت جدته بين نارين، تقول له: "لا تذهب"، وتقول لجده: "ليس له مكان سوى هذا البيت، إن غادر غادرت معه".

فيأتيها الردّ حازماً:

- إن زدتِ كلمة فأنتِ طالق.

أما فاطمة، التي لم تستطع الكشف عن وجهها لأبيها يوماً، فلم يتسنَّ لها الكلام معه أو مجادلته حتى وإن تعلق الأمر بوحيدها. كانت تدرك ما ينتظر ابنها، لذا جمعت له أشياءه في صرة وقالت له وهي تعانقه عند باب السقيفة:

- اذهب إلى بيت عمك الصادق، حتى تهدأ النفوس.

بعد مرور يومين علم علي أن جده طريح الفراش. حاول زيارته لكن الصديق نصحه بتأجيل ذلك. جده مرض جراء ما فعله به في السوق، وقد وصفه في حديثه لمن عاده من أعمامه بأنه مجرد فرخ بوّال قليل تربية.

مُنع علي من الذهاب إلى الدكان بعد تلك الحادثة، أخذ منه جده المفاتيح وعهد به إلى ابنه الأمين وجاب الله. كان يتسلل لرؤية جاب الله في أوقات انصرافه ويسمع منه الأخبار، ويتجنّب الأمين لسفاهته. كان جاب الله أميناً وحريصاً ولم يتخلَّ عنه.

أخذه عمه الصادق للعمل عنده في سوق الذهب، فأحيط جده بذلك، فلم يعد يمرّ بدكان الصادق حتى يتجنّب رؤيته، لكن جاب الله كان يبتسم ويقول له إن العجوز الغاضب يحبك ويتسقّط أخبارك مني، قال لي ذات مرة:

- اذهب يا جاب الله وانظر لي ماذا يصنع الفرخ في السوق، وإن أرادت أمه رؤيته خذها إليه بالكروسه من الباب الخلفي خلال قيلولتي كي يبدو أن أحداً لا يعلم بها.

بعد قرابة ثلاث أشهر عاد محمد من مالطا، مرهقاً شاحباً، ضعيف

البنية. رآه علي أمامه في دكان الحلي والصياغة بسوق الظلام. كان علي قد بدأ يتعلم النقش على الذهب وصار يحبه شيئاً فشيئاً، وفيما هو منهمك بالنقش حجب عنه الضوء وقوف شخص بالباب، رفع رأسه فوجده محمداً. كان محمد قد بحث عنه في البيت والدكان، ولمّا علم بما حدث لحق به إلى جهة سوق الذهب. كأنه رأى قمراً جميلاً في ظلام حالك حين رأى خاله.

– آه يا حميدٍه، آه ما أمرّ فراقك!

– عليوه، يا عزيز روحي.

لم يتمالك الفتى نفسه من البكاء في أحضان خاله. تلفّت المارة والباعة بشيء من الفضول إليهما، فالرجل لا يبكي، بل لا رجل يبكي في هذه المدينة المليئة بالفقر والمرض والرثاء. الرجل يتحامل ويتجلّد ثم يتبلّد وإن لم يستطع فليتحمّل ثرثرة الناس الثقيلة، لهذا بكاء الرجال نادر وغريب، وإن حدث فإنه يحدث مثل الخطيئة في الخفاء، فما هي الخطيئة التي أثارت تلك الدموع السخية وذلك الشجن على مرأى ومسمع السوق؟

لمح دمعةً تترقرق في عينَي خاله تمتزج بنظرةٍ شرسة، وسمع ما يقوله قلبه الغاضب له.

لن أكون أنا محمد بن شتوان إن لم أردّ لهم الصاع صاعين.

الطفل مقابل اللحم

عندما توجد وليمة غداء يبدأ الخدم في الإعداد لها في اليوم السابق، حتى يكون كل شيء جاهزاً ومعدّاً للطبخ مباشرة. أهمّ ما يقوم عليه الطبخ هو حضور لحم الخروف البلدي بتقطيع محدّد تختلف فيه القطع حسب أهمية الضيف وجنسه.

يُعلَّق اللحم إلى الغداة في صَنُوْرَة[1] المطبخ ليحيطه الهواء، وهذه المهمة يجب أن تقوم بها الخادمات قبل النوم حرصاً على اللحم من قطط الليل حين تمرّ باحثةً عن طعام.

تلك الليلة عملت الخادمات الثلاث في المطبخ حتى وقت متأخر؛ تقاسمن العمل فيما بينهن، ومضت الأمور بسلاسة كالمعتاد. كانت تعويضه تُرضع صغيرها في الزاوية بين فترات نومه المتقطّع، وكانت الأحاديث بينهن والنكات والمرسكاوي تخفّف ثقل العمل والوقت.

كان الطفل ابن أشهر، ساعدها سالم على حمله في صندوق كرتوني ووضعه على المصطبة ليكون قبالة عينيها، ثم ذهب إلى السوق قبل الإغلاق وتسوّق ما ينقص المطبخ. كانت اللالاعويشينه

١ الصنورة هي عمود الخشب الكبير الذي يتوسط أسقف البيوت العربية القديمة.

تمرّ بين الفينة والأخرى تستطلع عمل الخادمات وتلقي ما يعنّ لها من تعليمات وهي في كامل زينتها، تشدّ تكليلتها الجديدة التي أضافتها بالأمس إلى حلقات التكاليل الأولى وتعدّل من وضع أرنبة أذنيها، قائلةً تارةً بعض التعليمات بخصوص العصبان والكسكسو والشوربة والمحشي، وتارةً أخرى طالبةً من سالم الذهاب إلى سوق الحشيش وتوصية الخباز الشهير هناك على نوعية الخبز الذي يحتاجونه للوليمة، والمرور كذلك ببيت أمهر صانعة للكعك البلدي.

ذلك كان ديدنها عند كل دخول لها، تحريك تكليلتها وإسداء نصائح جديدة.

عاد سالم بالحاجيات من السوق. صادف ذلك مرور إحدى دوريات اللالاعويشينه في المطبخ، اقتربت من الصندوق وأطلّت على الرضيع، كان قد رضع للتو ونام. قالت مسبّحةً مكبّرة:

- سبحان الله والله أكبر على الملائكة، ليحفظه الله لكما.

ردت تعويضه:

- سلّمكِ الله يا عمتي.

دخل سالم بما يحمله، نظر مباشرةً إلى اللالاعويشينه، كانت تتفحّص الطفل قائلةً في نفسها: "ليت لمحمد مثله، زوجته لا تلد له إلا البنات تباعاً ودون توقف، أووف"، وقالت لسالم الذي وضع القراطيس ودنا من الصندوق:

- يشبهك سبحان الله الخالق الناطق.

وقفت بعوضة على أنف الطفل ففتح عينيه وكمّش ساقيه. كانت حدقتاه بلون اللوز وأطرافه طويلة وشعره مسبولاً وأنفه ليس أفطس!

ابتسم سالم وانحنى على الطفل مقبّلاً ملاعباً. لم يكن سالم يرفع بصره إلى من يكلّمه أبداً، لا سيما النساء، دائماً كان ينظر إلى الأرض وهو الآن ينظر إلى الطفل ويلاعبه ويهتمّ به ويحبه.

في وقت متأخر من المساء، كانت تعويضه هي آخر من يغادر بطفلها، بعد أن غسلت كل الأطباق ومعدات الطبخ ورتّبت المطبخ. كانت ناعسة وثيابها مبللة، يتفقدها سالم حتى تنتهي كي يعود بها إلى البراكة، حاملاً عنها الطفل في صندوقه.

سألها بهدوء:

- هل انتهيتِ؟

- أخيراً والحمد لله.

- دعينا نذهب، الوقت تأخر وأنا متعب وغداً سيكون يوماً طويلاً. هات عنكِ الطفل.

حمل هوَ الرضيع وحملت هي الفنار وغادرا المطبخ؛ خلية العمل التي ستنطلق منها دلائل الاحتفاء بمبعوث الوالي وبعض مشائخ الزوايا وعمداء العائلات، تمهيداً لترشيح حملة القفاطين أوالبرانيس الحمر[1].

عملت تعويضه طويلاً وكثيراً، لكنها نست تعليق اللحم في الصنورة!

---

١ الأشخاص الذين عيّنهم العثمانيون رؤساء وشيوخاً لقبائلهم من أجل جمع الضرائب والتجنيد وغيره.

لا محمد لا علي

يصحو الخدم دائماً قبل أسيادهم، ويكون ذلك أبكر بكثير من المعتاد، أما إذا كان ثمة مناسبة فهم لا ينامون إلا قليلاً.

ارتمت تعويضه بجانب رضيعها كالميتة، لم تكد تغمض عينيها أكثر من ساعة حتى فاجأها طرق سريع على باب البراكة وصوت عيده تنادي:

- تعويضه... تعويضه، انهضي.

قفزت وفتحت الباب وجلى من نداء عيده:

- ماذا هناك؟ أخفتني، من مات؟

- كلا... كلا، لم يمت أحد، لكن القطط أكلت اللحم!

حينها تذكرت تعويضه غلطتها وضربت جبهتها متأسية:

- يا لي من شقية! نسيت، يا لي من شقية!

- ما العمل الآن؟

- يجب أن نتدبّر الأمر، ماذا نفعل؟

جاء سالم من مكانٍ ما وألقى التحية عليهما، سأل وقد لحظ اكفهرار الوجوه:

- ماذا جرى؟

أخبرته عيده وانقلب حال الجميع إلى توقع ما سيجري. على الفور قال سالم:

- يجب أن نجمع ثمن خروف الآن. هيا، اجمعي من البنات.

قالت عيده:

- أعرف الجميع، ليس لنا ما نحتكم عليه من المال.

- بسرعة من لديها خاتم أو أي شيء تخبئه تعطيه الآن.

انهارت تعويضه باكيةً قرب صندوق الكرتون. نهض ساكنه الصغير يريد أن يرضع. قالت لها عيده:

- لا ترضعيه، حليبك الآن يضرّه، أنتِ في حال سيئة.

قالت لها:

- لكنه يبكي!

- سأسقيه شيئاً من ماء وسكر.

- آخر رضعة له كانت بالأمس.

- نعم نعم، سأتدبّر أمره.

- ما يزيد الأمر سوءاً أن لا محمد ولا علي موجود.

- هذا هو اليوم الذي يقولون عليه في الأمثال: "يوم لا حضره محمد ولا علي"، يبدو أنه كذلك.

خرج سالم حالما تأكد أن الخادمات لا يملكن شيئاً من ثمن الخروف البديل، وقال: "سأعود حالاً"، وعاد أدراجه من حيث جاء. كان فجر اليوم يصارع الظلام للظهور. أخذ يجري بكل جهده ولم يتوقف إلا قباله بيت الفقي. طرق على نافذة المربوعة طرقات خفيفة.

اقترب صوت من النافذة وسأل: من؟

بهمس قال:

- سالم، افتح.

فتح حسين النافذة وسأله باستغراب:

- لماذا عدت، هل رآك أحد؟

- لا، لا، هناك أمر طارئ.

فتح باب البيت بهدوء ودخل سالم متسللاً إلى المربوعة على أطراف أصابعه. أوصد الفتى الباب وسأله:

- ما بك يا طيري؟

- أريد ثمن خروف الآن.

تساءل الفتى باستغراب:

- خروف!

- نعم، أكلت القطط لحم الوليمة بعدما نست تعويضه تعليقه، الآن يجب أن نشتري خروفاً آخر قبل أن يصحو أهل البيت.

تحركت غيرة في قلب الفتى:

- وما دخلي أنا بتعويضه؟

- دخلك بي أنا وليس بها. إن اكتشفوها سيعذبونها ويأخذون طفلها منها وقد يبيعونه عقاباً لها. تعرف ما يترتّب على ذلك من تبعات.

صمت الفتى وجلاً وقد أدرك أبعاد ما يرمي إليه سالم ثم قال:

- لكني لا أملك شيئاً اللحظة.

اقترب منه سالم ووضع وجهه في وجهه قائلاً في صرامة:

- تدبّر المال بسرعة.

امتدت ذراع الفتى وأمسكت بقميص سالم من الخلف:

- هل غضبت مني؟ حسناً اهدأ. سأستلف من أبي.

- لن أنتظرك طويلاً، أخرجنا من هذه الورطة.

غضب الفتى من جديد:

- كيف أخرجكم؟ أساساً ما علاقتك أنت بها؟ هي من أخطأت.

- حسونة، ما بك، جننت؟ لا أريد أن أكرر الكلام مرتين.

بتوسّل وهو يشدّ به مرةً أخرى:

- لا تغضب. سآخذ من أمي، هي على كل حال أطيب من أبي. اخرج الآن إلى ناصية الزنقة وسألحق بك.

ألقى الفتى نظرةً إلى الشارع قبل أن يخرج سالم، ثم أشار له بيده كي يمرّ بسرعة، همس له وهو يعبر قريباً من أنفه:

- آاااه... معرفتك في حدّ ذاتها ورطة!

***

عدم الشروع في الطبخ المبكر يعني أن اللحم غير جاهز أو أن الطباخات غير جاهزات. فتحت اللالاعويشينه شباك غرفتها صباح يوم الوليمة وتشمّمت بأنفها رائحة الطعام علّها تشمّ شيئاً طيباً يجهز بتؤدة على النار، العصبان أو الشوربة أو التقلية، لكن أنفها الطويل المعقوف قليلاً لم يلتقط شيئاً. قالت في نفسها: "لا بدّ أن الخدم تأخروا في النهوض، يحتاجون دائماً سوط بجلاده"، ونادت

احباره، خادمتها المفضلة من بينهم، فجاءتها مسرعة، سألتها عن الخادمات إذا ما صحين، فأجابتها أن الجميع في المطبخ. سألتها لماذا لا تشمّ رائحة الطعام، فهزت احباره كتفيها ورأسها بـ"لا أعلم".

رفعت اللالاعويشينه ذقنها إلى أعلى قائلةً لها:

– اذهبي بسرعة وانظري لي ماذا يجري؟

كانت احباره مدرّبة تدريباً جيداً على تلقّط الأخبار والتسمّع على الأحاديث داخل الأماكن الضيقة. تسللت من جهة ما دون أن يشعر بها الجمع المرتبك في المطبخ وتسمّعت على ما يدور فيه. قدمت عيده مسرعةً وبيدها صغير تعويضه وشاركت في الحوار المضطرب. كان الموقف برمته يبدو على تعويضه وهيئتها وفزعها، فهي المذنبة وما عليها سوى انتظار العقاب ما لم يعد سالم بحل.

تأخر حسين في اللحاق بسالم إلى نهاية الزنقة. كان مخاض حسين مع والدته شاقاً من أجل المال. كذب عشرات الكذبات على الريق واستبدلها في نفس اللحظة بكذبات أخرى. رضخت أمه، ليس لها بل لأن ابنها الوحيد يكذب ليتحاشى الإخبار بحقيقة ما. غمزت له بما تعرفه عن كذب الشبان عندما يستضيفون واحدة من بنات باب الله في مربوعة العائلة ويقولون للأهل إن لديهم صديقاً (معاي واحد صاحبي ديرولنا عشاء). يصبح الوصول إلى باب السقيفة التي تقع بها المربوعة منطقة محرّمة على نساء العائلة، وقد يتطاول فقط الأب لمرة واحدة في المساء بإلقاء التحية على من يشغلون المربوعة إذا دخل البيت بعدهم، وغالباً ما يكون الباب مواربا والضيف في

مطلع المساء رجلاً للتمويه وفي آخره لا.

لم يخطر لحسين وهو يوالي الكذب على أمه أن يجد لديها القصة جاهزة دون تكلف لسردها، وأن تكون متيقنة بأن امرأةً شاركت ابنها المراهق عشاءه وفراشه ليلة أمس، وهي من يطلب لأجلها النقود بإلحاح في هذا الصباح المبكر، فبنات باب الله ديدنهن ذلك، تقديم المتعة مقابل المال.

تفاجأ حسين بمخيلة والدته، لكنه ذهب في الاتجاه نفسه الذي ذهبت إليه، إذ من الخير أن تظل تعتقد بوجود امرأة تلعنها لسلبها مالهم، فالمرأة سبب كل المشاكل في الدنيا ومشجب جيد لكل السيئات. وعدها بإعادة المبلغ وخرج كالبرق إلى الشارع لاحقاً بسالم.

تأخر سالم عند الجزار، فلم تكن ذبائحه ذلك اليوم سوى خروف من المازقري وتيس ماعز مالطي لا يناسب الوليمة. استغرق توفير كبش وقتاً إلى أن وجدوه وحزّت السكين المستعجلة رأسه.

كان سالم ينهش الذبيحة مع الجزار نهشاً لينهي أمرها، يتصبّب العرق منه ويسابق شراً لئلا يقع، وكانت الشمس تواصل سباقها مع الليل. حين انتهيا من تقطيع اللحم بمواصفات الوليمة وضعه سالم في صندوق كرتون فوق رأسه، والعرق يسقط من جبينه في عينيه، ثم أخذ يعدو به إلى البيت. كانت يداه متسختين ورائحته خليطاً من العرق والزفر. تأخر بفاصل قصير، جمعت فيه احباره ما يكفي لأذني سيدتها، وما يكفي فضول سكان البيت كلهم لينكبّوا من أسرّتهم إلى المطبخ حالاً.

كيف وقعت الحادثة؟

خلال عدو سالم في الأزقة القريبة من البيت، خرج السيد من غرفته كالشيطان. تناول سوطه وتوجّه به إلى المطبخ. فرّت من طريق السوط من استطاعت الفرار من الخادمات، ومن لم تستطع التصقت بالجدار كالسحالي، عدا تعويضه التي التقطتها يد السيد وهي تتراجع إلى الزاوية شاهرةً يديها في وجهه طالبةً العفو، فهي لم تهرب من مكانها ولا من قدرها:

– السماح يا سيدي السماح. الله يلعن الشيطان يا سيدي. نسيت، الله يحفظك... لا لا لا.

كان سالم يقترب من البيت والسوط يقترب أكثر من تعويضه، انهال عليها يابساً حاراً كافراً بالرحمة أو العفو. ارتفع صراخها حالاً وفرغ المطبخ من أي مدافع. سمعت احباره كلام سيدتها وأغلقت الباب سريعاً:

– أغلقي الباب بسرعة، سيسمع الناس الصراخ وسيعرفون أنه صادر من عندنا.

بالت خادمتان على نفسيهما من الرعب وهما تلتصقان بطابية هندي في أواخر البيت جهة المطبخ. كانت اللالاعويشينه تسمع صراخ الخادمة تستغيث وهي تذرع صحن البيت محتارةً فيما سيفعلونه لترميم الوليمة، فالوليمة مهمة جداً للأعيان الذين دُعوا إليها وقد لا يحظون بشرف ترتيبها مرةً أخرى في وقت قريب، إن استوت البرانس على الأكتاف.

هرعت فاطمة من فراشها مذعورةً حالما سمعت الصرخات ترتفع

متبوعةً باستغاثات استعطاف، جرت من مخدعها تلملم شعرها، سائلةً أمها بحرارة:

- ماذا يجري في بيتنا يا أمي؟ ولماذا تصرخ تعويضه؟

ضربت اللالاعويشينه كفّيها ببعضهما وعدلت من وضع تكاليلها على أذنيها قائلةً:

- كارثة... كارثة. الخادمة النحس لم تعلّق اللحم أمس فأكلته القطط كله.

- ماذا؟!

تطوعت احباره بالشرح وإعطاء التفاصيل دون التفاتة من فاطمة، التي جرت إلى المطبخ وشدت أباها من يده ساجدةً على الأرض محاولةً منعه من الاستمرار في جلد تعويضه.

ذلك لن يفيد في شيء على كل حال.

- سألتك برسول الله يا أبي اتركها، ستموت، يكفي...إنها نافس.

غير أن ردّ الأب على ابنته كان عنيفاً، فقد دفعها عنه بقوة حتى تدحرجت على الأرض قريباً من الباب وكشف عن وجهها:

- اذهبي عني، وإلا وضعتكِ فوقها.

لم يشفع لتعويضه شيء. هربت فاطمة من أمام أبيها الذي أخذ يجرّ الخادمة من شعرها إلى الحمّام، وبجذبة قوية من يده انتزع حبل الغسيل ليربطها به هناك. بأنفاس متقطعة قال لاحباره التي تربض قريباً منه:

- هاتِ ابنها بسرعة.

تدخلت اللالاعويشينه مدمدمةً وهي تخشى أن يخنق زوجها الخادمة أو الرضيع:

- يكفي يا حاج، لا تلوّث يديك بهما.

جاءت احباره مسرعةً بصندوق الكرتون الذي حوى الرضيع وقالت بخوف:

- ها هو يا سيدي.

- أدخليه.

ورأته يربط تعويضه من يديها بالحبل في سقف الحمام وهي تئنّ ولا تستطيع الوقوف؛ مات فيها الإحساس أو غابت عن الوعي. كان العرق ينزّ منه والشتائم:

- عندما تُعلّقين كالذبيحة ستتذكرين ولن تنسي، هذه ليست المرة الأولى لكِ أيتها الكلبة.

ثم أغلق عليها وعلى طفلها باب السقيفة الصغيرة المؤدية إلى الحمام، واضعاً المفتاح في جيبه ومهدداً من يحاول مساعدتها بحشره معها.

ذهب حافياً باتجاه غرفته، مردداً:

- بنت الكلب ستتسبّب لي في فضيحة.

بعد لحظات وصل سالم لاهثاً بالصندوق من الباب الخلفي، كيلا يراه أحد. لم يجد أحداً في المطبخ، ووضع الصندوق عن رأسه وقلب بصره في المكان، لم يكن ثمة أثر لمخلوق هنا سوى تعويضه، ها هو وشاحها على الأرض وعقد من الخرز كانت تضعه في رقبتها تناثرت حباته في أرجاء المطبخ. ساوره خوف من خطب

ما حدث، أخذ ينظر كالمصدوم بحثاً عن جواب للحظات، ثم انطلق إلى البراكة.

كان ثمن الخروف يومها صندوق كرتون!

***

هبط النهار سريعاً. كان يوماً سمته العدو، وكان على الخادمات العمل وكأن شيئاً لم يحدث لرفيقتهن، رغم الألم والزلزال الذي حدث صبيحة اليوم وغياب تعويضه عن المجموعة وخضوعها للعقاب. كان عليهن إعداد طعام الوليمة لأكثر من خمسة عشر رجلاً سيجتمعون ويقررون أمراً يخصّ تجارتهم وحياتهم في المدينة وعلاقتهم بالوالي والضرائب.

ساد الحزن بينهن وسيطر الوجوم، كنّ كالنمل يتحركن بلا أحاديث وبلا نكات وبلا أغنيات، عدا صوت تعويضه الباكي، يصلهن ترنيمة عبودية مرة، كانت تبكي بحرقة وتتوجّع وتنادي دون مجيب. صغيرها يصرخ يريد الرضاعة وهي معلّقة من يديها تسمعه وتراه دون قدرة على افتكاكه من الجوع والظمأ.

- صغيري جائع، صغيري عطشان، أرجوكم فكوا وثاقي فقط لأرضعه. الرحمة يا ناس.

كان الحليب يهطل من صدرها لا إرادياً ويبلّل ثوبها الممزق، مختلطاً بدمها وعرقها كما تختلط استغاثاتها بصوت أذان صلاة الجمعة.

بلغ الرضيع حداً مؤسفاً من العطش. حاولت أن تهتز بالحبل وتقترب منه ليسقط حليبها على وجهه، كانت تنظر إلى وجهه وهو ينتفض كالمخنوق الباحث عن هواء.

انهارت تنادي:

- عيده يا أختي أنقذيني، سالم أيها الرحيم أين أنت، ولدي يموت أمامي.

وبحذر سمعتها عيده وهي تمرّ قرب سقيفة الحمام ولا تجد منفذاً للمساعدة. دخلت إلى المطبخ مكفكفةً دموعها لئلا تراها احباره. كانت تمسح دموعها بكمّ قميصها وتحرّك الطنجرة.

حاولت فاطمة إقناع والدتها بأن تكلّم والدها ليفكّ وثاقها فقط من أجل الصغير، صراخه كان لا يحتمل ولا شأن له بجريرة أمه، إلا أن جواب أمها كان قاطعاً:

- لا أستطيع. لم تتبقَّ لي إلا طلقة واحدة لأُحرم عليه، لا تتسبّبي في خراب بيتي من فضلك.

كان سالم مطرقاً حزيناً، يقف أمام المربوعة الكبيرة لخدمة الضيوف. يسمع الصراخ يتعالى طاغياً على صوت الأذان كلما دخل ليأخذ شيئاً.

الخادمة تستنجد والطفل يبكي من الجوع ونهاية السجن غامضة. رسخ في خيال سالم مشهد الرضيع الجائع في صندوقه، قال له صوت في داخله: إنه جائع يا سالم، ألا تحبه؟ ألا يدفعك حبه وبراءته من آثام الكبار إلى تخليصه؟ إنه ملاك مسكين في هذا البيت الجحيمي. لماذا تقف كالأبله لتطعم مجموعةً من الحمقى فيما روح طاهرة نقية

تقضي قربك جوعاً وأنت بوسعك نجدتها؟

ثم لم يعد يفكّر في شيء آخر غير الطفل. ترك من يده طست الغسيل ويدي أحد الشيوخ ممدودة للغسل وخرج. التقط ساطوراً من المطبخ باندفاع واتجه ناحية السقيفة، رشقه في قفل الباب بقوة وغضب وصار يضربه ضربات متتالية، جاحظ العينين دامع القلب. سمعت اللالاعويشينه ضربات الساطور فلحقت بالصوت محاولةً منعه، المشكلة ستكبر مع زوجها ولن تنتهي إلا كبيرة، فسالم لا يكسر مجرد باب مقفول، إنما يتعداه لكسر كلمة سيده الذي أقفله.

- توقّف. سيقتلك الحاج وربي.

لكنه لم يتوقف.

أخذت تشده من قميصه، ولم تستطع شيء. قالت لابنتها:

- بسرعة نادي أمين وعبد السلام قبل أن تكبر المشكلة.

كان سالم يردّد لها كلّما ذكّرته بوعيد زوجها:

- دعيه يقتلني لأرتاح، بل ليته يقتلني.

تكسّرت قطعة الحديد الأولى في القفل. الرجال يعودون من صلاة الظهر لوجبة الغداء جماعات جماعات. كل شيء جاهز في انتظارهم إلا سالم الذي غادر موضعه وأصابه البوري. لم تعرف اللالاعويشينه ما تفعل حيال الضيوف، فصوت طرقات الساطور مسموع ومعروف مصدره من داخل البيت.

وصلت الأنباء إلى السيد عبر ابنه الصغير: "العبد ركبه البوري يابوي"، فهرول السيد إلى الداخل حانقاً، معتبراً صنيع العبد عقوقاً وتمرداً. التقط السوط وتوجه به مرفوعاً ليهبط على ظهر سالم عند

أول نزول له. لم يرعوِ سالم بالضرب الذي أتاه من خلف، استمر في سرعة وجنون يدقّ القفل بالساطور، تجلّد كلما ضُرب ونُهر.

- يا عبد النحس، أتعصيني؟ أمسكوا به!

ترك السيد السوط من يده ولكم العبد على وجهه ليحيد، فلم يحد حتى فتح الباب. كانت تعويضه قد سكتت وهي تعي ما يجري وراء باب محبسها المظلم، وسكت الرضيع كأنه شبع.

لقد حدث ما كان مؤجلاً.

حاولت النساء منع السيد من الاستمرار، انضمّ إليه ولداه الأصغران، شدّا العبد بينهما من ذراعيه ثأراً لأبيهما، فيما سدّد له السيد الضربات على وجهه بمعزقة حتى أدماه. كانت اللالاعويشينه تريد تأجيل معاقبة العبد فقط حتى تنقضي الوليمة.

- سوف تتسخ ملابسك وتعرق، لا يليق أن يكون هذا حالك أمام ضيوفك.

لكن الباب كان قد فُتح وجُرّ العبد ليوضع مع زوجته وابنه كما يفترضون. سُحب في دمه ورُمي في زاوية الحمّام في حالٍ يرثى لها ما بين الوعي والغيبوبة. انحنى السيد عليه بعينين تقطران شرراً وقبض فكّه بيده مزمجراً:

- في نهاية الأمر تتجاسر على عصياني يا عبد العبيد! سأريك كيف أن الله لم يخلقك بعد!

تمتم له العبد وسط جراحه وحشرجاته بكلمات منطفئة:

- الطفل الذي مات من الصراخ جوعاً وظمأ ابنكم وليس ابني، ولديه كاغد شرعي من الفقي.

كانت كلمات العبد سوطاً أو معزقة ارتدّتْ على السيد الكبير، أوقفت قلبه وحركته فارتخت فجأةً قبضته على فك العبد. استدار في حركة لا إرادية إلى حيث صندوق الكرتون، في لحظة فزع لم يصدق فيها ما سمع. نظر فوراً باستغراب إلى الطفل الساكن ذي العينين المغلقتين والوجه الذي تعلوه قطرات من دم أمه وحليبها، امتدت يده إليه في حركة سريعة وهزته، حرّكه بقوة فتراخت من يده كتلة صغيرة من اللحم لا حياة فيها. قفز إلى جردل الحمام وقبضت يمناه على ما به من ماء، رشّه على وجهه فلم يتحرك... نام إلى الأبد ولن يفيق.

خرج السيد من السقيفة ليس كما دخل.

قطعة منك خارجك

أخيراً لاحت بنغازي ودخل البابور للبوغاز. قال محمد لعلي ضاحكاً:

– أخيراً بنغازي حشاشة الروح يا خال.

كانت أطول فترة غياب يقضيها علي بعيداً عن بنغازي وعن أمه تحديداً، قال له:

– فيمَ تفكّر الآن؟ سنرتّب إنزال بضاعتنا ونذهب بعدها إلى أهلنا.

– لقد ربحنا، سيفرح جدي بنا ويقيم وليمة عشاء لأصحابه يمدحنا فيها ما وسعه المدح.

ما لا يعلمه علي أن الجد دخل اكتئاباً حاداً وقلّ كلامه وطعامه وبقاؤه مع الناس، مذ غسل حفيده ابن الجارية ودفنه في موقف جنائزي لا يُحسد عليه، جنازة تبنّاها الفقي من بدايتها إلى نهايتها، التقط فيها الطفل سريعاً، فيما الجد مرتبك من فداحة الصدمة.

أَمّ الفقي المصلين لصلاة العصر ثم دعاهم لصلاة الجنازة على حفيده ابن ولده حسين من إحدى جواريه.

كان تقديم الطفل على تلك الصفة صفعةً أخرى لم يتوقعها الجد القاتل، فقد برّر الفقي قراره ذاك لضرورات الحماية، غلق الأفواه

التي قد تسمع بقصة مختلفة عن مصرع الطفل، وتجنيب المتسبّب العارَ والمشاكل التي لن تتوقف عن ملاحقته لوقتٍ طويل، لن يكون أقلّها خسرانه احترام الناس له وضياع هيبته. فهناك شرّ القائمقام الذي سيستدعيه للتحقيق والتوقيف، سوف يشرع في ابتزازه وإذا ما أنكر ورفض الدفع سيعرف كيف يأتي بشهود ويدبّر له قضية متكاملة الجوانب لن يعرف مدى حياته سبيلاً للخروج منها. بل إن الحادثة لن تقف عند ذلك الحد أيضاً، فهناك أطراف أخرى منافسة ومعادية ستوظّفها بشكل سيئ للنيل منه؛ إنهم خصوم السوق الأشداء، من سيساعدون الجارية على الذهاب إلى القاضي وتقديم الشكوى. سيكونون قد وضعوه في أفواه الناس حتى وإن لم تربح الجارية الشكوى كما هي العادة، لكنهم سيكونون قد استخدموها لهدمه وقد تمّ.

إنه في غنى عن كل تلك الأزمات، بتقديم الطفل على أنه ابن جارية من شاب في مقتبل العمر. لن يبالي أحد بالسؤال عنه، كثيرون يدفنون أبناء الجواري وسريعاً ما تذهب المسألة للنسيان بمجرد مغادرة الجامع أو الجبّانة، لاسيما إذا كان الأب الذي جامع الجارية مجرد غلام يتلمّس طريقه إلى عالم الرجولة.

ثم إن الفقي صديق مخلص وناصح أمين، لا يستطيع الذهاب خفيةً إلى المقبرة من أجل إخفاء جثة إنسان صغير قتله جبروت جده. سيدركه حارس المقبرة وحفار قبورها، الذي يعرف قصص جميع الموتى وسير حياتهم وكيف ماتوا، بل لا تغيب عنه حتى قصص الساحرات اللواتي يهبطن من السماء ويذرعن المقبرة طيراناً ليحلبن

القمر في قدح أسود فوق أحد القبور لينشقّ أمامهن وتخرج يد الميت فيلتقطنها لعملٍ الكسكسو وبعد أن ينتهين يعدنها إلى القبر ويغلقنه بسكب ما في ذلك القدح من حليب.

مثل ذلك الحارس الذي قدّر حجم ولون القدح في الأقصوصة، كيف له أن يطوي قصة طفل يدفنه رجلان من أعيان البلد تحت جنح الظلام وفي عجالة؟ لن يجدوه في الصباح إلا وقد خرج من القبر كمعجزة، وحارس المقبرة يريه للناس قائلاً إن الذئاب الجائعة هي من حفرت القبر الطري ليلة أمس وأخرجت الجثة المسكينة، ولولا تدخله لأكلتها. فمن هو صاحب القبر الطري المحفور ومن هم ذووه ليأتوا ويدفنوه من جديد؟ هكذا يتقاضى حفارو القبور أجرتهم عندما لا يكون هناك موتى جدد من الأعيان يوارونهم الثرى ويقبضون عنهم مقابلاً مجزياً يليق باسم العائلة.

إن منح حسين أبوة الطفل سيعطي الجد حمايةً كاملة ويمنح الراحل مكاناً لائقاً من الأرض لا تنبشه الذئاب ولا الكلاب ولا حارس المقبرة. حتى وإن جهر العبيد بالواقعة وخرجت إلى العلن، لن يصدق أحد خرافاتهم الكثيرة وأقاصيصهم المستوردة من أفعال التجسس، فالعبد لا تؤخذ شهادته ولا تُقبل إفادته، فكيف بروايته؟

الفقي لم يتّخذ تلك التدابير لصالح نفسه، إنما إخلاصاً لصديق عمره ورفيق دربه الذي لم يدّخر وسعاً في نصحه ومساعدته دائماً.

كفكف الجد الحقيقي دموع أسفه في صمت وتخفٍّ خلال صلاة الجنازة، فيما الفقي لم يرفّ له جفن، وظل حسين قريباً من الجثة الملفوفة في الكفن، لا يرفع رأسه عن الأرض إلا ليمدّ يده في

صمت لمن يقدمون التعزية، يدعمه عبدان عن يمين وعن شمال في قبولها، يبدو بذقنه الطويلة وجلباب الدراويش الواسع كما لو أنه ميت اقتيد من قبر لتمثيل دور الحي.

قال الفقي إن ابنه واقع تحت وقع صدمة فقدان طفله الأول الذي أحبه، وهو بالكاد أدرك مشاعر الأبوة حتى فقدها. لقد كان يجهّز لإعلان أبوته له غير أن الموت تداركه سريعاً: شرق الطفل وهو يرضع أمه فاختنق فمات.

حسين لا يخرج للناس كثيراً، وهو غير معروف للكثيرين، ملتصق بالبيت أكثر من السوق والشارع، وقلة كلامه وهدوءُه صفة يدركها فيه من تربطهم قربى بالعائلة، يقولون إنه ورثها عن أمه، لذلك هو لا يشبه صورة الرجل الذي يعتلي منبر المدينة ليقود الجميع ويتدخل في حياتهم ويفتي في كل شيء - إنه ظل أعوج له.

ما فعله الفقي يهوّن على صديقه المسألة أمام الناس، أما مع نفسه فالندم والحسرة يأكلان قلبه. كيف حدث كل ما حدث وهو لا يعرف؟ لماذا لم يخبره الفقي بالحقيقة؟ لماذا أخفاها عنه حتى قتل بيديه حفيده الذكر الذي انتظره طويلاً؟ وربما لن يرى بعده ذكراً في العائلة، إذا ظل محمد ينجب الإناث وظلت العائلة لا تجرؤ على طرح فكرة زواجه مرةً ثانية، خشية الشقاق العائلي وتبعاته.

لماذا لا يبدو الفقي متأثراً لموت طفل محمد ويشجّع الجد على نسيان الأمر وعدم تهويله، فما الميت إلا قطعة لحم طرية نصفها لخادم؟

- ولكنه حفيدي الذكر وقد لا يتسنّى لي رؤية غيره.

قال السيد امحمد الكبير.

- انتهينا يا رجل. لماذا تندب مثل النساء؟ البركة في أولادك الآخرين إن لم يقسّم الله لمحمد ذكراً غيره.

- لكن لمحمد مكانته الخاصة به.

- ادفن الصغير وادفن معه كل الحكاية، ثم تصرّف في الشوشانه وجه النحس قبل رجوع ابنك. الخادم والفرس إذا أتى معهما الهرج والمرج ليس هناك أفضل من بيعهما والتخلّص من شؤمهما.

- صرت أخشاها وأخشى طالعها عليَّ.

- إذن دعها لي وأنا سأتصرف معها.

وفي طريق العودة من الجبّانة قال له:

- بعها لي، سأخلّصك وأخلّص ولدك منها دفعةً واحدة، ونخصم ثمنها من الدين. ها، ما رأيك؟

هزّ الشيخ رأسه موافقاً وكان يفكّر في شيءٍ آخر.

كان محمد لا يكترث لمسألة إنجاب ذكر أو الزواج من أخرى، فهو لا يتكلم عن الأمر ولا يعلم برأيه فيه أحد. تقدّر شقيقته فاطمة أن سبب لامبالاته هو وجود تعويضه وطفلها، وقد فهمت العائلة بعد تكشّف حقيقة أبوته للطفل لماذا كان هادئاً ولا يتكلم - كان يتحيّن الوقت لإعلان أبوته.

ليلة دفن الطفل كانت قاسية على أمه، لم تتوقف فيها عن البكاء ولم يفلح أحد في إسكاتها. سقاها جاب الله وعيده اللاقبي[1] ليومين كي تبتعد قسرياً عن الشعور بالألم، كان جاب الله يأتي به ويسقيانها حتى

١ اللاقبي: نوع من الخمر المحلي المستخرج من النخيل.

تفقد حركتها ثم تنزع عنها عيده ملابسها بمساعدة خادمتين أخريين وتنظفها وتضعها في الفراش. في اليوم الثالث طلبت اللالاعويشينه من عيده أن تجمع لها أشياء تعويضه في صرة، لأن عربةً ستأتي وتقلّها إلى مكانٍ آخر. العائلة لم تعد تتفاءل بوجودها في البيت.

كانت عيده تنظفها وهي تبكي وتسندها لكي تنتبه لها قليلاً:

- قومي يا تعويضه واسمعيني، سيبيعونكِ، انهضي واسمعيني.

ولم تكن تجيب سوى بترديد: آه آه آه!

دون أن يكون الأمر جهراً، غادرت تعويضه البيت مع صرة صغيرة تجمع كل مقتنياتها، باعتها اللالاعويشينه للفقي، وكتب عقد البيع وفقاً لصيغة تثبت بها أن تعويضه اشترت حريتها من السيدة مقابل عملها عند الفقي، ستظل عنده حتى يستوفي منها ثمنها كاملاً، لن يكون بوسعها المغادرة ما لم تسدّد الدين، وفي حال هربت تُعتبر عبدةً ناشزاً يتوجّب على من يجدها إعادتها لربّ العمل وإخضاعها للجلد في ميدانٍ عام بأمر قاضي المحكمة الشرعية، وعلى عناصر الضبطية المساعدة في عمليات البحث والقبض والإعادة.

إن المرأة الحرة متى تخاصمت مع زوجها ورفضت العودة إليه وطلبت الطلاق تُكتب عند القاضي الشرعي "ناشز" لتبقي طيلة حياتها هكذا معلّقة باسم الزوج الذي ماهو بزوج وما هو بطليق، فلا تملك خياراً آخر، وهكذا لن يمسسها رجل بعده. إذا رفضت الحرة زوجها وهي حرة انتظرها هذا المصير، فكيف إذن بجارية؟

في الوقت نفسه كان ثمة اتفاق آخر لم تعلم به اللالاعويشينه بشأن الجارية، حيث في الربع الأول من مدة البيع ستُباع تعويضه لشقيق

السيدة رقية زوجة محمد، وهو تاجر من مصراتة، ليصبح هو المالك الجديد، الذي عليها الاستمرار في دفع ثمن عتقها له إذا ما وافق الفقي على تركها له في الجزء المتبقي من فترة تحريرها.

أي إنها ستصبح حرة في مصراتة؛ أقسى أماكن عمل العبيد!

كان الاتفاق شائكاً وشرعياً للنخاع، أيسر ما فيه هو أن اللالاعويشينه استطاعت استكمال مجموعتها الفريدة من التكاليل بثمن تعويضه!

حضر عبد بعربة وانتظر إخراج تعويضه من حوش العبيد. حملها جاب الله بين يديه وهي غائبة عن الوعي تماماً. كانت عيده تبكي وجاب الله كذلك، صامتين، ليس بوسعهما فعل شيء لوقف الألم الذي ينكبّ على روح تعويضه وحدها، فيما فاطمة تلوم أمها وتنذرها بعاقبة غضب شقيقها الذي لن تمرّ الحادثة عليه ببساطة مهما مسحوا الساحة قبل رجوعه. كانت لالارقيه تقف في شرفة غرفتها ترقب عملية ترحيل الجارية، تحرّك مروحتها بخفة ذات اليمين وذات الشمال، وشيء من هدوء يعلو ملامحها. أرسلت في سرية تامة خادمتها الخاصة للفقي كي تعرب له عن شكرها لمساعيه في استبعاد الخادمة. استلّت له من عقدها حبتي "فردغ"[1] وضعتهما في قطن وأرسلت بهما الخادمة.

كان الجميع يستعجل الجميع، بينما الخادمة يأخذها السكر إلى عالمٍ آخر مليء بالسكون وعدم التآمر، ولا يوجد فيه سوى ملامح صندوق صغير لن يعود وحبيب قد يأتي وقد لا يأتي.

---

١ الفردغ قطع ذهبية بشكل وحجم نواة التمر.

لي جرح ماكن مابري سطاره
نريد نجحده خايف نموت بناره
والله قليل نجايا
وامتا نطوله ياعرب مشكايه
ويفرج المولى في غايتي ورجيا
ويخطر عليا اللي معايا داره
عندي جرح غير يسطر
فايض عليا بالقيوح يقطر
والقلب عندي اليوم غير يفكر
جابد سريب اللي بعيده داره
مابري سطاره
خايف علي روحي نموت بناره
لي جرح خافي

توسّل

دخل العبيد بحقيبتي السيدين وأشياء أخرى صحباها للبيت. انطلقت زغرودة من فاطمة حالما سمعت بوصول الغائبين، إذ كثيراً ما تغرق السفن عند دخولها أو خروجها من البوغاز. زغردت فاطمة لهذا الأمر، فمشارف بنغازي البحرية وعرة وكم تحطمت فيها من سفن ومراكب وتلاشت أرواح وتجارة.

تبعت زغاريد فاطمة زغرودة ضعيفة قصيرة من اللالاعويشينه، المنهمكة بجدل شعرها، حين جاء أحد الخدم وأخبرها بوصول السيدين.

الارتباك، اللحظة الثقيلة غير المستحبة، نبضات القلب العالية، صدمة الابن العائد، المخاوف مما سيكون بعد معرفته بمصرع الطفل.

كان والده يفكّر كثيراً فيما سيفعله، حتى أنه بعد حادثة الرضيع فكّر في استبعاده اختيارياً وإبقائه في مالطا للتجارة، إلا أنه عاد.

– أين تعويضه؟

– هربت بعد الحادثة.

- إلى أين؟

- لا أحد يعرف.

- لا أصدقكم، اتفقتم على الصمت.

- وأين سالم؟

- المسكين مريض... ليرحمه الله.

- ما به، أم أنكم لا تعلمون عنه هو الآخر؟

- مذ ضربه أبي بالمعزقة وهو طريح الفراش لا يتحرك.

- أين هو؟

- في ركنه، يقوم بشؤونه الخدم.

تقدم محمد باتجاه براكة سالم يملؤه غضب الفجاءة. كان وقع خطواته على الأرض قوياً وفي صوته يختلط الغضب المجنون بالعبرة المكظومة. لا يمكن أن يكون ما حدث حقيقياً ومؤلماً ومؤسفاً لهذا الحد. رأته الخادمة الصماء وهي تكنس أمام البراكة، توقفت حالاً مستندةً بمكنستها إلى الجدار، لم يعد يتحرك فيها سوى حدقتيها.

دفع باب الزينقو ودخل، كان المريض في الزاوية المظلمة عبارة عن كومة من الأغطية والشراشف. كان المكان نظيفاً ومكنوساً للتو، إبريق شاي على الكانون ورائحة بخور ووجه سالم النائم منتفخ إثر الضربات التي تلقاها، حطمت المعزقة أنفه وساقه وشجت رأسه. بالكاد فتح عينيه عندما شعر بأحد يقترب منه، ظنه أحد الخدم أو "الساكتة"، قطته الأثيرة. كان في شبه انقطاع عن الطعام، يكثر فقط من الشراب.

قال له القادم:

- الحمد لله على سلامتك.

تمتم العبد بعد لأي وهو بالكاد يستطيع فتح عينيه:

- الله يسلمك يا سيدي.

قال: "سالم..." ثم سكت لحظات والعبرات تخنقه لكل شيء، حتى لحال العبد كيف ألفاه، ثم إذ به ينحني على يده المنسدلة من السرير ويقبّلها في حركة غير متوقعة. سحب العبد يده سريعاً ووضعها على رأس سيده.

- سامحني في حقك، سامحني... واذهب فأنت عتيق، سيكون كاغد حريتك في يدك اليوم، وسأكلّمهم ليأخذوك إلى المستوصف.

تمتم العبد:

- أنا عبد لا يملك شيئاً يعطيه، لا يملك حتى نفسه.

- بل سامحني مسامحة الحر للعبد. أصبحت حراً أما أنا فلا.

لم يتكلم سالم، لم يشكر سيده على حرية ثمنها الدم والألم وموت الرضيع، انحدرت الدموع من عينيه المغلقتين على جنبات وجهه واستطاع أن يلملم فمه المشقوق شيئاً يتمتمه:

- على ماذا أسامحك؟ لم يكتب الله نجدة الصغير.

- فعلت ما كان عليك فعله وأكثر.

ونادى كي يجهّزوا العربة إلى المستوصف، ثم اقتعد عتبة حوش العبيد ونشج بصوتٍ مسموع، صوت لا يخجل أن يقول: من حقي أن أبكي وإن كنت رجلاً في عالم قليل الرأفة، أنّث الدموع واحتكر شعور الفرح للذكورة، من حقي أن أبكي متى كنت حزيناً وفقط.

لقد كان ابني يا رب، استودعتك إياه وأمه عندما ذهبت، فلماذا لم

تدافع عنهما؟ لماذا لم تنزل رحمتك في قلب أبي وأمي؟ لماذا أنزلتها في قلوب من لا حول لهم ولا قوة ونزعتها من ذوي الحول والقوة، لماذا يا رب لماذا؟

ذهبت العربة بسالم الهوينى. لحقت بها قطته البيضاء مسرعة، وقبل أن تغادر الشارع الترابي الطويل نجحت في القفز إلى طرفها والجلوس عند رأسه.

رُوحٌ جاثية في جسدٍ واقف

جاءت امرأة ملتحفة في فراشية في غير ما وقت الصلاة وطلبت الحديث مع الفقي في الزاوية التابعة للجامع. سلّمت وقالت له إنها رقيه بنت زمزم، دون أن تكشف عن وجهها، وعلى سبيل التعريف الدقيق قالت إنها صاحبة "الفردغتين في القطن". أدرك الفقي من هي حالما سمع الفردغتين فبادلها التحية بشيءٍ من الترحاب طالباً منها عرض حاجتها التي دعتها للمجيء إليه، وقد كانت النساء تأتيه أحياناً للاستفسار عن شؤون دينهن وما يعضل لهن من أمور.

قالت المرأة:

– جاء بي الوعد يا شيخنا.

فردّ الفقي:

– الوعيد أهم من الوعد إن جاء من فوق يا ابنتي.

باستغراب قالت:

– ومتى جاء؟

تنحنح مبسملاً مسبّحاً في ثقة ثم قال:

– في ليلة خميس يا ابنتي. صلّيت الفجر ووضعت رأسي بعد

الصلاة فأخذتني غفوة قصيرة رأيت فيها شيخاً بثياب ناصعة البياض، له أجنحة كأنها الجبال، يقول لي: "افتح الباب يا حمد افتح الباب!" وكنت آنذاك نائماً حتى في المنام، وإذ بي أصحو وأسأله: "أي باب يا مولانا؟" فيجيب: "افتح أنا جبريل رسول سيدي عبد السلام الأسمر إليك"، فقلت حينها: "الشيء لله يا رجال الله!"، وكنت وجلاً، فقال لي: "لا تخف، سيدي عبد السلام ايعر وما يضر (يزور ولا يقتل)، يودّ منك إطلاق سراح الجارية"، فقلت له: "ليست لدي جارية يا مولانا"، قال: "تلك المحتجزة عندك، ثم اذبح عنزةً سوداء لا يخالطها بياض ووزّع لحمها وعظمها وكرشها وجلدها في السوق على الفقراء، وإياك أن تدخل فمك ذرةً منها حتى لو كان مرقها أو رأسها أو قوادمها". سامحيني يا ابنتي، لا أستطيع الإيفاء لك بالوعد، فعلامة السماء واضحة وليس أوضح منها سوى النبوة. سيكون سيئاً عليَّ وعلى بيتي وأهلي وولدي الاحتفاظ بها وعلى كل من تدخل إليها قدمها. إن لشقيقك في مصراتة مال وجاه وولد وسعة، ومتى دخلت عليه ستدخل بالضيق والكروب والمصائب، حفظنا الله وإياكم! سيقال، كعادة الناس هناك في التقول، إن أخته حسدته فأرسلت له خادماً منحوسة عكست له الطوالع. يا ابنتي، الخيرة في ما يختاره الله، وقد قال ذلك الولي الصالح الذي زارني، فإن كان لكِ رأي آخر بعتها لكِ وأخليت ذمّتي منها. أما الفردغتان فليست لي بهما حاجة، فلا هما تناسبانني كرجل ولا تؤلّفان عقداً لزوجتي، وضعتهما مذ وصلتاني عند الصائغ وسأرسل من يعيدهما الساعة، أما إن رغبتهما مالاً نقدتكِ الآن.

وضع يده في جيب فرملته، فهبّت السيدة مسرعةً من مكانها ساجدةً أمامه مقبّلةً يديه ومانعةً إياه بخجل، ثم قالت:

- حاشاك يا شيخنا، ماجئت أستردهما أو أتكلم عنهما، جئت أطلب البركة والمشورة الحسنة.

قال الفقي بشيء من الطمأنينة:

- سواءً ذهبت لمصراتة أو لناحية أخرى، المهم هو خلاصكم منها ومن تأثيرها السيئ، هذه لوحدها تستلزم مائدة شكر.

فهمت السيدة الصغيرة ما يلمّح إليه:

- سنعمل مائدة شكر يا شيخنا، تكونون على رأسها، بمجرد أن يرجع سيدنا من بلاد النصارى.

- حفظك الله يا بنيتي ورضي عنك.

- بارك الله فيك يا شيخ ومدّ في عمرك، ادع لي يرزقني الله بذكر ويهدي زوجي لطريق الرشاد.

- تمّ يا ابنتي، تم.

عادت المرأة إلى بيتها في حالٍ من الانشراح، تغمرها سعادة روحية وتملأ نفسها مشاعر الفوز، زوّدها الفقي بقنينة ماء مرقى، رشّت منها فراشها ومسحت بقطرات منها على وجهها وأطرافها، ثم خبأتها أسفل سريرها، آملةً أن تعينها في تغيير حياتها والإتيان إليها بذلك الحب الذي طالما افتقدته من زوجها.

قبل أن يغادر الفقي الزاوية أوصى العبد بتعبئة كل قناني وتنكات المياه الموجودة في حمّام الجامع من الحنفية العمومية، لا يجب أن يخلو جامع أو زاوية من الماء، مياههما ليست كأي مياه، تصبح

شافية بعد أن يستبدل الشيوخ خصائصها العادية بما فوق العادية، وهم يقرؤون القرآن، واضعين أصابعهم وأنفاسهم فيها. ذلك كفيل بإضافة خواص سحرية وعلاجية تمنحها القدرة على مقارعة علل النفس وأسقام البدن، ما ظهر منها وما بطن.

محمد المفتون بجارية سوداء، نهبت روحه حتى صار لا يرى جمال وفتنة زوجته الشابة الصغيرة البيضاء المليحة، لا بدّ له من معالج، لا بدّ للقرآن أن يتدخل ويعيد إليه رشد روحه المنهوبة بملذّات التسرّي. إن الشيطان يسكن حيثما تكون المتعة، يغري بها ويطيّبها للناس، فيجربونها مرةً تلو أخرى حتى يدمنوها، مغيبي العقل والإرادة. محمد سحرته الزنجية السوداء، والكل يدرك أنه مأخوذ بها أخذ مجنون وليس أخذ عاقل، لكن لا أحد يقول كيف أدرك الفرق ما بين الجنون والعقل؟ ألأنه لم يعشق كما يعشق الرجل أم لأنه يملك أن يكون عاشقاً عندما يريد وكيفما يريد؟ وكأنه يتنافى أن يلتقي العشق والإرادة إلا في مسحور أو مجنون!

محمد الذي للجارية ليس محمد الذي لأهله وللناس، ذلك ما يصنعه الحب. وأولئك الذين يستكثرونه على غيرهم لأنهم غير مخصوصين به يعملون على ألاّ يكون أو يستمر، ملصقين به اسم السحر، مرسّخين القناعة بأنه محض شعوذة شيطانية تصيب القلب، تشريعاً لمحاربته بكل السبل، وأغربها على الإطلاق السحر نفسه!

ظل محمد يبحث عن محبوبته السوداء، أين تكون؟ وإلى أي مكان نُفيت؟ ذهب وفتش عنها في أماكن الزنوج، لربما اختبأت هناك باسمٍ غير اسمها، ذهب وسأل عنها تجار الرقيق في المدينة

فلربما عُرضت عليهم، أغراهم بالمال لكي يجدوها. ذات يوم أرسل في طلبه أحدهم كي يحضر إلى البازار، أسرع إليه يحيطه وجه تعويضه كما رآه آخر مرة. صعد درجات السلم الخشبي إلى العلية مسرعاً، وجد أمامه شابة زنجية جميلة، ظنّ التاجر أنها التي يفتش عنها. ذهب إلى سقيفة عرض الجواري أعلى سطوح دكان النخاس، وتفحّص حبيبته بينهن، إنهن جوارٍ جديدات جيء بهن من السودان وما زلن يتكلّمن رطانته، بينما حبيبته محلية ولدت هنا من آباء سود كانوا جيلاً ثالثاً للرقّ، وهي ليست جميلة كما يظن تاجر الرقيق أن لا رجل أبيض يكلّف نفسه عناء التفتيش عن جاريةٍ مارقة ما لم تكن فاتنة الجمال.

إن تعويضه جارية وسيمة لكنها ليست بجمال الفتيات الزنجيات اللائي عرضن في سطوح الدكان؛ هؤلاء شابات صغيرات جديدات عرضن للبيع في ملابس مخصصة تغري الشارين، دهنت أطرافهن بزيت الزيتون فصارت تلمع ورسمت شفاههن بلونٍ أسود وأحيطت عيونهن بالأثمد فازدادت حدةً وجمالاً. كان سوقاً للجمال من لونٍ آخر، لم يجد فيه محمد جميلته، فغادره حزيناً وعاد خائباً إلى دكانه. أين يمكن أن تكون ذهبت؟

لكم تبدو بنغازي كوية الملح[١] خالية من الملح ودون طعم بدونها!

– لماذا لا تستطيع نسيانها؟

سأل علي.

– حاولت كما يحاول الرجل الشجاع ولم يمكنني.

– لماذا لا تأخذ أخرى غيرها؟

---

١ اسم من أسماء بنغازي القديمة، كوية أو قرية الملح، لشهرتها باستخراج الملح.

- أنا لا أبحث عن جسد يتشابه عند كل النساء، أنا أبحث عن روح مختلفة لم أجدها إلا معها، لم تُعطَ إلا لها، فما الجدوى لو كنت كل يوم مع امرأة لا تمتلك تلك الروح التي أحب وأريد؟

أين يمكن أن تكوني يا تعويضه؟

ما من أحد يعرف أين مضى بها العبد المجهول على تلك الكروسة الغريبة، من أهداها لمن، من باعها لمن، من اشتراها ممّن؟

لا أحد يكترث بعبد في هذه البلاد عدا تاجر أو عاشق.

الخرقة والدرويش

كان حسين منزوياً في ركن من أركان الزاوية يقرأ القرآن مغمض العينين مثل المجذوب، يردد في تكرار رتيب الآيات نفسها، يراقبه والده بين الحين والآخر لعله ينجح في تحويله إلى مريد حقيقي، صار ذلك دأبه منذ أن اختار والده هذه الطريقة للخروج به من العزلة بالعزلة.

توقفت كروسة يقودها عبد أمام الزاوية. نزل منها سالم يساعده عبد ويدعمه عكاز. يعرف سالم أين يجد حسين دون سؤال أحد. "لا مكان لنا في هذا العالم المالح، لا لأمثالك من العبيد ولا لأمثالي ممن جاؤوا في منتصف الأشياء. يمكننا أن نجد الراحة في عزلة اختيارية. ليس ثمة سوى الله خالقنا أو الناس، وأنا أحب الله رغم كل شيء وأكره الناس، وأخجل حقاً من نفسي لأن الله لا يريد مسلماً أو مؤمناً مثلي".

كانت لغة حسين تلك جديدة وغريبة لا يفهمها سالم، الكائن المحطّم بكل شيء. اهتزّ لوح القرآن في يده عندما رآه يدخل، ثم أدار وجهه عنه وخبّأ رأسه في اللوح مواصلاً الحفظ. قال له:

– أريدك أن تساعدني في إيجاد مكان أقيم وأعمل فيه، فقد أمسيت حراً من جانب ومشرداً من جانب آخر بلا مأوى ولا عمل

ولا حماية. إنني خائف أكثر من ذي قبل في بلاد يأكلك فيها الطير.

هزّ الفتى رأسه مائلاً على لوح القرآن وقال:

- لا أحد حرّ صدقني، لا يوجد إنسان حر، فقط يختلف المسجونون وتتباين السجون. يمكنني مساعدتك على إيجاد سبيل نجاة مؤقت حتى تبرأ آلامك، لكني لا أضمن لك أن تتوقف الآلام عن طرق حياتك.

صمتا حيناً وواصل حسين اهتزازه أمام اللوح، ثم توقف فجأةً وسأل سالماً دون أن ينظر إليه:

- هل أنت فرح بعتقك؟

طأطأ سالم رأسه بشيءٍ من الحزن ثم أجاب:

- لم أعرف الفرح يوماً، لكني أشعر بشيء من الخلاص ممزوجاً بالخوف من المجهول.

- هل تستطيع أن تكون عبد زاوية، تنظفها وتفتحها وتغلقها وتزودها بالماء، تحرق لها بخورها وتطلي جدرانها بالجير، تعدّ حبر تلامذتها وترتّب كتبها وتزيل الوسخ عن أقدام شيوخها وتذبح نعجة لضيوفها وتطهيها على النسق الذي يشتهر به الشيوخ في أي ساعة حضروا؟ هل تستطيع أن تسوق عربةً من النار وتذرع بها شوارع المدينة في المولد، وتسخّن البنادير للمشائخ وتلبس على ظهرك طبلة يضربها طبّال من وراءك؟ هل تستطيع مسح بقايا الطعام والشراب التي يقذفها الهائمون من أمعائهم في فضاء الزاوية وهم يسبحون بالحضرة في ملكوت آخر؟ هل تستطيع أن تحرس هذا المكان من أن يدخله شيطان أو نجاسة؟ هل تستطيع أن تحمل كبشاً على ظهرك وتسير به وراء شيخك حتى تصلا

المرابط، دون أن تتعب أو تتوقف عن المشي؟

دمدم سالم:

- نعم، نعم. عملت أعمالاً كثيرة في حياتي أكثر قسوةً من خدمة الزوايا.

- أنت رجل مريض تؤذيه كثرة الحركة، لكنك ستكون إنساناً عظيماً قريباً من الله إن التحقت بالزاوية. عالمٌ بعيدٌ عن عالم المواشي الذي كنت فيه، لربما تصبح يوماً ما مريداً خيّراً، من يدري ما تخبّئه الأقدار؟ سأكلّم والدي كي يجد لك عملاً في زاويتنا أو في زاوية أخرى، والدي واسع الحيلة وأصدقاؤه كثر.

- ألا تريد أن تعرف كيف نلت حريتي؟

- ما أعرفه عن الحرية كافٍ. كل العبيد يحصلون على حريتهم إما كهدية من أسيادهم على عملٍ قدّموه أو على إثم ارتكبه الأسياد ويريدون التكفير عنه. لا يُسمح لعبد أن يناضل مِن أجل حريته، النضال عقوق يستوجب التأديب، أما الهبة والتكفير فلا، لأنهما إرادة السيد لا إرادة المستعبد.

ومضى يقرأ القرآن ويهتزّ لوحه الكبير أمامه وهو مأخوذ بعالم جذبٍ جديد، تدمع فيه عيناه لكنهما لا ترتفعان لرؤية شيء غير آيات الذكر الحكيم.

حدّق فيه سالم مستغرباً ما صار إليه، ثم قال له وهو يغادر:

- هل تعلم، يا طيري، أنك صرت أجمل بلبسك الخرقة؟

ردّ الفتى:

- أنكرتُ بها نفسي.

اقتفاء روح من تحب

مذ عاد محمد من مالطا حرص على ألاّ يقابل أباه، تحاشى رؤيته بسبب موت الصغير. هجر البيت وذهب ليقيم في براكة تعويضه.

كانت صفعة قاسية لأبيه وأمه وزوجته عدم رغبته البقاء معهم أو التحدث إليهم. كانت فاطمة تأتيه بالطعام والشراب وتجلس معه هي وابنها لساعات، يفتح قلبه المجروح لها ويبكي ويتحدث عن وجعه بحرقة، فلا يكون منها إلا مواساته والتخفيف عنه ببعض الكلمات المهادنة.

كان عزوفه وصدّه يخيف أمه ويؤلم أباه ويكسر قلب زوجته، حتى قرر والده ذات يوم أن يذهب إليه ويبادره بالكلام. كان مستلقياً على الفراش عندما دخل، ظن القادم علياً أو فاطمة، لكنه كان العجوز الجبار، وضع عكازه في خاصرته ونكزه به في جنبه نكزات قوية.

- انهض ودع عنك سلوك النساء هذا، أكل هذا من أجل شوشانه مشقوقة الشارب غليظة الحافر؟ انهض، جعلتنا أضحوكة الناس. سيكون عاراً ما بعده عار إن سمع أصهارك بما تفعله، تترك زوجتك وبناتك حزناً على خادمه؟ عجباً والله، من منكما عبد الآخر، أنت أم

هي! انهض عليك اللعنة.

- ما يوجع قلبي ويكمده هو موت صغيري في بيتي جوعاً وظمأً، فهل أوجع ذلك أحداً فيكم؟

ارتبك الشيخ قليلاً من ردّ ابنه، ثم وكأنه لم يسمع شيئاً دقّ عكازه بالأرض:

- الآن صار ابنك ويوجعك؟ مذ ولد أنكرته ورضيت أن يعيش بجانبك في صندوق كرتون، بخلت عليه حتى بمهد أو بلباس مثل الأطفال ذوي الأصول، الآن يخطر لك أن تبكيه وتولول: ابني ابني!

- ردّه إليَّ ودعني أعترف به وأختنه وأشتري له ما يشتري الأب لولده دون تدخّل منكم. هل تتركني أفعلها؟ إنني حتى لم أختر زوجتي ولا أسماء بناتي فكيف لي أن أفعل مع جارية جنيت عليها معي؟ الذنب ذنبي، أنا جبان طيلة حياتي أخافكم وأخشى غضبكم، أنا لست رجلاً معكم ولا سلطة لي على شيء.

- صار لك لسان تتكلّم به أيها المغضوب؟

كانت اللالاعويشينه قريبة تتنصّت على الحديث، فتحيّنت اللحظة المناسبة للدخول والمشاركة:

- هداك الله يا ولدي، بناتك يسألن عنك ويقلن: ما به أبي؟ لا أعرف بمَ أجيبهن. ما ذنبهن وذنب زوجتك الصابرة على جفائك وهجرانك؟ هل يرضي الله ما تفعله بها؟ العن الشيطان وعد إلى حياتك. أما إذا كان الأمر أمر إماء، يمكنك أن تذهب إلى السوق وتشتري واحدة جديدة كل يوم. كل الرجال يفعلون ذلك يا بني، لكن ما من رجل يتخلى عن عائلته من أجل أمة.

سكت محمد حتى أنهيا ما في جعبتهما من كلام وغادرا، عضّ يده بقوة كيلا يطلع صوته وبكي.

لا أحد يريد أن يفهم أنني إنسان وأنكِ، يا حبيبتي، حبيبتي.

***

غادر الفقي وابنه الزاوية بعد حضرةٍ عارمة شقّت فيها روائح الجاوي والوشق والبوكبيرعنان السماء، وضربت الدفوف حتى احترقت الأكفّ من دقّها، ولهجت الرقاب بالمدائح والأناشيد، ورقص المريدون والتابعون رفقة شيوخهم حتى سقطوا أرضاً. تنافس المتنافسون على بلوغ أقصى حدود الوجد والهيمان، أقصى حدّ يمكن لمنشد أن يبلغه وينفصل به عن الواقع ويعمّه فيه صفاءٌ خفيّ، حتى لكأنه في تلك النشوة محض روح تحلّق في سموات لا حجب فيها مع الله وآل البيت الكرام، يدخل الهائم بما فيها من غياب عالماً علويّاً لا يتاح إلاّ للصفوة المختارة: عالم ما فوق الاعتيادي، السمع فيه غير السمع والبصر غير البصر، تتجلّى فيه الحواس وتشفّ الرؤى، فترى ما لا يُرى وتسمع ما لا يُسمع وتلمس ما لا يُلمس؛ عالمٌ يستحقّه ذوو النفوس الزكية والهمم العليّة، قُرّاء القرآن وعارفو أسراره، من يتلونه آناء الليل وأطراف النهار ويؤمنون بما جاء فيه عن ظاهر الأشياء وباطنها دون جدلٍ أو ريب، المتعلقة أرواحهم بحب الله ونبيه، العارفون الذين أدركوا الأسباب وكُشف لهم الحجاب، رجال الخطوة والحظوة، رجال الله، الغوث المحمود أكبرهم مكاناً،

شيخ الحضرة ورأسها، من يقود المواكب في الشوارع ويتقدمها إلى دروب النور والمعرفة والحب الإلهي.

المدد المدد... الغوث الغوث.

بعدما انتهى الحفل الديني وانفرط جمع الحضرة، ربض محمد بأحد الأزقة التي يسلكها الفقي عادةً عند عودته إلى بيته، اعترض طريقه وولده. كان الأب الفقي وشيخ الحضرة يتقدّم ابنه بخطوتين، فيما الابن يتبعه كالخيال في خرقة تكشف فتحة صدرها عن عظامه الناتئة، كان بلحيته شديدة النعومة المنسابة على خديه وبالسواد حول عينيه الواسعتين يبدو كدرويشٍ حقيقي، استهلكه التجشؤ المتواصل طيلة الحضرة وأوشك الجذبُ على استلال روحه.

داهمة في الظلام سائلاً:

- إلى أين أخذت تعويضه؟

- بسم الله الرحمن الرحيم، أعوذ بالله من شر الشيطان الرجيم! ردّ الفقي جزعاً.

- إلى أين أخذت المسكينة؟

- لا أدري ولا دخل لي بها، ما علاقتي أنا بكل ما يجري في بيتكم من مشاكل؟

- تفتعل عدم الدراية؟ يا لخبثك يا شيخ! كل ما يحدث في بيتنا من تدبيرك.

دفعه عن طريقه محتداً:

- اذهب عن طريقي، يكفيني ما نالني منك.

ابتعد الفقي خطوات وصاح في ابنه الذي لا يزال واقفاً مكانه

يحملق في الوجوه ولا ينبس:

- هيا... تأخرنا.

لحق الفتى مسرعاً بأبيه، فيما قال محمد:

- ما زال الحساب بيننا طويل يا شيخ.

لم يبالِ الفقي بتهديده واكتفى بالقول:

- أعلى ما لديك من خيل اركبه.

القطة في الكيس

ظلت تعويضه محتجزة في بيت من بيوت بنات باب الله، عند سيدة تأتمر بأوامر الفقي، قال لها: "احتفظي بها كأمانة ولا تستعمليها"، ونقدها مالاً نظير إقامتها ثم اختفى. وُضعت تعويضه في غرفة وضيعة من بيت كبير به عدة غرف تحت إدارة مشددة من أقوى الخادمات وأشرسهن، كانت تجلب لها الطعام دون أن تتحدث معها أو حتى تسألها عن سبب مجيئها في حال سيئة، وكانت ترغمها على شرب دنّ من المريسا[1] وتقف عليها في الطعام والحمام وكأنها آلة لا إنسان، جامدة دون أحاسيس. عندما تسألها تعويضه: "أين أنا؟" لا تجيبها. عندما تبكي تجبرها على السكوت. عندما تلومها وتعاتبها لأنها سوداء ولا تعين ابنة جلدتها، تصفعها على وجهها دون كلام وتعضّها. عضّتها مرة في كتفها وقرصتها قرصات دامية في فخذيها. أدركت نوعية مكانها الجديد ممّا سمعته من قهقهات العاهرات وجلبتهن مع الزبائن، أدركت أنها انتهت إلى المكان الأسوأ في العالم. الوجوه التي تطلّ عليها في غرفتها وجوه عاهرات كبيرات عريقات، في كامل

١ المريسا: نوع من أنواع الخمور المحلية الصنع.

زينتهن حتى دون عمل، وتلك التي تراها من نافذة غرفتها وجوه ناشئة صغيرة تمتهن البغاء بلا توقف. كان البيت خليطاً من نساء سوداوات وبيضاوات، جميلات وقبيحات، صغيرات وكبيرات، كانت لهن رئيسة وإدارة ومهام محددة، فالماشطات يقمن بغير ما تقوم به مَنْ مهنتهن نتف الشعر والتنظيف، غير الذي تقوم به المجمّلات وواضعات الصباغ والحناء والسواك ومدلّكات الحمّام والمجهضات أيضاً. كان لكل عمل تسعيرة محددة وقواعد.

كانت عينا الشوشانه جاحظتين وهيئتها ضخمة وقسوتها غريبة، تنفّذ الأوامر بدقة ولا يبدو أنها تتأثر بشيء، حتى ولا بما يُدفع لها من بقشيش أو إتاوات.

أما صاحبة البيت فهي عجوز قصيرة نحيلة متصابية، شفتاها مصبوغتان على الدوام بالسواك، وأطرافها تعلوها الحناء، ترتدي أردية حريرية فاخرة وكردية جميلة التطريز وحليّاً كثيرة، تستمتع بمضغ اللبان وشتم عاهراتها الصغيرات بألفاظ نابية عندما يتكلّمهن لأمر ما، وهي دائمة الترنّم بأغاني المرسكاوي، تضع كرسيّاً في منتصف البيت أسفل شجرة نارنج وارفة وتتسلّى بالتطريز وتدخين التبغ ومراقبة الزبائن.

دخلت ذات يوم على تعويضه غرفتها وسألتها لماذا لا تتوقف عن البكاء، فقالت لها تعويضه إن طفلها قتل أمام عينيها حديثاً وهي يائسة ومكلومة. صمتت المرأة بشيء من التأثر وتركتها، ثم فوجئت بها في يوم آخر تعرض عليها النسيان وتجاوز الأزمة، فهموم الدنيا الكثيرة تصبح ألزم لحياة الإنسان متى تأثر بها وألقى لها بالاً، وأنّ عليها أن

تنسى أمر طفلٍ صغير وحبيبٍ أبيض استمتع بها ومضى لشأنه، عليها أن تستمر في حياتها دون تملّك شيء أو الحزن على فقده، فهي مازالت شابة مليحة تستطيع صنع حياة لائقة لها إن التفتت لنفسها ولملاحتها واهتمت بهما. أما الولد فلا قيمة له لجاريةٍ سوداء، لن يمثل إلا المزيد من المعاناة، سيؤخذ منها ويباع كرقيقٍ أو يعترف به والده ويصبح عبداً لأشقائه البيض، أوعندما يشبّ يأخذه الحاكم جندياً يقاتل به في مكان ما من أجل دولة الخلافة. الولد لن يصنع لها حماية أو يمنحها مكانه، عليها ألاّ تنخدع بالوهم إن سمعت مرة أن جاريةً نالت حريتها بما يُعرف بنظام "أم ولد"، فذلك لا يحدث إلا في الحكايات الفارغة. في الواقع ولقرون مديدة كانت القوافل تأتي بالإناث أكثر مما تأتي بالذكور، وكلهن صرن "أم ولد"، لكن دون أن تنتهي العبودية ويتحرر منهن أحد، بل، على العكس، انتشر البغاء وأطفال المواخير الذين يُرمون في الشوارع ويوضعون على عتبات المساجد!

عقب ساعة من الحوار، جلبت لها بدوياً نزل المدينة لبيع الحطب، كان يرغب في غرفة يمكث بها حتى يبيع بقية الحُزَم، وفي زنجية تؤنسه في الليل كي يحتمي بها من البرد والوحدة.

طردته تعويضه مالئةً البيت بالصراخ. خرجت عاهرات الغرف الأخرى وأطللن من النوافذ يستطلعن الحدث الغريب، بعضهن طلب إسكاتها ليتمكن من إنهاء العمل مع الزبائن، بعضهن أدركن أنها تجربتها الأولى التي ستعتاد بعدها.

قالت لها صاحبة البيت:

- اسكتي فضحتنا فَضَحَكِ الله.

وقالت الفتيات اللائي وقفن أمام غرفهن:

- في البداية فقط ثم ستعتاد الأمر ويصبح دون صوت.

أما البدوي فقال:

- اتركيها تصرخ، أحب النساء الجامحات الرافضات، خذي ما معي الآن وسأزيدك غداً، سأسكتها أنا لا عليك.

قالت المرأة وهي تعدّ النقود:

- هذا قليل جداً، ألا ترى كم هي شابة يافعة وجميلة؟ كلا كلا، لا أستطيع.

- لماذا؟

- سيعاقبني سيدها.

قال لها:

- سأزيدك، أقسم لك... غداً عندما أبيع الحطب.

قالت عاهرة صغيرة تساعدها:

- لكنها تصرخ، هناك ساكتات.

قالت العاهرة الكبيرة:

- اخرسي واذهبي لشأنكِ.

ثم غيّرت رأيها بشأن الاتفاق مع البدوي صاحب الحطب وقالت له:

- سأعطيك أخرى حلوة وصغيرة، دعك من هذه المصابة ببوري العبيد.

- أريدها صغيرة قاسية ونظيفة.

قالت وهي تربط وسطها بطرف ردائها:

- الله يخرب بيوتكم. قبيحون، قذرون، كبار، وتريدون بنات صغار ونظيفات!

أوصدت الشوشانه غريبة الأطوار الباب على تعويضه. غابت لحظات ثم عادت تحمل شوالاً، أخرجت تعويضه إلى المطبخ وطلبت منها دقّ النوى. كان عملاً شاقاً إلى جانب أعمال البيت الأخرى التي صارعليها القيام بها مجاناً، في محل إقامتها الجديد: طهي الطعام، غسل ثياب العاهرات، مساعدة الشوشانه في تنظيف الدار، تقديم العلف لحمير بعض الزبائن الذين يأتون من الضواحي وجمع روثها وتنظيف مكانها في ركن البيت.

كانت ترافق الشوشانه المكلّفة بحراستها والتي تأمرها بأداء الأعمال نيابةً عنها. فوجئت بها ذات يوم تطلب منها صبغ يديها وقدميها بالحنّاء ووضع السواك والكحل. فلمّا سألتها تعويضه: لماذا؟ أجابتها: ليس شأنكِ.

رفضت تعويضه بشدة واعترضت قائلةً لها: "كلا، لا أريد"، ما جعل الشوشانه القاسية تتخذ تدابير أخرى خاصة. فقد نادت نساء يعملن في البيت، فربطنها في السدة من ذراعيها وساقيها وعملن سريعاً على نتفها من الشعر وصبغ أطرافها بالحناء. تولّت هذه المهمة الشوشانه على وقع صرخات تعويضه، وكمن تعوّد على هذا العمل صفعت تعويضه وحشت لها قطعة قماش في فمها بعد أن نزعت عنها ثيابها بالقوة، فيما تعويضه توشك على الموت ألماً. سقتها لاقبي لكي تهدأ، فتجرعت تعويضه الكأس بغية أن يحقق الله أملها في الموت

والخلاص، وعندما خارت قواها حشرت قطعة سواك أسفل شاربها السفلي ونتفت لها حاجبيها ثم خطتهما بالكحل.

حين انتهت، كانت تعويضه قد ثملت تماماً وأخذت في الغناء حيناً والهذيان حيناً آخر. حملتها الشوشانه الضخمة على ظهرها إلى الحمّام ووضعتها في حوض الغسيل وشرعت تغسلها مثل قطعة ثياب قذرة، فيما تعويضه تسبّها وتلعنها وتكتفي الشوشانه بصفعها على يديها أو قرصها، وبالطريقة نفسها ألبستها ثيابها وحملتها على ظهرها إلى غرفتها مجدداً. كانت تعويضه أكثر هدوءاً وإعياءً.

في الغرفة التي تضوع منها رائحة البخور ويرتجف فيها ضوء الفنار، وتنسدل ستارتها الحمراء على نافذتها الوحيدة، كان الرجل الذي أُعدّ كل ذلك من أجله جالساً على طرف الناموسية ينتظر بلهفة، كان لا يصدق أنه وصل إليها أخيراً. رمتها له الشوشانه على الفراش وأغلقت الباب خلفها وذهبت. كانت صاحبة البيت تقف في ردائها الحريري الجديد تشرف على راحة الزبون الخاص بشكل شخصي، وتهتم في الوقت نفسه بإطلالتها الجديدة في رداء "المتقل"[1]. كانت سعيدة بما نالته من قروش نظير هذه الجارية التي عادل سعرها وحدها تسعيرة أربع فتيات ممن يُطلق عليهن "جريوات الكوسه"[2]. كانت تحصي مكونات القفّة التي أرسلها الفقي قبل مجيئه، وكان فيها من الطعام ومواد الطبخ الشيء الكثير. إنها سعيدة وممتنة لزبون الليلة المميز، كان لا بدّ أن تقول "الحمد لله" في نهاية ذلك اليوم، لأن

---

١ المتقل: رداء تقليدي من الحرير.

٢ جريوات الكوسه: قطع الكوسه الصغيرة.

رزقها أتاها وافراً، وأن تمنح شوشانتها القوية بقشيشاً.

همست لشوشانتها:

- هذه الخادم عرقوبها جلاب.

فاغرة العينين هزّت الشوشانه رأسها مرددةً في شبه وعي:

- نعم يا عمتي، نعم يا عمتي.

وكانت تتلمّظ شيئاً اختلسته من محتويات القفّة. تنبّهت لها سيدتها فضربتها على قفاها موبّخةً:

- يا ويلك! هل لعقتِ من فازو العسل الطبيعي الذي جلبه الفقي؟ عليكِ اللعنة، اذهبي للجحيم، لن تنالي مني البقشيش.

لمعت عينا الشوشانه أكثر وازداد شاربها تهدلاً، قالت لسيدتها بنبرة واثقة:

- بقشيشي ليس نقوداً.

- إليكِ عني يا حلامة[1]، الله يلعنك.

ومضت السيدة تدندن وهي ترتّب وضع ردائها الحريري الجديد وتحكم ربطه على خاصرتها، متابعةً جولتها الإشرافية على مسار العمل في بيتها العريق.

اللي يجنيا وقت اندزوله
مبرك يوم نهار نطوله
بو دور حرير امكسيه
اغزيل والناس اداعوله
يا محلاه ومحلا زوله

---

١ الحلامة: السحاقية.

يا ربي يجيني ونجيه
نبيه... نبيه

فتحت تعويضه عينيها قليلاً وفكّرت من مكانها الجديد في حالها، وقالت لنفسها: "لماذا يحصل لي هذا؟ ماذا فعلت من ذنب أستحق بسببه هذه السلسلة من العقوبات واللعنات؟" كانت قد نامت طويلاً وذهب جزءٌ من ثقل الوقت عنها بالنوم، لكنها ما أن صحت حتى وجدت نفسها في دوامة شائكة من الأفكار السوداء: هاهي محتجزة في ماخور بعد أن فقدت وليدها، وإن طال بقاؤها هنا فإن صاحبة الدار، المومس الكبيرة، ستحوّلها إلى غانية طال الوقت أم قصر. إنها حقاً جارية بحكم من الله، لكنها ليست مومساً كما يريد لها البعض. إنها مُبعدة قسراً عن رجل أحبته وبيت نشأت فيه واعتادته، ثم باتت عودتها إليه مستحيلة، فأين ستمضي إن تمكّنت من الفرار من الماخور؟ وهل سيتركها الفقي تمضي لحالها دون محاولات اقتفاء أثرها واسترجاعها؟

استحضرت قصص العبيد الذين سبقوها في تجارب الفرار. تذكّرت عبد الزاوية السنوسية الذي أعاده المحافظية إلى الزاوية، بعد أن هام أياماً على وجهه في الصحراء وظن أنه نجا. قطعت الزاوية يده مقابل غنمة أكلها الذئب، وهرب بسببها خوفاً من عقاب الشيخ، ليناله العقاب مضاعفاً. تذكرت العبد الصغير الذي فقأ عين ابن سيده خطأً أثناء لعبهما معاً بالعصي، فهرب خوفاً من العقاب، فأعادوه لسيده كي يقطع يده ويستبقيه في خدمته، بل إنه في ثالث يوم من بتر اليد طلب منه إعداد الطعام له بيده الأخرى. تذكّرت الشوشانه التي

هربت من مواخير فزان ووصلت بنغازي التي سمعت أن العبودية فيها أرحم من سواها، فمرت بمئة حالة اغتصاب في الطريق، وعانقت حريتها في بنغازي أخيراً مصابةً بالزهري. تذكرت من هربوا من مزارع الجغبوب والكفرة وفزان نحو الساحل، فأصبحوا متسولين لا أحد يريدهم لعمل أو شيء، تحولوا إلى لصوص وسخرة ومومسات وأخدان، صاروا أكثر من عبيدٍ، محض فضلات بشرية.

تذكرت العديد ممن سمعت عنهم ما يفطر القلب وجعاً فأغلقت عينيها بصمت وبكت.

إنها لا ترغب مصيراً مشابهاً.

تذكّرت محمداً، وكان في قلبها أمل أن يبحث عنها ويعيدها إليه في أي مكان من الدنيا. كانت تروم رؤيته أكثر من أي وقت، كانت تحب حضوره الذي يعادل الحرية والحياة وكل شيء.

قلبت عينيها في عتمة الغرفة المشبعة بالرطوبة وناجته: "تعال، تعال، أرجوك، ابحث عني كما أبحث عنك، أرجوك، دعني أسكنك كما سكنتني وأنجو بلقائك من كل هذه الأحزان. هل تراك هنا على نفس الأرض وتحت نفس السماء؟ هل يطلّ علينا نفس القمر ويغطّينا نفس الليل؟ أنا لا آكل ولا أشرب ولا أتوازن مع نفسي في شيء، تنهشني الآلام وأتوجّع تحت وطأة الجراح وينتهكني الآخرون. أيها الحبيب الذي في أشيائي وبين روحي وروحي وفي ثنايا الوقت، أهرب إليك بأفكاري كي أنسى سجني الغريب وسجاني، أهرب إليك أنا الغريقة في كل أرض لا تكون أنت بها"...

عيني بكت م الوقت مال عليها... غبا وين هي تذرف

ونا مخليها

ابكا جننها... ما فايده امفيت العما جابلها

وحق النبي ياهوه انكن داملها... صيورها متبصره عاميها

ابكا متداير... ابكا م الكدر خلا اعقيلي حاير

في كل يوم امجدد معاي قهاير... وما صاحب يجي للعين ويعزيها

ابكا زعابي... ابكا م الكدر وفراق احبابي

فيكمش من يعرف دواها الغابي... اللي بيه تزها العين وينسيها

في المساء تحوّل وسط البيت العربي إلى حلقة أنس، طُرحت السجد وأُعدّت المنازل وأوقد كانون الفحم وحُرق البخور ونُسّقت جلسة سمر غايةً في الترتيب. صار داخل البيت ليس كخارجة، أنيقاً مريحاً، يخلق مسافةً بينه وبين العالم الخارجي، ما يجعله جذاباً خلاباً للعقول والأفئدة.

إنه نعيم هذه البلاد المفقود.

قدّمت صاحبة البيت الشكر للمغنية السوداء التي حضرت بفرقتها الصغيرة كي تحيي السهرة على شرف بعض الخواص. كان يتناهى لسمع تعويضه كل ما يدور وهي مطروحة في فراشها تفتح عينيها حيناً وتغلقهما حيناً، يميل عنقها باتجاه النافذة المطلة على وسط البيت، حيث تتسلل إليها خيوط رفيعة من أنوار الشموع وضوء الفنار المتأرجح بشجرة النارنج.

سُخّنت الدرابيك وقُرّبت شيش (قناني) الكازوزا مع الملاعق للضاربات عليها. توسّطت المغنية الجلسة وبدأت الوصلة بغناء موالٍ شجيّ؛ كان صوتها عذباً ساحراً.

آه ويالالالالا لي يالالالالالي
ما يطلبنش بله
يموتن عطش وما يطلبنش بله
المشكا لغير الله راه مذله
صابره عزامه
يالعين كوني صابره عزامه
والصبر حكمه والفرج قدامه
يا عيني يا داي

زحفت تعويضه على يديها من فراشها إلى النافذة عندما سمعت الغناء، جذبها صوت المغنية الشجي، أمسكت بقضبان النافذة وسحبت جسمها على ركبتيها إلى أعلى وأخذت تتفرّج. كانت حلقة سمر متكاملة، المغنية ذات الصوت الجميل منسجمة في غناء المرسكاوي، أمامها كأس من "نازلي درنه" تتجرع منه وتبدع، وبقية الفرقة تشاركها الغناء فيما الراقصات يتناوبن شغل الحلبة، بعضهن غطّين وجوههن بأوشحة طويلة ورحن يرقصن، وبعضهن احتزمن وأدّين الرقصات في خفة وليونة تشي بالاحتراف.

بكت تعويضه بعد استراحة الغناء الأولى. الجزء الثاني من الوصلة الغنائية لامست معانيه جراح قلبها الغائرة. بكت كما لو أنها تسمع

صوت نفسها وترى وحدتها في هذا العالم وهوانها على الناس:

حجروه ريدي وهو بعيد عليا...

في جانب آخر من المدينة، من ليلها المتهادي وسكونها الناعم، اقتعد محمد عتبة بيتهم مع ابن أخته بعد يوم عملٍ مضنٍ. قال له:

- لا أجدها يا علي مهما فتشت، ساعدني إنْ كنت تعلم طريقةً أخرى أو مكاناً للبحث عنها. أطلقت عيوناً هنا وهناك فلم يجدوها، أخشى أنهم غيّبوها خارج بنغازي وصارت في أرضٍ بعيدة.

ترى في أي مكان تكونين يا تعويضه؟

فيهزّ عليّ رأسه متفهماً:

- سنجدها يوماً، سنعود للتفتيش في زرايب العبيد، في البركة والكيش، رأس اعبيده والزريريعية. ادعُ الله ألاّ تكون قد أهديت لأحد أخوان السنوسية، لأن استرجاعها آنئذٍ سيكون مستحيلاً، إنهم يحتفظون حتى الموت بجواريهم، حتى من لا يعودون للتسرّي بهن.

- أنا تائه يا علي، أنا رجل مهزوم.

كان الإحساس بالهزيمة غالباً، فتعويضه أولى محاولات التمرد لابن العائلة التقليدية، في علاقتهما امتزج التمرد بالانغماس في شهوة التجربة، بالسعي لإرضاء الذات وعيشها والانسلاخ عن تبعية مطبقة متوارثة، تحرّر من كل ما يتشابه فيه مع مجتمع الناس، خصوصية يكتشفها لنفسه ويحبها، صحوة قلب مشبع بالاعتيادية، انتفاء للحدود ما بين نوع أسود ونوع أبيض، ما بين مكانة السيد ومقام

العبد، إدراك فريد ومتنوع لقدرات الذات على التشكّل من جديد. إنه يحب ذاته الجديدة معها، يكتشف نفسه المطموسة وراء شخصية أبيه حاكم العائلة الفعلي. إنه يريد أن يكون هو هو وليس ما يطلب منه أن يكونه. مع تعويضه يشعر بكل ما يفتقده في نفسه ويعيش ما لم يستطع له طولاً مع حول أبيه وسطوته. إنه محمد الذي يحبه، متكاملاً مع تعويضه التي مع اختفائها السريع والمفاجئ يختفي هو أيضاً ويضيع منه.

صحت تعويضه من النوم، تصرخ لحارستها من نافذة غرفتها:

- أريد سمّاً، أريد أن أموت، أخرجوني من هنا...

أسرعت الشوشانه إليها فور سماعها، دخلت وأوصدت الباب وراءها وأخذت تضربها بيديها الغليظتين ضرباً مبرحاً في كل مكان، كانت تتصبّب عرقاً وهي تؤدي عملها:

- موتي موتي، ألا تريدين أن تموتي؟ خذي.

نزل الدم من أنفها، وسقطت أرضاً تتلوى تحت الشوشانه التي لم تدخّر جهداً في دعكها بقدميها الحافيتين، ثم،عندما اكتفت من ضربها ودعسها، ابتعدت عنها وهي شبه ميتة ووقفت صامتةً كما لو أنّ أحداً أوقفها. كانت عيناها مشدوهة وشارباها متهدلان يعلوهما الجفاف. ظلت لحظات هكذا تنظر إلى الجثة الهامدة أمامها وتختلط الأفكار في رأسها. ألقت نظرة من النافذة على وسط البيت، كانت النوافذ كلها مقفلة وستائرها الحمراء مسدلة، الوقت ما زال باكراً وربة البيت استقلت الكارو الخاص بها وذهبت لشأن خاص؛ إنها فرصتها إن لم يتوقف قلب السجينة عن النبض. أسرعت

إلى غرفتها وانحنت تحت سريرها، أخرجت زجاجتين فيهما بقايا سائلين مسكرين، فتحتهما على عجل وتجرّعت منهما جرعتين ثم ذهبت بهما مسرعةً إلى غرفة تعويضه، رفعت جذع تعويضه على كتفها حتى أسندتها وهي لا تشعر بها، كانت تتنفس بصعوبة من فمها وتلتصق لهاتها بسقف حلقها والدم يسيل من أنفها، سقتها من إحداهما "وردي مسة"[1] ومن الأخرى "نازلي درنه"، نزل السائل على جانبي فمِها. كانت تعبّ لها الشراب وتمسح شفتيها بيديها قائلةً لها:

- اشربي، اشربي وردي ونازلي، مدى حياتكِ البائسة لم تتذوقي مثلهما. ألستِ تطلبين سمّاً؟ إنه أجمل سمّ يا صغيرتي، اشربي.

أفرغت كلتا القنينتين ما بينهما، ثم سحبت الجسد المرتخي إلى باب الغرفة، ألقت نظرة إلى الخارج ثم رفعت الجسد كاملاً على كتفها وكان رأس تعويضه يتدلى على مؤخرة الشوشانه والدم يقطر من أنفها بينما تمضي بها مسرعةً إلى الحمّام. خلعت عنها ثيابها ووضعتها في الحوض المشيّد خصيصاً للغسل، أوقدت موقد الماء لتسخين القدر الكبير بجانبه، حشت فمها بالمضغة وجلست تنتظر وتنظر - كانت عيناها لا تتخطيان السجينة التعسة.

عادت وأحكمت غلق الباب من الداخل بالمزلاج الخشب الكبير، لم تضئ فناراً أو شمعة في ظلام الحمام، فقط الضوء المنبعث من الموقد ومن عيني قطة كانت تستلقي على مصطبة قريبة. تناولت طاسة الماء والليفة والصابون وشرعت تسكب الماء على رأس تعويضه

---

١ نوع من الخمر المحلية.

وتزيل عنها قذارة الأمس ودم اليوم، بينما تعويضه الثملة لا تصحو من سكر إلا لتدخل في ثانٍ. قالت لها في هذيانها أشياء مختلطة عن محمد وحياتها في حظائر الماشية. كانت تضحك وتبكي وتسكت وترغي وتزبد، فيما الشوشانه منهمكة في أداء عملها وسط سحابة من الهدوء الغامض والانسجام التام على وقع خرير الماء الذي تحدثه الطاسة وغرغرة تعويضه وقهقهاتها. ثم، كنائم لدغته عقرب، توقفت عن دعك ظهر تعويضه بالليفة، وفي حركات متلاحقة خلعت قفطانها وسروالها وحشرت جسدها الضخم معها في الحوض.

مفتاح دقيق

وافق فرض التجنيد الإجباري "أردوي عثماني - أردوي همايوني" على مواطني الولايات من المسلمين وغيرهم عاماً من أعوام الجدب الكثيرة. حلّ الشتاء قارساً مع انتشار المجاعة في البلاد، وصار الحصول على الحطب والفحم للتدفئة همّاً أساسياً لحفظ البقاء، واجتمعت الأزمات في نهاية الأمر لتكون أعواماً عجافاً. كانت ريح الشمال تهبّ بلا رحمة، تنتزع الجلد وتستقرّ في العظم، ولم يكن لدى الناس ما يتّقونها به. مات كثيرون جوعاً ومات كثيرون برداً.

نالت تعويضه حصتها من البرد وندرة الطعام، وتحتّم على الفقي الذي احتكرها لنفسه أن يضاعف الضريبة لصاحبة الدار كي تبقي السرية عندها دون أن يمسسها غيره. ترتّب على ذلك أن قفّة الفقي التي تسبق مجيئه لم تعد تسبقه أحياناً، وصارت تعويضه لتأكل عليها انتظار مجيئه وإلا فلن يُلقى لها إلا بالفضلات أو الفتات. تسببت رطوبة الحجرة في إصابة رئتيها بالتهاب جعلها تعاني صعوبةً في التنفس، كانت تسعل طيلة الوقت ولا تشرب الماء إلا بلبان ذكر للتخفيف من حدة الوجع. عندما يسألها الفقي: "ماذا أجلب لكِ

معي المرة القادمة؟" تجيبه: "لبان ذكر ولاقبي".

كأن استسلام الإنسان لمحنته يمنحه مناعة ضد التأثر بها. ما كانت تبكي منه تعويضه لم يعد يبكيها، وما كانت تستاء منه لم يعد يسيء إليها، وما كان يحزنها لم يعد أكثر من ممارسة يومية مثل الصلاة. كان كل همّها هو الحصول على الشراب أكثر من الطعام، والانكفاء بعيداً عن أي حدث وكأنها غير موجودة في هذا العالم.

كانت عهدة طعامها وشرابها وكل شيء يخصّها بيد الشوشانه، فلا شيء دون مقابل. تجلسان للشراب معاً في الحمام بعيداً عن عيني صاحبة البيت، حيث يتّسع لكلٍّ منهما درب غيابٍ مختلف. تريد تعويضه أن يتحقق لها الغياب عن المكان التي هي فيه ويموت إحساسها بثقل الزمن، فيما الشوشانه، على عكسها، تريد أن ترسّخ استمتاعها بالمكان واستكمال ما ينقصها فيه بوجود تعويضه. تجتمعان حول الطاسة في الحمّام لغايتين مختلفتين، وفي نهاية كل سُكر تبكي تعويضه حبيبها الذي لم يبحث عنها وطفلها الظمآن، وتكثر الشوشانه من دخان المضغة ومن مسح دموعها وعضّها.

بين أركان الحجرة الرطبة خضعت للإجهاض. نزفت وأوشكت على الموت وعادت للحياة، كمن نجا فقط من موت ليموت بشيءٍ آخر. ذاك ما كانت تحسّه وهي تجتاز تجاربها القاسية في ماخور بنات الله. اتّبعت إجراءات السلامة من الحبل في الدار كما علّمتها الشوشانه، طبّقت التعليمات لتتخلّص من الضرب والإجهاض القسري، ولتصبح حياتها أو موتها على السواء أكثر هدوءاً. كانت تزداد صمتاً وإعياءً وعزلةً ولم تعد تقول "لا" لشيء و"نعم" لآخر،

حتى إنها شاركت ذات صباح أحد أيام الشتاء والجوع في توليد شابة بيضاء صغيرة حملت سفاحاً من قريبها. اجتهدت تعويضه في إقناع صاحبة الماخور برمي الصغير أمام الجامع بدلاً من رميه في القمامة، كما يفعلون عادةً مع الأطفال اللقطاء، سيلتقطه أحدهم ويُكتب له أن يعيش كيفما اتفق. أقنعت صاحبة الدار بأن موت الطفل في القمامة سيلفت الانتباه لمن يقمن بالإجهاض السري وقد يوسوس أحدهم للدرك أن الفعل لا يجسر على القيام به إلا بيوت باب الله، وهكذا تقرّب نفسها من السجن والغرامة وابتزاز الدرك، فلماذا تفتح على نفسها أبواب الجحيم القاسية؟ بينما وضع الطفل على عتبة جامع بعيد أيسر وأقل مشاكل، لاسيما وأن لا أحد يتخلص من مولود ذكر أبيض بسهولة إلا إذا كانت أمه حرة وأبوه معروفاً ويخشى افتضاح أمرهما. ستحوم الشبهات وتتلبّس ربات المواخير في نهاية المطاف.

كانت العجوز مترددة في خروج تعويضه لهذه المهمة لأن شوشانتها الخاصة غير موجودة ويستحيل الاحتفاظ بالطفل في البيت ساعة واحدة بعد ولادته. لمزيدٍ من الاحتياط أرسلت خادمةً أخرى معها لكي تراقبها وتريها الطريق.

كانت صاحبة الدار تروم التخلص من الطفل سريعاً سواءً عاش أو مات، ودون أن يترتب عن ذلك أية مشاكل لها. إنها تجهض الحمل غير الشرعي في دار مرخّصة فقط للدعارة، وإن جاء ناظر التفتيش عقب وشاية فستذهب للسجن ولربما بيعت الدار منها وصارت هي إلى الشارع.

لفّت تعويضه الطفل في منشفة وردية، كما طلبت والدته بعد

إخراجه منها، حتى تصبح تلك علامة للتعرّف عليه عندما يكبر، وحملت الخادمة الأخرى صندوق الكرتون وغادرتا. حملته تعويضه كابنها بعدما أرضعته أمه ومسحت عنه دم الولادة وربطت حول معصمه خيطاً من ثوبها. أرادت أمه أن يوضع أمام أحد بيوت الأعيان لتضمن بقاءه حيّاً، وكانت صاحبة الماخور قد قالت لها: "نعم"، لكنها أوصت خادمتها بوضعه في القمامة، ثم تدخّلت تعويضه واقترحت الجامع، كيلا تأكله الكلاب الجائعة. وهذا ما لم تقله للعجوز.

مشت به فجراً بين الأزقة والدروب المعتمة رفقة الخادمة صامتتين، قبل أن ينشقّ الظلام عن يومٍ جديد. كانتا تدركان ما تفعلان، دون أن يظهر عليهما الخوف.

منذ ما يزيد عن سبعة أشهر لم تخرج تعويضه إلى الشارع، لم تمشِ ولم ترَ وجهاً تعرفه من قبل، وهاهي الآن طليقة مرةً واحدة ولا تعرف المكان الذي تسير فيه، تقودها الخادمة الثانية لتريها طريق الجامع وتعود بها من ثم إلى البيت. أي جامع وأي طريق؟ لم تكن تعرف.

حدث الكثير خلال سجنها. كان اللقطاء يملؤون الشوارع تلك الأيام، والشحاذون لكثرتهم أصبحوا يشكّلون خطراً على أصحاب المحال والباعة فعيّنوا لمطاردتهم عبيداً يضربونهم ويعنفونهم، وانتشر التجنيد الإجباري بأمر الباب العالي، فهرب كثيرٌ من السكان بأولادهم إلى البادية، وكثر تقديم السادة لعبيدهم بدلاً من أولادهم لأداء الخدمة.

طُلب عليّ للتجنيد في البلقان، فدفع جده رشوةً كبيرة

لـ"السرعسكر" وأعطى عبداً مكانه. واستقرّ سالم بعد عتقه في الزاوية. وأصبح حسين درويشَ جذبٍ في الحضاري، يهيم على وجهه ويخفي صدره الأمرد خشية أن يعيّروه بصدر بنت، ولا يخلع الخرقة إلا ليستبدل بها أخرى، طالت لحيته واسترسل شعره الكستنائي حتى كاد يخفي وجهه. كان أبوه سعيداً بتحوّله إلى مريد، كما صار سالم خادمه الذي يتبعه من حضرة إلى حضرة، يحمله على ظهره ويعود به إلى البيت كلما سقط أرضاً وأغشي عليه، أو يداويه كلما آذى نفسه جراء طعن السيوف وابتلاع الجمر ومضغ الزجاج.

خلّفت ضربة المعزقة عرجاً في رجل سالم، عاد للمشي لكن ليس كما كان، صار خادماً معتمداً للزاوية وقد أمّن لنفسه بها عملاً ومكاناً. ذات يوم جاءه حسين يرتعد في الخلوة وهمس له منفرداً. اعتقد سالم أن حسيناً المجدوب رأي الجيلاني في منامه أو أحد المرابطين الذين يملأون البلاد ويطيرون بحرية شرقاً وغرباً دون أن تراهم العين، ويتدخلون أحياناً في حلّ مشاكل الناس. ذهب سالم وراءه واختفيا في الغرفة الخلفية للزاوية ثم عادا. أمسك حسين بلوحه وبدأ بقراءة **ألفية ابن مالك**، وظلّ سالم مصدوماً بما سمع، لا يعرف ما يفعل، ثم جمع شتاته وغادر الخلوة باتجاه السوق دون إخبار حسين عن وجهته.

كانت الريح الباردة تضرب عظامه وتؤلم رجله، لكنه استمر في السير عكس الاتجاه. مرّ بالدكاكين التي أفلس أصحابها وأقفلت، وكانت عينه تتحيّن رؤية دكان سيده القديم، هل هو مفتوح أم مقفل كسائر من تأثروا بالأزمة؟ في الطريق ثمة بعض الرجال ممن

يلتحفّون العباءات، كانوا يتكلمون عن الجوع وبابور الدقيق القادم من وراء البحار، وبعض العبيد يجرّون باكراً عربات الحمص والفول الساخنين. كان سالم مكترثاً للخبر الذي يحمله والذي يضاهي نبأ وصول بابور الدقيق إلى ميناء بنغازي، محصياً ما تبقّى أمام رجله العرجاء من خطوات كي يصل ويسلّمه لمن يعنيه.

وقف بباب الدكان، كان محمد موجوداً بالداخل يتكلم مع تاجرين، استأذنهما عندما رأى سالم مبكراً وقد ظن أنه أتى ليطلب معونة من الدقيق أو الفحم أو الشحم، لكن سالم عزف عن كل ذلك وحيّا سيده السابق طالباً الكلام على انفراد. قال له على الفور:

– وجدنا تعويضه يا سيدي.

وكأنه ميت عاد إلى الحياة، شدّ قميص سالم قائلاً:

– ماذا تقول؟

– نعم يا سيدي، تعويضه موجودة هنا في بيت بنات باب الله.

– ماذا؟ ومن أخبرك؟

– منذ قليل أتاني حسين في الخلوة وأخبرني. تعويضه مسجونة هناك والفقي هو من نقلها.

– وحسين من أخبره؟

– حدثت مشكلة بين أمه وأبيه بسبب غياب الفقي عن البيت. شكّت به زوجته وأرسلت وراءه العيون، ثم لحقت به إلى الدار واكتشفت سرّ غيابه. حسين سمعهما يتعاركان وأمه تهدّد أباه بالفضيحة والطلاق.

– عليه اللعنة، سيكون حسابه عسيراً.

أمسك به سالم من يده متوسّلاً:

- لا ياسيدي، من أجل حسين، إنه مسكين وخائف، أخبرني وهو يرتجف.

- والله سأشرب من دمه.

- أستحلفك بالله لا تفعل يا سيدي. دعنا ننقذ تعويضه الآن، ودع عقاب الفقي لله.

- هل تعرف المكان أين؟

- نعم يا سيدي... حسين أخبرني.

- هيا معي.

منذ مطلع الصبح كانت تعويضه تمشي دون وجهة معينة، لم يكن في نيتها شيء عندما اقتربتا من الجامع، عدا انتظار إقامة الصلاة ودخول آخر المصلين، كي تضع الطفل عند العتبة وتقفل راجعة. كان البرد قارساً وهي تحضنه جيداً كيلا يبرد، وكلما كشفت عن وجهه الغطاء ونظرته وجدته صاحياً وديعاً تلمع عيناه في الظلام مثل نجمتين بعيدتين.

قادتها الخادمة الأخرى في مسارات مظلمة. كانتا تتخفيان في عمامتيهما من البرد حتى لا تبدوا كامرأتين بل كشبحي رجلين ضعيفي البنية يذهبان لتكسير جبال الملح باكراً أو يعودان من إحدى الحانات. اقتربت تعويضه من موضع أحذية المصلين لاختيار مكان مرئيٍّ للخارجين منهم ليس به هواء بارد يصعق الصغير. جعلت الطفل هناك لتفرض عليهم رؤيته. كانوا نفراً قليلاً يقيمون صلاة فجر ذلك اليوم، رأتهم يصطفون خلف الإمام ويشرعون في الصلاة. وضعت

الطفل بتؤدة عند المدخل، نظرت إلى وجهه، كان صامتاً يحملق مثل قطٍّ صغير. وضعته بتردد ثم انصرفت، لكنها ما لبثت أن استدارات عائدةً لتحكم المنشفة حول رأسه كيلا يبرد وكيلا تسقط على وجهه فتحجب عنه الهواء فيختنق. وبينما تسوّي له المنشفة أخرج يده المعقود بها رباط ثوب أمه من أسفل اللحاف وحرّكها كمن يتلمّس شيئاً في الفراغ والظلام. اهتز قلب تعويضه وتذكرت صغيرها، بل كانت قد تذكرته مذ ولد الطفل وعلمت أنهم سيدفنونه حياً لتموت معه الخطيئة، تقدمت هي للمهمة حتى تؤجل موته، فالله سيكتب أمراً على كل حال.

قبّلت يده الصغيرة وأعادتها تحت اللحاف، ثم لحقت برفيقتها التي تراقب الطريق ويستفزها بطء تعويضه. لامتها على التأخير عند رجوعها وحثتها على المضي قدماً للابتعاد عن الجامع. ابتعدتا حتى مفرق الطريق غير أن تعويضه توقفت قائلةً:

- لا أريد العودة للماخور.

فسألتها الأخرى باستغراب:

- لماذا؟

فأجابتها ببساطة:

- أريد أن أكون حرة.

حاولت الخادمة إرغامها على العودة معها، شدّتها من يدها بقوة فدفعتها تعويضه وأسقطتها أرضاً ثم ولّت منها الفرار في الظلام مبتعدةً في الفجاج الضيقة بكل جهدها. ذهبت سريعاً في الاتجاه المعاكس لطريق رفيقتها، ثم عادت إلى الجامع جرياً بأزيز رئتيها المتعبتين

وبخطوات تسابق المصلين الذين فرغوا للتو من صلاتهم، نهبت الطفل من العتبة واختفت كما ظهرت في جهة أخرى.

قال أحدهم:

– رأيت شبحاً يخطف شيئاً من عتبة الجامع.

قال آخران:

– لا، أنت تتخيل.

قال الآخر:

– ربما ساحرة من ساحرات الفجر جاءت لوضع سحر في بلغة أحدنا. فتشوا نعالكم قبل لبسها وإن لم تجدوا شيئاً رشّوها بالماء المَرقيّ قبل انتعالها، لربما أرادت البول عليها لسحرٍ ما.

قال الإمام:

– الشيطان يوسوس لابن آدم بكل شيء فاتقوه.

وقال أضعفهم بصراً:

– ربما جاءت لسرقة الأحذية فشتاء هذا العام يقطع الأصابع.

وقال آخرهم الذي لم يتركوا له شيئاً يقترحه:

– قد تكون عفريتة، تُحكى عن العفاريت قصصٌ كثيرة تجمّد القلب. اسألوا عمال الملح في السباخ، يروون الأعاجيب عمّا يرونه في بواكير يومهم.

– استعيذوا بالله في طريقكم يا رجال من بنات الحرام والساحرات.

هذا ما نصحهم به الإمام وهم يعودون إلى بيوتهم بكثيرٍ من الروايات عن شبح الفجر.

لم تكن تعويضه تدري إلى أين تمضي بنفسها ولا بالصغير، فهي

إنما تهرب من كل شيء مستعينةً بالظلام، إذا عزفت الريح تختبئ ملتصقةً بجوار ما تجده، وإذا سمعت خشخشةً أو نباحاً أو تخيّلت طيفاً تندسّ في مكانها وتخبئ الصغير في حضنها أكثر. وهكذا ظلّت تشقّ دروباً في الظلام لا تعلم إلى أين توصلها حتى بدأ شروق الشمس رويداً رويداً. أخذت تمشي دون هداية، فهل تعود إلى البيت نفسه الذي باعها أم إلى أين تذهب؟

وماذا لو كان محمد غير موجود واكتشفوا عودتها؟ سوف يصبح سجنها محتوماً أكثر مما سبق، وهذه المرة قد يُلقى بها إلى ريف بنغازي فلا تعود منه أبداً. عليها الاحتياط من الذهاب باتجاه المنفى وهي تهرب، يجب ألاّ تجعل نفسها قريبةً من هذا الاحتمال.

لكن أين تفرّ بنفسها وبهذا الطفل الأبيض الذي لا يريده أحد؟

في إحدى مرات اختبائها من كلاب تنبش القمامة بحثاً عن الطعام، همست له في مخبئهما: "أنا وأنت ليس لنا أحد في هذا العالم سوى الله، لا أعرف أين أفلت بروحي ولا بروحك، سنمشي حتى تشرق علينا الشمس ويسمع الله دعواتي ويضع في طريقنا أناساً طيبين خيّرين. صحيح أن الله لن يستجيب لعاهرة لكنه يعلم أنني جُعلت عاهرة وجارية ولم يكن شيئاً باختياري. أنا مثلك لم أقرّر شيئاً لي. أنا عاهرة سوداء وأنت لقيط أبيض... هكذا سيروننا".

كانت أصوات كلاب الفجر مخيفة وبعض السكاري المشردين في الشوارع والمجهول الذي تمضي إليه بطفل.

إن وضعها يزداد تأزماً بأخذها الطفل. ما كان يجب أن تتسرع وتأخذه. كان يجب أن يتغير قرارها في خطوة واحدة لو أنها فكرت،

لكنها لم تفكّر في شيء واتخذت الخطوة الأكثر جرأةً وتهوراً. حتى الهرب والنجاة بنفسها خطر لها في منتصف درب العودة لمرافقة الجارية الأخرى، حين قالت لنفسها: "ماذا لو أخذت الطفل وعدت؟" ثم تغيرت الفكرة في خطوات إلى: "ماذا لو أخذت الطفل ولم نعد؟"، وهذا ما كان.

لمن نلجأ أيها الرفيق؟ اكتشفت أنها لا تعرف بنغازي ولا أزقتها ومحالها المالحة، لا تعرف البيت الذي عاشت فيه أين يقع وأين هي منه الآن لو أنها قررت الذهاب إليه، لا مناص من البحث عن سوق الجريد أولاً عندما تبزغ تباشير الصبح الأولى ويخرج الناس إلى الشوارع وتجد من تسأل، لكي تستطيع التوجه من ثم إلى حوش العبيد والوصول إلى عيده هناك.

آها، وجدنا، أيها الصغير، مكاناً نذهب إليه معاً غير القبر الذي كنت سترحل إليه والماخور الذي سأعود إليه، إنها الخالة عيده، سنتشاور معها ونجد عندها وعند جاب الله حلاً، فهم أحبابي في الله وأحبابك. أنت طفلٌ بريء لا ذنب لك ولاعلاقة بما يفعل الكبار. سأروي لهم قصتك وسيبكون ويحبونك ويساعدونك. لكن عندما يسألونني عن اسمك، ماذا أقول لهم؟

إنه صباح يوم مولدك، أول يوم لك في الحياة وما زلت دون اسم ودون حليب أيضاً. لا يمكن أن تكون مع تعويضه في يومك الأول في الحياة وتتركك دون اسم. سنحلّ المشاكل واحدةً واحدة، سنحصل على الاسم ثم على الحليب، لا تقلق يا صغيري، سأنبش الصخر بأظافري وأخرج لك منه طعاماً.

تأملته جيداً وفكرت في اسم يليق بطفلٍ أبيض أزرق العينين قادم للتو من مسالك وعرة في بيتٍ قذرٍ وبلادٍ تعاني المسغبة، برد ومجاعةً وأناس ينتظرون الفرج مع بابور الدقيق من آستانة السلطان. ليكن اسمك إذن "مفتاح" تيمّناً بانفتاح أبواب الفرج، ولتكن كنيتك "دقيق" ارتباطاً بالعام الذي أتيت فيه لكي يمكننا حساب عمرك.

رفعته بين يديها للسماء حتى كُشف عن إبطيها، قابلت به قرص الشمس وقالت:

– اشهدي أيتها الملائكة في السموات السبع أني سمّيته "مفتاح دقيق"، ليكون قدومه خيراً عليه وعلى البلاد والعباد، واسألي الله له حياةً سعيدة فهو وحده القادر ومن بيده المصير.

إنه منذ اليوم مفتاح ليفتح به الله كل عصية.

وابتسمت له:

صباح الخير يا وجه الخير

صباح الخير يا مفتاح دقيق

إن شاء لله بقدومك تفرج ويأتينا الدقيق.

أكملا دربهما العشوائي إلى سوق الجريد. في الطريق وجدت متسولة زنجية مع طفل، سألتها أن ترضعه فليس لديها حليب. نظرت الزنجية إليها بشفقة قائلةً إنها تعاني الجوع وطفلها أيضاً بلا حليب، فتوسّلتها تعويضه: "إنه بالكاد ولد، وليس عندي له حليب، القليل أرجوك، دعيه يعرف حتى كيف يمسك الثدي، إنه عطشان إنه جائع وقد يموت. سأعطيك شالي أو الخوصة التي في أنفي".

أشفقت المرأة من إلحاحها فألقمت الصغير ثديها، بينما جلست

تعويضه قربها تستريح بعد ساعات من المشي، واستنشقت رئتاها هواء بنغازي البارد الرطب كما لو كانت المرة الأولى التي تتنفس فيها. كان هواء حرية يمرّ في رئتيها المتعبتين. كانت ضعيفة وحافية وتائهة في دروب الله.

نظرت إلى مفتاح وهو ينهش صدر المرأة الأسود بحثاً عن الحليب، وتذكرت وجه طفلها الذي غادر الدنيا وبسببه غادرت هي البيت.

دورة الزمن غريبة وحزينة: غادرت دون طفلها الحقيقي وعادت بطفل ليس لها!

احتمي بالمسافة

صباحٌ مبكر ومطرٌ مبكر وضيفٌ مبكر... ذاك ما كان عليه لقاء تعويضه وعيده بعد غيبةٍ طويلة. لم تتخيل عيده رؤيتها مجدداً، اعتقدت أنه تمّ التخلص منها في مكانٍ بعيد يستحيل الرجوع منه، لكنها كانت تعويضه، مبللة بالمطر، مرهقة نحيلة مريضة، صحبة كتلة لحم بيضاء في منشفة وردية.

كانت حقاً تعويضه بروحها القديمة.

– من هذا الطفل الذي معكِ، هل هو طفلكِ؟

– إنه مفتاح دقيق، روح أنقذتني وأنقذتها.

– اشربي الحليب الساخن اشربي، سيمنحكِ الدفء، إنكِ يابسة من البرد مثل خشبة.

– هل أنتم بخير؟ يجب أن نستبدل الخرق التي تلفّ الصغير، إنه مبلول ببوله، أخشى أن يكتشفوني هنا.

– لا، لا تخشي. المكان آمن، ولا يوجد من يتجسّس. احباره عملها داخلي الآن، تتجسّس لللاعويشينه على كنّتها وعلى ابنتها حليمة، وحليمة تستخدمها للغرض نفسه على أمها ولالارقيه. إنها

مشغولة مع الكل ضد الكل، وكلهم يمنحها البقشيش معتقداً أنها تعمل له وحده.

- احكي لي ماذا حدث لك؟

شردت تعويضه للحظة كأنها لا تريد أن تجيب أو تستردّ ذكرى، كيف أُخذت إلى الماخور وما عاشته هناك، البشاعة التي يصل إليها إنسان مسحوق وسوق المتعة وضوابطه.

بكت واجفة.

- لا وقت للدموع، هيا، لطالما واجهتِ الكثير من الصعاب وأنتِ الآن إنسان طليق، يجب أن تهربي بحياتكِ ولا تعودي إلى شيء ممّا مضى أبداً. كثيرون يفرّون بلا بطاقات عتق ويختبئون في زرايب العبيد بأسماء وهيئات جديدة لئلا يتعقبهم أحد. إنها فرصتكِ الثمينة، الحرية أو اللاحرية، لن تخسري بعدها شيئاً. إن قبضوا عليكِ عدتِ جارية، وإلا فأنتِ حرة إلى الأبد. العبيد هناك في حماية عبيدٍ مثلكِ، لن تكوني خائفة منهم في أسوأ الأحوال، هم يساعدون بعضهم أكثر بكثير مما لو كانوا عبيد عائلات. هنا العبد يخشى على حياته فيضحّي بالعبد الآخر، وقد يُرقّى على عظام عبدٍ آخر. إنكِ لم تكوني هنا بمأمن حتى بين أبناء جلدتكِ، هل تتذكرين ما فعلته احباره بكِ؟ يجب أن تحتمي بالطفل إذا وفّر لكِ غطاءً من الحماية وجنّبكِ العثور عليكِ بأوصافكِ القديمة، كما يجب أن تتخلصي منه بسرعة إن شكّل خطراً عليكِ أو خصّص ذووه عبيداً للبحث عنه. لكني أشك أن يفعلوا، فما من أحد يطلق طائراً من يده ثم يعود للبحث عنه، سيكون لحسن حظك وجوده معكِ.

إنه منذ اليوم إما قيدكِ وإما طيركِ.

من المهم أن تغيّري اسمكِ وتبحثي لكِ عن قصة تروّجينها لمن يسألكِ وتنتشرعند من يلاصقكِ. لا يجب أن تنسيها، يجب أن تعيديها كل مرة بينك وبين نفسكِ كيلا تخطئي تفاصيلها، حتى تصدقي أنتِ نفسكِ أنها قصتكِ. اسمكِ يجب أن يدلّ على الجهة التي أتيتِ منها. العبيد الفارّون من الغرب والجنوب أسماؤهم تختلف عن أسماء العبيد هنا. احتمي بالمسافة وبأولئك الذين أتوا إلى هنا ويشبهونكِ، ستجدين بينهم أناساً يساندونكِ وتساندينهم.

لدي صديق موثوق في زرايب العبيد سوف يساعدكِ على بناء براكة هناك، سأقدمكِ إليه كوافدة من فزان أو من طرابلس، إنه طيب وسيساعدكِ. يجب أن تبحثي عن عمل لا يُدخلكِ المدينة ولا يقرّبكِ إلى الناس هنا، عمل يبقيكِ بعيدة في الزرايب، أي ما وراء السور دائماً.

أطرق جاب الله مفكّراً قبل أن يضيف: غسل الثياب مثلاً، الجبد من آبار المياه في الزريريعيه، طبخ الفول والحمّص لأصحاب العربات المتجولة، غسل الحصر، الغربلة، أي شيء تستطيعين القيام به هناك، ويبقى أمامكِ عملان يجب عليكِ تجنّبهما، الغناء والرقص وخدمة الكويسات، إلا إن اخترتِ تلك الطريق لنفسكِ.

الطفل لن يبحث عنه أحد سوى أمه. إذا تتبّعتكِ من الجامع وتأكّدت أن أحداً لم يجد طفلاً أمامه في تلك الفترة، وكانت تحفظ وجهكِ واسمكِ، ستصل إليكِ. وهي إن كانت طيبة في الأصل ستحاول أن تحافظ على السر كيلا تؤذي نفسها وتؤذيكِ، أما إن كانت ماكرة واسعة الحيلة فقد تستعمل طرقاً سوداء لتخليصه منكِ،

ولن يهمّها إن تسبّبت في إيذائكِ.

أتركّكما الآن، يجب أن أذهب وأجهّز الكروسة لنقل السيد إلى السوق. اطمئني، أنتِ هنا في أمان. حافظي على هدوء الطفل كيلا يبكي فيسمع أحدهم صوته. سنتحدث بعد عودتي ونجد حلاً لكل شيء.

عيده، احلبي العنزة البيضاء للصغير فحليبها جيد.

تعويضه، حمداً لله على سلامتكِ وعودتكِ إلينا.

فجأةً التفتت تعويضه إلى رفيقتها ونكزتها:

– لماذا لم تحملي حتى الآن من هذا الرجل الشجاع؟

– الله لم يأذن بعد. ما يشغلنا الآن هو شراء حريتنا بالتدبير. يتحين جاب الله الفرصة ليكلّم السيد ويقنعه، يبدو الأمر ثقيلاً لكنه يستحق المحاولة، كلّما كلّمته فيه يجيبني: انتظري قليلاً، اصبري قليلاً حتى تأتي اللحظة المناسبة، إنني لا أرغب في إنجاب أطفال ونحن لا نزال عبيداً. ببساطة يعني ذلك أن يرثوا عبوديتنا، ونحن حقاً نكره ذلك. سنرى ما يكتب الله.

– وسيدي محمد كيف هو؟

جاء السؤال مفاجئاً. نظرت عيده إلى عيني صديقتها الحائرتين، ثم أطرقت لا تدري ماذا تجيب.

– أخبريني ما به؟

شدّت على يدها.

– نسيانه خيرٌ لكِ. في هذا المكان ما من رجلٍ أبيض يدافع عن حبه لامرأة سوداء مهما بلغ تعلّقه بها. نحن لمتعتهم فقط، إذا انتهت

واحدة جاءت أخريات. انظري حولك، هل سمعتِ من قبل غير ذلك؟ الكل يتسرّى بالسوداوات، من فقير الشارع إلى التاجر إلى فقيه الخلوة. لا أحد يكترث لروح عبد وقلبه، لا أحد.

لا تُشقي نفسكِ وراءه، شأنه شأن أيّ رجلٍ يخضع لسلطة أهله ولا يستطيع مواجهتهم. كان يأكل ويشرب وينام في البراكة، وبعد شهر من مقاطعتهم استطاعوا إعادته إلى حضنهم. قد يكون في قرارة قلبه يحبكِ لكنه لن يضحّي بزوجته - ابنة خاله - وأم بناته من أجل خادمة. هو ليس استثناءً في الرجال يا تعويضه، لكنها تقاليدهم الراسخة هنا، المرأة تخلفها امرأة وكأنّ لا شيء حدث، فما بالكِ لو كانت جارية؟عليه عدم إضاعة الوقت أساساً.

أعتقد أنهم أقنعوه بأن ما يجذبه إليك ليس حباً كما يتوّهم، بل هو تأثير السحر الذي عملتِه له.

قاطعتها تعويضه مجهشةً بالبكاء:

- لكني لم أفعل له شيئاً والله العظيم وأنتِ شاهدة. أنا أحببته فقط.

- أعلم، لكنهم الناس يا تعويضه، يغلبون الشيطان في التدبير والدسّ. قليلٌ منهم صادق نظيف السريرة ولا يكاد يبين في هذه الدنيا لكثرة الشرور. إنهم يؤمنون بالسحر إلى حدٍّ كبير، ولا يؤمنون بأنه قدرتهم على عمل الشر. فكل شر يحصل في تقديرهم مصدره السحر وليس هم، وأيّما حدث يحدث ولا يروقهم يسمّونه سحراً ويرسخون لفهمه على ذلك النحو، حتى يتحول من فعله إلى ساحرٍ شرير تتوجب مقاتلته. الحياة معهم جد معقدة وتغيير قناعاتهم الراسخة أكثر تعقيداً، يتّهمون كل شخص أسود بالسحر ليضفوا مزيداً من عدم الفهم على

طبيعته، يصنعون بيئةً معقدة لنا ويسجنوننا فيها. يجد الشخص منا نفسه يدفع عن نفسه تهمةً بدلاً من أن يطالب بشيء هو من حقه.

محمد ليس أول رجل يحدث له ذلك مع امرأة سوداء. أقنعوه أنّ ما يعيشه ليس حبّاً بل سحرٌ يذهب مع الوقت والعلاج، وربما صدّقهم ومنح نفسه وقتاً ليعرف. لهذه الغاية جاءت أخته حليمة من درنة ومعها من الماء والبخور ومضادات السحر الشيء الكثير. اوووف... إنها ذات تأثير قوي وسيئ، واسعة الحيلة ويجري الخبث في عروقها بدل الدم، حملت معها شيخاً من هناك دقّ لهم البندير ذات ليلة في البيت وأخرج من البراكة كثيراً من عقد السحر وعظام الحيوانات، مؤكِّداً لهم أن امرأةً سوداء وصفها بكيت وكيت هي من تتربّص به، وأنها هي من عملت له كل ذلك وأكثر ليقع في حبها ويبقى عبداً لها.

أنا وجاب الله كنا نخدمهم خلال الجلسة، ونحن متأكدون أن الشيخ هو من جلب تلك الأشياء معه ليقنع السيد محمد الصغير بأنها من عمل سريته فيكرهها وينفر منها، وأنا على يقين بأن أخته دفعت لذلك الشيخ الأفّاق مالاً كثيراً كي يفعل ذلك، وبقت هي في بيت أهلها بعد ذهابه تدّعي أنها تحمي البيت من مكائد السحر، فيما هي نفسها من تجري له سحراً ليتبدل موقفه من زوجته وما يترتّب على ذلك من مصالح العائلة مع أصهارهم. لقد لاحظ أصهارهم حال ابنتهم وضيّقوا عليهم في استرجاع الديون. لا تنسي أن حليمة صاحبة المصلحة الأولى، فهي ترغب في ألاّ تسوء العلاقات العائلية حتى يخطب ابن خالها - شقيق لالارقيه - ابنتها

الكبرى، وهي شيئاً فشيئاً تفوز بتأييد رقيه لها في التأثيرعلى أهلها ليخطبوا عفيفة البلهاء.

الرجال في بعض الجوانب ساذجون جداً، يصدّقون ما يسوقه أهلهم من حجج ومبررات. إنهم يؤمنون أن ما من أحد من أهلهم يكرههم ويحقد عليهم، وبالتالي لا أحد سوى غريب الدم يحمل لهم الكره أو يضمر لهم الشر. حتى جاب الله يقول لي ذلك عندما نتحدث في الأمر، يقول إن حليمة ساحرة وشيطانة رجيمة تذهب سراً إلى سوق الجريد وتشتري من العطّار موادَّ غريبةً وتعود لتنفثها في بيتهم، لكنه لا يستطيع إخبار السيد محمد عنها، ليفتح عينيه ويفهم أن التي تعمل له السحر وتؤذيه هي شقيقته وليست سريته في الحقيقة.

إنني لا أراه منذ وقت إلا صامتاً، يمارس حياته بشكل عادي وينام في غرفته، لكن أبعد من ذلك لاعلم لي بشيء، لا أستطيع أن ألاحظ أي تغيير في علاقته مع لالارقيه. ربما نفذ سحر أخته إليه. ربما يخشى على تجارته مع أصهاره. ربما يسكت عازماً على شيءٍ آخر. الله أعلم بما في قلبه.

غير أن ما أراه أن وجود هذا الطفل الأبيض معك سيعقد الأمر بينكما متى وجدكِ. مع كل ما قالوا له ضدكِ لن يتقبّل بسهولة أن الطفل ليس ابنكِ من رجلٍ أبيض، وسيزداد الأمر سوءاً كلما فكّر به على أنه ابن الفقي. هاتِ ما يثبت له غير ذلك؟ يؤسفني القول إنك ستكونين مخيّرةً بينه وبين الطفل يوماً ما؛ بين قلبك وإنسانيتكِ.

ما أنا على يقين منه هو رغبة العائلة بأن ينساكِ، النساء بالأخص،

همّهن إعادته إلى دائرتهن وإخراج الغربيات من حياته واهتمامه، وأن يكون طفله الذكر من حرة لا من جارية. يجب أن تفكري في حياتكِ من دونه وبعيداً عنه.

– لكني أحبه والله شاهد على ما في قلبي.

تنهّدت عيده ثم قالت:

– "الودّ كذاب" كما يقولون. المحبة حقيقةً كالكذب، حياتكِ أفسدها الحب مذ دخلها. للأسف لا أحد يريد أن تولد بجانبه قصة حب ويسكت عنها، لأنه ليس طرفاً مخصوصاً بها. إن أردتِ أن تكون لكِ حياة قليلة المتاعب عليكِ أن تعيشي بالعقل فقط وترمي قلبكِ لقطط الشوارع.

الحب عيب، الكراهية لا. المجاهرة بالكراهية ليست عيباً عندما يصرّح بها الناس هنا، بينما علاقات الحب يحاربها الجميع ويعيبونها ويفسدونها بكل السبل. الحب عيب وهو نقيض الأخلاق، لقد جعلوه شيئاً مشبوهاً يجب الحذر منه، ماذا نفعل؟

فكّري بعقل، أين تراكِ تعيشين حتى تتكلّمي عن حبٍّ لا يحاربه أحد؟ إننا في بلاد لا تقوم لها قائمة بلا عنصرية وبلا شيء تمارَس عليه الكراهية.

أما أمر الشوشانه فلا تقصّيه على أحد، ادفنيه كما دفنتِ ابنكِ، الأفضل أن تدفنيه إلى الأبد بينكِ وبين نفسكِ، فلا شيء يأتي من استرجاعه عدا الوجع. كثيرٌ من الجواري، كما تعلمين يا تعويضه، حصل لهنّ ذلك وأكثر، وعندما نطقن أو تفوّهن لم يتقبّلهن أحد بل، على العكس، ازدادت حياتهنّ صعوبةً حتى

مع بني جلدتهن. متى يُنتهك الجسد تُنتهك معه الروح، وأنت لست بحاجة للمزيد.

من أجل هذا الطفل الذي وهبكِ الحرية والحياة من جديد، ادفني كل شيء، ادفني حتى تعويضه القديمة وانهضي كإنسانٍ وليد.

الحقد

- لقد غادرت البيت فجر اليوم. أقسم لك بربي أنها هربت ولا نعلم إلى أين. ادخل وفتّش الغرف بنفسك. أنا يا سيدي امرأة ضعيفة أُحصِّل رزقي فقط ولا أبحث عن أي مشاكل. جاءني الفقي بها وقال لي دعيها عندك. أنت تعلم من هو الفقي وماذا يستطيع أن يفعل. لا أملك رفض طلبٍ له، لأنه لن يعدم سبيلاً لتحريض القائمقام ضدي فيرسل لي رئيس الدرك فيغلق المكان بأي حجة. أنا امرأة مسكينة ولا دخل لي بشيء، هو المسؤول عنها.

- وكيف هربت؟

- غافلت الشوشانه والجميعَ نيام في الفجر وتسلّلت هاربةً بطفلها.

- وهل كان لها طفل؟

- يا سيدي، يملأ القاطرُ[1] الوضيع الجرّةَ العظيمة وتكسر النسمةُ الهادئة الغصنَ القوي. أنا لم أكن قاسيةً معها يا سيدي ولم أعرّضها لأي أذى، كانت أمانة عندي ليس بوسعي التصرف بها وإلا لحررتها

---

١ القاطر: ما ينزل من السقف من ماء أو ما يتسرّب من صنبور المياه.

وأرسلتها لك من البداية لو علمت أنك سيدها، لكن يشهد الله أنه لم يزرها أحد طيلة بقائها هنا عدا الفقي نفسه.

قال لها:

- أريني المكان الذي كانت فيه.

مضت تسرع الخطى أمامه، تشرع باب الغرفة الرطبة المعتمة ليدخل. مدّ رأسه ونظر، ليس سوى غرفة عاهرة رخيصة، لم يرد أن يتخيّل حبيبته فيها مع رجل دون أن تحاول شراء ذمّة أحد ترسله إليه. لم يرد تخيل تلك اللحظة التي يخدّر فيها الجسد صوت العقل، فقد خبرها وعلم ما فيها حين جرّبها مع جارية سوداء، نزع حبها المنطق من حياته. هل استسلمت تعويضه لرجفة جسد الفقي وسكتت؟ هل عاش جسدها الفورة والسكون فخرس على أن يجعلها تفكّر في الهرب؟ إنها جارية وفي ذهن الجواري لا ينتفض الجسد رافضاً إنما يركن للقبول بسهولة، ذلك ما يقوم عليه التسرّي ويطبع الجواري، أن يعترف الجسد بأنه عبد، وألاّ يقاوم كحرّ، ألاّ يقوم بما لا يقتنع به العقل وأن يكون الرضوخ متطابقاً في النفس والبدن.

غادر الماخور مقتولاً بما سمع ورأى: حبيبته ضاجعها الفقي في تلك الغرفة الوضيعة مرات ومرات وحبلت منه وأنجبت. لماذا يحدث له كل ذلك؟ لماذا لا يستطيع أن يجد شيئاً له وحده دون شركاء؟ عمله أو عشقه بل حتى جثة طفله الصغير؟ لماذا عندما وجدها ضاعت من جديد؟ لماذا يجد الفقي في كل خرابٍ يحدث له؟ ولماذا لم تنتفض تعويضه على سجنها؟ إن أفكاره توصله إلى افتراض كل شيء، حتى أن يقوم من رسخ منذ ميلاده عبداً بالحرية.

هل هي أنانية الحب أم التملك، أن تكون عبداً لي ثم تنتفض لأنك فقط أصبحت لغيري؟

قال له سالم:

- هوّن عليك، سنجدها.

لكنه لم يكن يتابع ما يقوله له، كان مشغولاً بما سيقابل به صنيع الفقي، وأي عقاب يستحقه يشفي به غليله، وأين يجد تعويضه. لم تعد معركته مع الفقي مجرد جارية، أصبحت معركة رجل يتحدى رجلاً، يبارزه ويهزمه، يستولي على ممتلكاته ويعبث بها. لقد نجح الفقي في جلبه إلى حلبة الصراع. ليكن إذن.

كانت الشوشانه الكبيرة تنصّت للحديث من الحمّام وتتعاطى النفة[1] متحسّرةً مثلهم على هرب تعويضه. خرجت بعدما غادر محمد وسألت سيدتها:

- لماذا أوغرتِ صدره على الفقي؟

- دعيهم يلتهون ببعضهم بعضاً ويجنّبوني صراعهم. عراك رجال مع بعضهم حول جارية، ما دخلي أنا به؟ كلٌّ يبحث عن مصلحته وأنا لا مصلحة لي في قتال الديوك. ثم إن الفقي في الآونة الأخيرة صار بخيلاً ولم يعد يدخل حتى بحفنة دقيق.

- أها... قولي إن الأمر هكذا.

قهقهت الشوشانه حتى اهتزت حلقة الفضة في أنفها. نهرتها سيدتها ووصفتها بالعاهرة الفاجرة، فقهقهت بالمزيد فرمتها بالكأس التي في يدها وغمزت لها بنصف عين:

---

١ النفة: السعوط.

- أيتها اللعوب.

ثم أضافت:

- قومي واغتسلي، فرائحة النتانة تملأ المكان، ثم اذهبي وأعدّي لنا شيئاً نأكله.

لا تطرق باباً مفتاحه معك

في بعض الأحيان لا يعرف المرء متى يقول شيئاً ينفع أن يعلمه أحدهم وألاّ يعلمه آخر في اللحظة ذاتها.

بينما محمد وسالم يذهبان إلى الماخور، وصلت تعويضه عند عيده، ووصل السيد امحمد الكبير وجاب الله إلى الدكان. سأل السيد عن ابنه أين مضى فأخبره التاجران أن عتيقهم سالم جاء إليه فتحدثا على انفراد ثم ذهبا معاً.

لأي شيء يأتي عتيقهم القديم وإلى أين ذهبا؟

اشتبه السيد بابنه على خلفية ما سمعه، سيتقصّى الأمر حالما يفرغ من شواغله أولاً: رحيل بابور الملح والعبيد ووصول بابور الدقيق. لم ترسُ بعد صفقة الملح والعبيد في مالطا على أحد، مازال ينافسه فيها المنافسون، واليوم ستوضع الأسعار النهائية وفقاً للسوق فإما أن يشتري أو يغلبه غيره ويشتري. عليه أن يضمن تجار الذهب إلى جانبه في جلسة السوق اليوم، فهم الذين يتحكمون بالسعر. يجب أن تميل كفة جماعتهم وجماعة سوباكي اليوناني ضد جماعة حمودة القريتلي والماطوني، ذلك ما كان يهتم له السيد الكبير في حينه.

كان جاب الله قد أصبح الشخص الذي معه كل المفاتيح في لحظة واحدة. كان يجري صفقته الخاصة وسط هذه الأجواء الغامضة والغاضبة والمنطوية على الأسرار والدسائس. كل الأجوبة أصبحت معه. يستطيع أن يراهن على حوار غير ناقص تتبيّن فيه كل المواقف. اختارته اللحظة ليعلم بأجزاء الحلقة المتقطعة كلها، أين وكيف يمكن ربطها. شهادته هي التي ستنقذ محمداً في نظر تعويضه وتطيح بشكوكها في أنه لم يفتّش عنها ولم يسعَ لتحريرها، وشهادته هي التي ستطيح بشكوك محمد في تعويضه وفي أمومتها لمفتاح.

معه حلقة الوصل بين الضائعين عن بعض، فهو الآن من يعلم أين تكون تعويضه وأين يجب أن يتجه محمد.

بينما هو واقف خلف سيده يستمع لحديث السوق ومضاربات السلع، فكّر في نفسه وفي المضاربات بالبشر: "عليَّ ألاّ أضيّع الفرصة من يدي، معي وحدي المفتاح الذي يفتّش عنه محمد منذ وقت طويل كي يصل إلى تعويضه، لكن مكافأتي أنا من يجب أن يقترحها هذه المرة. يبدو أن اللحظة التي أطلب فيها حريتي وأنا ممتلئ بالثقة قد أزفت، إذا بادلته المعلومة بالعتق. أما هذا الشيخ البخيل (رمقه بنصف عين) فلن يمنحني حريتي مهما فعلت، بل سيطلب المزيد، أن تغدو ذريتي عبيداً لذريته، أن يرث دمه دمي. عليَّ وضع بداية جديدة لمن سيأتون من صلبي وإلاّ يجب ألاّ أجرّ أحداً إلى حياة كحياتي وأن يكون قرار الكفّ عن الحياة بالموت فيها هو ثورتي على حيواتهم".

لا بدّ أن تحمل العاصفة خيراً ما لشخص ما، وإن لم يستفد منها الجميع. تستطيع أن تنجب ابنك الحر الآنَ يا جاب الله ليكون لك

لا لغيرك ولنفسه لا لنفوس أخرى.

توجد لحظات متشابكة تولد من أجل شيءٍ آخر، ليس له علاقة بالأشياء التي تتصارع فيما بينها قريباً منه. إنها ما أنت عليه اليوم يا جاب الله.

من كان ليتصور أنّ حريتكما، يا جاب الله وعيده، سترتبط في علم الغيب بإيداع تعويضه الماخور وهربها منه.

هذا لن يتأتّى إلاّ بذاك، تلك هي لعبة الحياة الغامضة.

أغمض جاب الله عينيه وتذكّر طريقه من الجفرة إلى بنغازي، طفلاً يأكل عشب الطريق ويُبكيه ألم المشي على قدميه.

فضيلة الحق، رذيلة الصمت

حاولت جدتي مراراً التخلص من الجارية التي تعلّق بها ابنها. سمعت عن محاولات قامت بها، ولا شك لدي في أن ما لم أسمع عنه كان أكثر، لكني لم أثق في صمتها حيال الأمر برمته عندما نضجت إلى حدٍّ معقول. كانت جدتي تسير أينما يسير الناس، وترعوي لما يقولون ويهمسون، لذا لا أظن أن صمتها كان صمتاً حقيقياً. أمي كانت تذيع لي بعض أسرار البيت التي تحدث في غيابي. أمي مثلي كانت تحب شقيقها جداً وتحترمه وتحرص على راحته، لكنها في الوقت نفسه لا تريد أن تغضب أمها أو تسوء علاقتهما بسبب خادمة يفضّلها الخال على ابنة خاله.

الدخول في عالم النساء مضنٍ ومعقّد. أمي كانت تحكي لي بعض الأشياء أحياناً وأغلبها لا على الإطلاق.

أرملة صغيرة السن تعيش في كنف أبيها وأمها اللذين يرعيان لها طفلها اليتيم، كل ما سيشغلها هو حمايته والمحافظة على مصلحته وإن بالعيش في الظل من أجله... أعتقد أن وجهة نظر أمي في كل المواضيع كانت نابعة من ذلك الأساس، عدا ذلك فهي ترتبط بماكينة

الخياطة أكثر مما ترتبط بالناس، وترتبط بالصمت أكثر مما ترتبط بالكلام، وترتبط بالصبر أكثر مما ترتبط بالأمل، وبي وبمحمد أكثر من عائلتها كلها.

حدثتني مرة، ونحن في طريقنا إلى مكة، عن عالم الخدم وذكرت فيه تعويضه. كنت طفلاً ذا سنواتٍ قليلة عندما حصلت حادثة إجهاض جماعي لعدة خادمات من خدم الأسياد. قررت نساؤهم إجهاضهن لئلا يلدن شركاء شرعيين لأبنائهن. الكل كان يحارب لصالح نفسه، الأنانية البشرية في أقذع حالاتها، حين يعلم الإنسان أن عليه أن يكون ظالماً كي لا يتحول إلى مظلوم. اتفقن على يوم يأخذن فيه خادماتهن إلى الحمام، قبلها بيوم رأت أمي أمها تسقي الخادمة شراباً أُعدّ للمناسبة، شربت الخادمة مرتين في اليوم وبدأ وجهها ينقبض وشفتاها تجفان، أصرت الجدة على سقايتها للمرة الثالثة، رفضت الخادمة التي بدأت تعاني ألماً غامضاً في معدتها ودواراً يربك حركتها، فتدخلت أمي بحذر وطلبت من جدتي الكف، فالخادمة متعبة وتوشك على الموت، لكن الجدة قالت إنها لو ماتت سوف يكون أفضل لها ولهم جميعاً.

تضامنت أمي وجدانياً مع الخادمة وأخذتها إلى ركن البيت حيث كنا نعيش. كانت قواها تخور ولا تقوى على السير، وقد بدأت في التقيؤ وإفراغ معدتها، كانت تبكي طيلة الوقت بصمت، لا يُسمع لها سوى حركة نفس قوي تسحبه من صدرها بين لحظةٍ وأخرى. توقّعت أمي أن يسقط جنين أخيها تلك الليلة من أحشاء الخادمة، لكن السماء أرادت لها ذلك في غير تلك الليلة التي جاءت فيها جدتي إلينا

لمتابعة أخبار الخادمة. تجادلت مع أمي بعد أن وجدتها اهتمت بها ونوّمتها على البساط ووضعت لها خرقة باردة على جبهتها وساقيها. كانت لجدتي شريكة في التدبير هي الحاجة مناني، كانتا تُخضعان الخادمات لعمليات إجهاض سرية لا يعلم بها الرجال ولا تنتشر أخبارها إلا بين الخدم، ومن يثبت أنه تكلم منهم يتم التخلص منه بنفيه في صورة هدية إلى الأرياف، حيث الحياة هناك أقسى من أن تُحتمل.

كان الخدم يخشون هذه العقوبة، لهذا يعمون ويصمّون طواعيةً ولا يتكلمون عن الإجهاض كفعل كريه. صار صمتهم اعتيادياً واختيارياً وانتشر إسقاط الأجنة بمعدَّل انتشار البغاء.

في الصباح اقتيدت الخادمة المسكينة إلى الحمام مع مثيلاتها من بيوت أخرى، هناك أُجهَدن بشكلٍ ما حتى سقطت الأجنّة. تقسم لي أمي أنّ مكاناً في الحمام امتلأ بالدماء حتى أضحى كمذبح وأن القطط في دهاليز الحمام كانت تنتظر فضلات الإسقاط كما ينتظر الصائم يوم العيد.

تقدمت شوشانات مكتملات البنية من الخادمات الواهنات وهنّ مستلقيات للبخار وأخذن يدعكن بطونهن ويخضعنهنّ لشمّ بعض الأعشاب المبخرة. كانت الواحدة منهن تتصبّب عرقاً حتى تكاد تجفّ عروقها وتيبس، ثم عندما ينفجر وابل الدم من أسفل تقترب العملية من تمامها باقتراب الموت.

قُتل الطفل الأول لمحمد وتعويضه هكذا... أمي تقول إنه كان متشكّلاً وكان عمر حمله متقدماً.

أمي لا ترغب الكلام عن أمها وتمتنع عن رواية المزيد. لقد أجابت عن سؤالي لها وهل كان ثمة أطفال آخرون في مرات أخرى بقولها:

- لا تحسب يا ولدي إذا كان لديك خدم كثيرون، وإلا سوف تتعب في توفير الطعام والشراب. الله يغفر ويسامح.

وهكذا كان عليَّ أن ألبّي رغبتها في الذهاب بها مرتين إلى الحج، مرة لنفسها ومرة عن أمها.

ياه، تصبح النفس أمّارة كلّما أطاعها الإنسان.

***

يعيش المرء معتقداً أنه تعلّم كل شيء وعرف كل شيء، لكنه، خلافاً لذلك، يكتشف أنه سها عن معرفة أبسط الأشياء، ولم يلتفت كي يفهم أشياء كانت جاهزةً للفهم، تناسى أو تجاهل وسقط الاهتمام بها في خضمّ اهتمامه بغيرها حتى تلاشت وغابت عن السمع والبصر والتفكير.

مذ تعلمتُ صياغة الذهب عند عمي الصادق أغرمتُ بالعمل فيها وصارت أسفاري كثيرة إلى مصراتة وطرابلس وتونس والإسكندرية. يمكنني الاعتراف بأن تعويضه كانت سبباً في ذلك التحول في حياتي؛ بسببها طُردتُ من البيت ومن عملي في الدكان وذهبتُ أعمل عند عمي الصادق. مكثت في مربوعة بيته شهراً خلال خصومة جدي لي، وذات مرة لمحتُ مصادفةً ابنته الوسطى مريم تمرّ قريباً من باب السقيفة حيث وقفت أستلم منه بعض المصوغات، فلم تغادر صورتها

خيالي منذ ذلك الحين إلا لتكون كلها في حياتي. طلبتها من أبيها بنفسي، وكان ذلك كارثياً في وقته، خلافاً للأعراف حتى وإن كنا أقارب. اعتقدت أنه سيقتلني عندما صمت وقال لي: "يجب أن يمرّ الطلب عن طريق جدك"، فقلت له: "سأكلّم أمي وأذهب إليه وأستسمحه أن يسامحني ويخطبها لي"، فقال إن لديه بنات أخريات أكبر منها ولا يجب تزويج الصغيرة قبل الكبيرة. حينها قلت له: "إن من الأدب أن أنتظر حتى تتزوج أخواتها الكبيرات أولاً، لكني جمعت مهرها وهو جاهز عند أمي"، فضربني على رقبتي قائلاً إنني ولد ذو رأس يابسة وعليَّ اقتناص المناسبة لمصالحة جدي.

فاجأت جدي بدخولي عليه ذات يوم وهو جالس في باحة البيت. لم أخطّط لمقابلته حتى لا أتراجع. جمعت نفسي وذهبت، ركعت عند قدميه مقبّلاً يديه طالباً منه التجاوز عني، وعندما أخذت في البكاء لأني أحبه ولا أطيق خصامه وجفاءه إياي بكى هو الأخر وعانقني وسامحني، فقبّلت رأسه مرات. وعندما تناولنا الغداء معاً فاتحته جدتي في الآمر فنظر إلي فخفت وطأطأت رأسي، فقال لي:

- أنت رجل حقيقي لا يترك خيره لغيره، سأخطب لك بنت عمك الصادق.

فقلت له:

- مريم يا جدي! إياك أن تخطئ كما فعلت مع خالي أمين. خطبت له أخت التي يريدها فتزوج بالخطأ.

ضربني بعكازه وقد أغضبه كلامي حتى ظننته سيطردني من جديد. تزوجتُ مريم وكوّنت معها عائلة تأخذ كل اهتمامي. كنا صغاراً

أنا كما هي لكننا تعاشرنا عشرةً طيبة. ساندتني في عملي حتى اشتريت بيتاً في مدينة أجدادي ونقلت أمي معنا. في وقت لاحق رحل جداي، جدي أولاً بمرض القلب الوراثي، وجدتي بسبب وقوعها على رأسها في الحمام إثر نوبة سكّري حادة، قاومت يوماً وليلةً ثم رحلت عشية الثالث. صارت مسؤولياتي كبيرة بإعالة إخوة زوجتي الصغار الذين أخذتهم عندنا تربّيهم بعد رحيل والدتها بمرض غامض. خشيت عليهم ذلّ زوجة الأب وألاّ يعيش والدها سعيداً مع زوجته الثانية. هكذا أحاطتني المسؤوليات وكبّلتني الروابط الاجتماعية التي أجلّها وأحترمها.

صارت ملكية البيت لخاليَّ الأمين وعبد السلام، وحدث صراع متوقع على الإرث بينهما وبين محمد وعمتي حليمة. نأيت بأمي عنه فنقلتها للعيش معي في بيتي الجديد في مصراتة والتنازل عن حقها في الميراث نظيراً لتربيتي.

كان محمد يتوسّع في مغامراته في السوق ومضارباته في عدة سلع توسّع الشقاق والمسافة والمنافسة بينه وبين إخوته. كنت أحذّره وأخشى عليه من شجاعته في التقدم، لكن تلك كما كانت ميزته كانت في حالات أخرى أكبر عيوبه. تعرّض لخسائر كبيرة واستطاع في مرات عديدة أن يظفر بالنجاة. لم يعد ديدنه الاستقرار في بنغازي، أصبح تاجراً من تجار الجملة ولم يعد يستكين. كان يحدثني عندما نلتقي لقاءات قصيرة بأنه موجوع وأن جزءاً من ألمه منسوب للعائلة.

كان يرسل وراء تعويضه عندما يحتاجها. كان قد تغيّر وأصبح رجلاً آخر يصعب فهمه، تارةً سعيد وتارةً بائس كئيب. تأثرت طبائعه

بعدم تمكنه من إنجاب طفل ذكر، فهو ينجب البنت تلو البنت في محاولة للحصول على ذكر. صار إنساناً آخر منذ حادثة موت طفله جائعاً في بيته. كان ذلك الولد هو قسمته الوحيدة في عالم الذكور. أحياناً أجده يبكي مكموداً وحده. أحياناً يشرب ويثمل وينادي أمه وأباه بالقاتلين لأنهما قتلا فيه كلَّ شيءٍ حي. وأحياناً لم نعد نجده في البيت ولا في بنغازي كلها، يذهب في تجارةٍ بعيدة فقط طلباً للابتعاد عن العائلة.

ليس سهلاً في مجتمعنا أن تتخلص من عائلتك إذا كانت هي مصدر متاعبك. الرحلات الطويلة التي توفر هجراناً جميلاً هي الحل، والعودة إليهم إذا أُجبرت كضيف. ذلك ما بدا لي أنه قرره لنفسه، صار يغيب في مالطا والبندقية، وصار أكثر إسرافاً في الشراب. لكنه ما فتئ يذكر تعويضه كيف قتلته هي الأخرى بتركه، ففي لحظات ُسكره كان يردّد أنها مجرد شوشانه تكبّرت عليه وعاقبته.

قيل له الكثير المزعج عن تعويضه، أنها هربت من البيت، ونامت مع رجال آخرين، وأخذت سلوك بنات باب الله، وسحرته عند العبيد الشامان. فيما هي في الحقيقة تدفع ثمن تحررها من القيد: عملت عند الآخرين وتخفّت في اسم وشخص جديدين في الزرايب، وخبّأت أمومتها لابنتها خوفاً عليها من شرّ الجِنّة والناس.

عاشت خائفةً أكثر ممّا عاشت تطمح للحرية، ولعلها مثَل كثيرين يشبهونها، كانوا مدينين لتحررهم بمجيء سيدٍ آخر انتزع الملك من أسيادهم. جاء الإيطاليون إلى ليبيا وطردوا العثمانيين منها وتغيّر

النهج كاملاً عندما ورثوها منهم. كانت إيطاليا تحصي ما تجده في مستعمرتها الجديدة لتنتفع به كحقٍّ لها، وقد ألزمت الأسياد ممّن لديهم عبيد بتسجيلهم على أسمائهم أو منحهم حريتهم ليختاروا تسجيل أنفسهم بأنفسهم رسمياً. كانت إيطاليا من البلدان التي استبدلت عبودية البشر بعبودية الأوطان ترتيباً لبيتها الجديد وفقاً لشعائرها. هكذا ذاب نظام الرق باجتثاثه مرةً واحدة، وتحررت تعويضه وسواها رسمياً. لم يعد بمقدور أحد أن يستعبد أحداً من جديد، وقد طالبت محمد بوثيقةٍ يقرّ فيها بأبوته لكِ ولم تطالبه بشيء لنفسها.

كان محمد يائساً وغاضباً، بحث عنها في أماكن تجمّع العبيد قبل مغادرتها بيت بنات باب الله، وعندما وجدها كان ذلك لأن جاب الله دلّه إليها، حينها بدأ الشقاق بينهما.

– أنت لم تبحث عني وتخلّصني.

– أنتِ نمتِ مع الفقي ورجال آخرين في الماخور وأنا لا أستطيع نسيان ذلك.

– أنت لم تهتم لموت طفلنا لأنه ابن الجارية السوداء، بل ذهبت وتزوجت ثانيةً. أنت عبد لأهلك، ومطية لأمك وأختك.

– مفتاح ابنكِ وقد خبّأتِه كما خبّأتِ عتيقه خوفاً عليهما.

– أنت لا تثق بي. أنت تغار. أنت أناني تريد امتلاكي كغرض لك، ما أن يمسّه غيرك حتى تكرهه. أنا لست غرضاً.

– أنتِ تقولين كلاماً غريباً لم أسمع جاريةً تقوله من قبل لسيدها.

– أنا لست جاريتك أيها اللاشيء.

- أنتِ التي تريدينني وترغبينني.

- أنتَ الذي ترسل لي خادمك وعربتك إلى الزرايب. ماذا يريد السيد صاحب الوجاهة والمال من زنجية فقيرة؟

- قولي إنكِ ما زلتِ تريدينني.

- أنا لا أريد منك شيئاً، لا من مالك الذي زاد ولا من عقارك الذي اتّسع. إن اعترفت بالبنت أو لم تعترف فهي ابنتك أمام الله. إن لم تفعل سوف أسجّلها باسمي كما يسجّل الرقيق ولن أتخلّى عنها لك لأنك لست قادراً على حمايتها. أنت خليلي فقط.

- بل أنا زوجكِ واقعاً وصدقاً.

- أنا لست زوجتك، الزوجة لها حقوق وأنا معك لا أملك شيئاً، أملك متعة ونشوة نتبادلها. أنا سريتك التي تستمتع بك كما تستمتع أنت بها.

- ألا تحبينني؟

- بلى أحبك كما تحب سرية من يسريها، وهذا لا ينتمي لشيء غير الحب.

من مثل هذا الصراع جئتِ، تكوَّنتِ ذات هدنة، وظلت تعويضه تقترب وتبتعد، يختصم معها ثم يصالحها، يهجرها ثم يعود إليها، يكرهها ثم يحبها، ينساها ثم يتذكرها، يجافيها ثم يحنّ إليها، يتركها إلى مالطا ثم يعود إلى بنغازي لأجلها.

لم تبرأ تعويضه هي الأخرى من انعكاسات سنة الماخور، ظلت تتجرع المريسا لتنسى. تنتابها موجات الغضب المجنون فتبصق عليه وترميه بأقذع الكلمات وترفض العبد الذي يرسله إليها وتهدّده

بمضاجعة غيره ليتوقف عن تذكيرها بالفقي.

ظلت تقهره بالغياب عنه وبالذهاب إليه ورفض ما يعطيها إياه. تمنحه نفسها وقلبها وترفض عطاياه، ذلك ما كان يقتله فعلاً منها كجارية سابقة.

وهكذا كنتِ، بنت تلك اللحظات المتناقضة، المتداخلة مع بعضها بعضاً، ما بين جنونٍ أبيض وجنونٍ أسود، يتصارعان في اتجاهين مختلفين، ما بين قلبين جمعهما الحب وفرّقهما الناس.

ذات مرة تخاصما وافترقا وفي المساء بحثت عنه فوجدته في المقبرة ينام بجوار قبر ابنه. قال لي إنها لا تكفّ عن تذكيره بأنه شريك في قتله.

أصبحت تعويضه حرة ورفضت العودة إليه كخادمة. ضيّقت عليه الخناق فوعدها المرة تلو المرة أن يعترف بابنته ما أن ينهي بعض أمور تجارته، ولم تصدّقه رغم أنه كان صادقاً. أخبرني ذات مرة عندما كنا معاً بأنه ما أن يعود من رحلة مالطا حتى يذهب إلى الجامع ويعلن أبوّته لكِ، لكن القدر كان له كلمة أخرى غير التي أسرّ لي بها، كلمة قاسية فتّتت حياتي وهوت بي إلى درك الأحزان. فمحمد لم يعد من تلك الجهة التي يمّم وجهه إليها أبداً، وجدوه ميتاً في فراشه.

انتهى شاباً جسوراً يفور حماساً ونشاطاً ورجولة. هكذا فيما يشبه الدعابة السمجة للحياة انتهى معه جزء من بهجتي وحياتي. كرهت بنغازي بدونه وبدأت أكابد وحدي مصاعب الحياة: رجلٌ وحيد يريد أن يبني أساساً له.

ها انظري صورته الأخيرة في ميدان البلدية شتاء الحرب العالمية.

لقد كان شاباً وسيماً. هل كان يبدو عليه مرض أو موت؟

قرّبت عتيقه الصورة إليها بعينين دامعتين، تأمّلت وجه الغريب ثم قبّلته قائلةً:

- بلى، كان يبدو عليه ذلك، لأنه حزين.

ما تحت الأرض يعادل ما فوقها

وقف علي صحبة عتيقه عند شاطئ الصابري. كانا قد تناولا الغداء معاً في بيتها وتحدثا حديثاً طويلاً، تطرق فيه علي إلى حقوق عتيقه الشرعية بعد معركة إثبات نسبها التي خاضها مع الورثة. لم تتكلم عتيقه كلما أتى علي على حديث الإرث، تكتفي بالصمت وبالنظر إلى البعيد كأنما تفتش عن كلمات تغيّر بها مجرى الحديث. مرةً غيّرته بالحديث عن سعادتها بطلاء يوسف لنوافذ البيت بالأزرق الذي تحبه. ومرةً غيّرته بالحديث عن أصص الحبق واللاونطا[1] والزهر والنعناع التي زرعتها في المستوصف كما في البيت. ومرةً غيّرته بالحديث عن ترتيباتها لموسم الدنقة وزيارة سيدي داوود هي ومحمد وتعويضه. ومرةً بأن أرته الزرايب حيث نشأت. وعدته أن تكون دليله الحي إليها قبل أن يرجع إلى الخان ويتأهب الغداة للسفر إلى مصراته. كان يسعل بشدة مبدياً جلداً وهو يمشي معها. اقترحت عليه الذهاب إلى المستوصف ورفض.

١ اللاونطا: نبات عطري.

مرت لحظات كانا فيها صامتين. كلاهما يجرى حديثاً خاصاً مع نفسه، غالب فيه عليٌّ مشاعر الحزن التي تدفقت إليه من المكان، وكابرت عتيقه وجع ذكرياتها فيه. التقت نظراتهما في لحظة شرود فقطعت الصمت قائلةً:

– ها هي الزرايب موطني، فضاء من الرمل والماء والأعشاب البعلية وسماء واسعة مفتوحة بلا حدود (رفعت رأسها إلى الأعلى) قد يعتقد الرائي أنها لا شيء، مجرد فضاء مفتوح، لكنها كل شيء (انحنت إلى الأرض وقبست حفنة رمل)، أعرف حدودها من تلك صخور التي لم تتغير. تلك الصخرة الداخلة أكثر من سواها في الماء، هل تراها؟ لطالما جلست فوقها إثر كل استحمام حتى أجف.

قاطعها علي قائلاً:

– اقتربي.

باستغراب قالت:

– لـ..لـ..لماذا؟

لم يجبها لكنه رفع طرف عباءته حتى أتاح لرأسه الخروج منها، ثم قال:

– تعالي ألبسكِ إياها.

باستغراب أيضاً:

– لكني لا أشعر بالبرد.

– أعرف. إنها عباءة أبيكِ. احتفظت بكل ملابسه وأشيائه بعد رحيله. إن اسمه مطرّز عليها بالرسم العثماني. ها، انظري.

هربت الكلمات من عتيقه وبكت. قال علي:

- لا تبكي يا عتيقه، إن دموعكِ تحرقني.

ثم دنا منها وأدخل رأسها في طرف العباءة المعقود. لانت هي للعباءة ورفعت يديها لتستوي داخلها. أخذ علي بطرف العباءة المتهدّل حيث رسم التطريز، رفعه إليها حتى صار في منتصف جسديهما وقال:

- ذهبت إلى أمهر من يحيك أردية الحرير في سوق الجريد وطلبت إليه أن يضيف اسمك بنفس لون السلك وقد فعل. هذه عباءة أبيكِ حين كان يتزيّن ويتجّمل، رُدّت إليكِ وهي من حقكِ. لا شك أنه قابل بها أمك مرات.

بدموع فقط أخذت عتيقه طرف العباءة وقبّلته.

- ليرحم الله روحك يا أبي... ليرحم الله روحك!

كان البحر هادئاً، تتبعثر فيه قوارب الصيد الفردية وتخضب الشاطئ أمواجه المتلاحقة، كأنه لم يشاهد أحداً هنا من قبل أو يختبر حياةً. قالت بعد صمتٍ قصير وهي تشرب هواءه بأنفها:

- لا أدري إن كانت هذه الموجة هي ذاتها الموجة التي شملتني منذ أعوام قصيّة، ولا إن كانت الرمال هي ذات الرمال التي لعبت بها صغيرةً وبنيت بها بيوتاً هشة مثل بيوتنا، تسحقها الريح ويجرفها الماء.

هنا جئت وفي مثل تلك البيوت التي بنيتها ترعرعت، حيث الزرايب التي ولد منها اليوم جانب المدينة المصطفّ أشواطاً، بيوت وطرقات وشوارع لها أسماء، ذاك العهد الذي لم تعاصر ميلاده أنت وسائر من رحلوا عن بنغازي، جانب لا تفصله بنغازي عنها بسور،

تنيره الكهرباء بأعمدة الخشب وتشقّه مسارات أكثر ترتيباً من دروب النمل، تصله المياه في مواسير وتختفي منه الكاروات وجرار الماء ويتوقف فيه نقل الموتى على ظهور الحمير. كانت العزلة هنا جهنمية والظلام عارماً والشتاء وحشياً، ليس ثمة ما يتّقيه. كانت الكلاب والقطط والجراء والدجاج تذرع تلال الرمال وتفل البحر، تفتّش عمّا يعنيها فيه وتموت مثلنا، وكان قلبي يندسّ مثل خياطيمها ومناقيرها في ثرى الزرايب يوماً بعد الآخر.

تعثّرتُ في رمالها طفلةً ولعبتُ صبيةً ولولا احتراقها بالنار والطاعون ما خرجت منها. هنا تعلمت السباحة ككل الأطفال، لا نعرف كيف ولا متى وكأننا ولدنا داخل فقاعةٍ من ماء، هنا غسلت واغتسلت وقابلت يوسف رجل حياتي.

هنا شهادة ميلادي الحية وشهادة ميلادي السرية التي خبّأتها أمي خوفاً عليَّ من غوائل الدهر. هنا ترقد تعويضه مع عباءة محمد مع كتاب اعترافه بي داخل ترابي. لا أعرف مكان البراكة التي طمرت أمي تحت ترابها الأشياء، لكنني حيثما دست في هذا الاتّساع أحسها تناديني قائلةً لي: "أنا هنا أراكِ وأجدكِ وأعرفكِ حتى وإن لم تريني". تحت هذه القطعة المالحة الحانية من بنغازي تعيش جذوري وينطوي سرّي، تلفّني عباءة أبي المطرز عليها اسمه بخيوط الحرير، برداً وسلاماً عليَّ أينما كنت، وجسد أمي الأسود الذي انتهكه الزمان بكل صنوف المذلّة قبل أن يحملني. أعيش بالمكان، وثيقتي في هذا الكون، وبمحمد اللاجئ الأبيض إلى حبٍّ أسود، وبالسوداء اللاجئة للمريسا واللاقبي للنسيان. أنا محطة الرق الأخيرة حيث توقفت آخر

القوافل ودارت الدماء وامتزجت في الشرايين. هنا تكوّنتُ من كل شيء، من الرقّ والعتق، من الماء والملح، من الذلّ والحرية، من الشمس والتراب، من الجوع والظمأ، من الارتواء والشبع، من نظافة بنغازي وقذارتها، من جفائها وحنانها، من دمعها ودلالها، من دوالي عنبها وكروم تينها، من أسوارها القصيرة ومجونها وتعاليها، من سباخها الضحلة وطينها الأحمر، من نخيلها وجريدها ورملها ومائها وتلالها، من لهجتها الغارقة في الدلال، من صوتها المتّشح بالجلال، من نسقها المتّشح بالتيه، من مرسكاويها وبغداديها، من صوامعها المكبّرة ونواقيس كنائسها المترنّمة وقباب رقودها الصالحين، ودفوف عبيدها الصادحة بالألم والأمل. هنا نشأت حكايتي واتّسعت. أأنا ابنتها أم هي ابنتي؟ لا فرق! كلتانا شهادة ميلاد للأخرى، فيها استطعت أن أكوّن نفسي من عدم الأماكن التي رمتني إليها. بنغازي محمد وتعويضه الأزليان، وأنا بذرة الحب الأكيدة بينهما. بنغازي مفتاح التائه الصغير بين الدروب وعتبات المساجد، الممسك مثلي بطرف رداء أمنا تعويضه. كلانا كان للآخر ضوء منارة لسفينة في حالة ضياع. كلانا لا يختلف عن منارة اخريبيش، لكي تضيء، لا بدّ أن يحيطها الظلام.

***

قال لي رحمه الله:

- يا عليّ، إن أخوالنا متجبرون وطغاة، نهبوا إرث أمي وأخواتها

من جدي وجدتي، ومنعوه عليهن بحجة أنه مالهم الذي يذهب لغرباء، وأفهموهن وسائر نساء ذلك العصر أن المرأة لا ترث شرعاً ويُعاب عليها المطالبة بمالٍ تخسر بسببه مساندة أشقائها لها مدى حياتها. خافت أمي وسائر النساء أن يحتجن إخوتهن يوماً ضد أزواجهن كي يردّوا عنهن ظلماً أو يجلبوا لهن حقاً، فالإخوة لن يكونوا إخوةً وسنداً بعد ما طالبنهم أمام القاصي والداني. كانت مجرد عبارة "أريد إرثي" توقد نيران حرب عائلية لا ينطفئ سعارها أبداً.

لا يمكن أن تبصق في بئر ثم تعود للشرب منها. الخوف من الزمان وصروفه الغريبة هو ما دفعهن للسكوت، وهكذا بدت النساء وكأنهن تنازلن بمحض إرادتهن عن ميراثهن لصالح إخوتهن الذكور.

أخوالي، بإرث أمي وشقيقاتها، صنعوا تجارتهم وتوسّعوا فيها وأدخلونا شركاء ليضمنوا أن ما من غريب ينقلب عليهم أو يخونهم ريثما تكون لهم ذرية من الذكور تستطيع أن تقوم عليها، ومتى تحقق ذلك سيرموننا بهدوء وكياسة متخلّين عن خدماتنا.

هكذا تحوّلنا إلى عبيدٍ من نوع آخر، عبيد غير مرئيين ندير تجارة غيرنا ونعيش بما يقتسمونه لَنا، لكنهم أبداً لن يسمحوا لنا أن نطاولهم في البنيان.

وكان أبي ضعيفاً أمام سطوتهم البالغة في السوق، مجرد عامل ثري عند من يفوقونه ثراءً، علّمني التجارة على يديه لكنه لم يعلّمني الطموح للاستقلال برزقي. اليوم تأتيني فرصتي لافتكاك حقي منهم

جميعاً، أريد أن أستقلّ وأدخل السوق منافساً مناطحاً لهم. السوق ساحة حرب لا تجدي فيها القربى ولا العواطف. إذا أتوني في غيرها أكرمتهم وأحسنت معاملتهم. إذا نافسوني في البيع والشراء نافستهم، فإما ربح وإما خسارة. لكني لن أسمح لتجارتهم أن يدخلوا بها إلى فراشي مع أختهم ليديروه هم كما يريدون.

إذا أردت أن تكون معي فها هي يدي مبسوطة لك كل البسط، أملِ عليَّ شروطك لنمضي معاً على بيّنة. إذا جبنت وخفت وتراجعت، لا ألومك وسأظل أحبك وأساعدك وأقف إلى جوارك في كل شيء، لكن هذا ما أنوي فعله حقاً. أريد أن أكون حراً لا شريك لي في مالي وفي ملكي.

- تريث يا خال، ربما أخذك الغضب من كل ما حدث لك بعيداً.

- لكل شيء أوانه، لن أسوّف أو أؤجّل بعد اليوم، سآخذ بثأري ممن ظلمني من أهل بيتي ومن الغرباء. سأعاقبهن حتى يعرفن أن تحت هدوئي عاصفةً وخلف صمتي كلاماً ووراءعدم قدرتي قدرة. سأوجعهن كما أوجعنني.

سأحرّر أحبَّ عبيد أمي إليها، جزاءً على ما صنعت بجاريتي في غيابي، كيلا أظلمهم بظلمها، فجاب الله وعيده لا يستحقان أن يكونا ضحيةً لغيرهما.

سأتزوج ثانيةً على رقية لتعلم أنَّ بيع تعويضه لن يثنيني عن غيرها، سأجلب لها ضرةً حرةً توازيها في المقام والمكان، وحجتي في ذَلك أنها لم تنجب لي الذكر.

سأمنع حليمة، لعنها الله، من دخول بيتي ما حييت. وسأحرق الفقي كما أحرقني، عندما اعتدى على جاريتي وحبي وسحقني من خلالها، وسأشرب حتى أنسى هيئته وهو يضاجعها لأستطيع الاقتراب منها والبقاء معها كتعويضه التي لي.

لقد كان والدكِ عطوفاً بقدر قاسياً بقدر، يكابر آلامه ويتجاسر على جراحه ويقاتل رغم حداثة سنّه من أجل استقلال مملكته كي لا يغلبه أحد. كانت الحرية في هذه البلاد شيئاً غير هيّنٍ حتى للرجال، لكنه فعل كل ما قال. بدأ مخططه باحتجاز الفقي، اعترضه ذات مرة في زقاقٍ ضيق وهو عائد من صلاة الفجر، اكترى عبيداً قيّدوه وكمّموه وأخذوه إلى مكانٍ بعيد، هناك كانت النار تنتظره، أحرق عورته ورماه على إحدى دروب البدو الرحّل كي يعثروا عليه ويعيش بعد ذلك صامتاً لا يستطيع التكلم عمّا حدث له.

جاءت بقية الوعود تباعاً. حرّر جاب الله وعيده كما طلب جاب الله، شريطة أن يخرجا من البيت ويقيما في الزرايب قريباً من تعويضه.

تزوج من ابنة شيخ إحدى القبائل الكبيرة في برقة، واكترى بيتاً كبيراً نقلها هي ورقيه إليه منذ يوم زواجه الأول لتبدأ معركة الديوك.

ظلت خالتي حليمه ترسل إليه الوجاهات يوماً بعد الآخر لكي يتسامحا وتنتهي خصومتهما التي صارت حديث القاصي والداني، رفضها كلها، حتى أحسبه بالغ في تعذيبها بقوله لشيخ عائلتنا: "إن متّ لا أريدها في جنازتي".

كان كمن تنبّأ لنفسه بالموت دون جنازة، حيث كان مأتمه في مكان ومدفنه في آخر، وحيداً وغريباً على الضفة الأخرى لهذا البحر الممتد.

سعل علي واضعاً المنديل على فمه. سألته عتيقه بقلق:

– عليّ، أصدقني ما بك. إن سعالك غريب ومخيف.

– لا شيء. لا تقلقي.

– أرني المنديل.

– لا، لا شيء.

– لماذا تخفيه عني؟ أرنيه، لنذهب إلى الطبيب. بردوشمو صديقي وسنذهب إليه في بيته يراك ويعتني بك.

– كلا، لنذهب إلى مفتاح.

– لا، لنذهب إلى بردوشمو.

– أريد أن أرى مفتاح، خذيني إليه أرجوك، أشتاق إلى حديث هذا الرجل الطيب، إلى جلسة معه أمام دكانه، في وسط لبلاد، ندخن السجائر معاً ونتكلم ونضحك على المواقف التي يسردها، كيف يسردها عن الحياة والناس. أشتاق إلى فطيرة سفنز ساخنة بالعسل البلدي من يديه. أشتاق إلى صفائه وإلى عناق أطفاله وعدوهم تجاهي عندما يرونني: عمي علي... عمي علي جاء!

إنه وأمثاله ضفة أمان، يطمئن المرء بوجودها في حياة من يهتم لهم.

دعينا نذهب إليه الآن.

هل لي أن أطلب منكِ طلباً؟

كان علي متردداً في قول ذلك، عندما شعرت عتيقه بعينيه لا تحيدان عنها:

- ما بك يا علي؟ هل هناك شيء؟

"ابتسمي"، قال قلبه، وقالت شفتاه:

- كلا، لا يوجد شيء. دعينا نذهب الآن.

منذ اللقاء الأول بعتيقه، احتفظ علي في صداره بالتكليلة التي استوفت بها جدّته مجموعتها الناقصة حين باعت تعويضه للفقي. لم يستطع أن يُعيد لها شيئاً من أمّها حتى ولا ثمنها يوم أن بيعت، قائلاً لنفسه عند كل مرّة: لا ليس الآن يا علي رفقاً بوجدان عتيقه المُنهك. إنّ ذلك مهما بدا لك اعتذاراً لائقاً، فهو قاسٍ للغاية. دعه لوقتٍ آخر.

ليبيا، ٢٠٠٦ – إيطاليا، ٢٠١٥